211 idées
pour devenir
une fille brillante

211 idées pour devenir une fille brillante

Bunty Cutler

Publié pour la première fois en Grande-Bretagne en 2006,
sous le titre *211 Things a Bright Girl Can Do*,
par Harper Collins Entertainment.

Copyright © Bunty Cutler, 2007.
Illustrations de Nicolette Caven.

© Marabout 2008 pour la traduction et l'adaptation françaises.

L'éditeur a pour principe d'utiliser du papier composé de fibres naturelles
renouvelables, recyclables et fabriquées à partir de bois issus de forêts bénéficiant
d'un système d'aménagement durable. En outre, l'éditeur demande à ses fournisseurs
de papier de s'inscrire dans une démarche de certification environnementale reconnue.

Ce livre présente des activités dont la pratique peut se révéler dangereuse,
si les instructions données ne sont pas scrupuleusement suivies. En ce qui concerne
les mineurs, elle doit s'exercer sous la surveillance exclusive d'un adulte.

Texte traduit et adapté de l'anglais par Laurence Rico

Mise en pages et relecture

CASSI
EDITION

Sabrina Regoui, Sylvie Rouge-Pullon

Dépôt légal : Fevrier 2011
ISBN : 978-2-501-05839-1
Codification : 40 4657 9 / 09

Imprimé en Italie par Rotolito Lombarda

Bunty Butler est née en Inde, où son père ne faisait pas partie des services diplomatiques. Enfant, elle n'a pas été traumatisée par d'horribles nonnes et elle n'a pas non plus été élevée à l'école Rœdan en Afrique du Sud, où elle n'est pas non plus devenue chef de classe. Elle n'a jamais reçu de bourse pour étudier à Cambridge, où elle n'a jamais suivi de cours d'histoire, pour ne pas travailler après son diplôme au British Council à Paris, où elle n'a pas été remarquée par un célèbre metteur en scène mondialement connu, qui ne lui a pas demandé de lui écrire un scénario, en conséquence de quoi il ne l'a pas épousée non plus. Après son non-retour en Angleterre, elle n'a pas occupé de poste influent à la BBC, avant de ne pas être nommée rédactrice littéraire dans un journal reconnu. Elle n'a donc surpris personne en se lançant dans une carrière littéraire à succès, en tant qu'auteur de best-sellers dans le domaine des livres de cuisine. Elle n'est pas mariée avec deux enfants et ne vit pas dans un ancien presbytère ou un vieux bureau de poste dans le Sussex, où elle n'apprécie jamais de sortir ses chiens ou de jouer du piano. Bunty ne possède pas de maison à Highgate, Cape Cod, Manhattan et Nice, où elle n'a pas écrit deux romans post-modernes à succès. Sa courte autobiographie tant attendue n'est pas prête d'être éditée. En 2006, elle n'a pas été intronisée par la reine d'Angleterre.

Ce livre est dédié à la mémoire de Peter « Flobbadob » Hawkins qui m'a fourni les voix off de mon enfance, à Edward Ardizzone qui a fait les dessins et à Elizabeth Cotten qui a fourni la musique – pas seulement à l'envers, mais aussi de bas en haut.

Sommaire

III *L'hôtesse parfaite*
L'art de faire tourner les têtes, de faire chanter les oiseaux et de recevoir la crème de la crème

IV *Être totalement sublime*
Astuces glamour pour femmes pressées toujours chic

V *La mécanique des filles*
Les compétences essentielles pour les brico-girls branchées

VI *Hue, dada !*
Super sports, hobbies et autres passe-temps pour les filles

VII   *Comment être une vilaine fille*
Tout ce que vous devez savoir pour être une vraie catin

Remerciements

L'écriture d'un livre est un processus impliquant toutes sortes de personnes dont vous n'entendez jamais parler et que l'on ne mentionne pas, habituellement, dans les remerciements. Il y a cet homme, par exemple, qui a collé le petit ruban rose sur la tranche de ce livre – c'est super comme boulot, n'est-ce pas ? Qui le remercie, lui ? Ensuite, viennent M. et Mme Evans qui me livrent le lait. Sans eux, il me serait impossible de me faire une bonne tasse de chocolat chaud après une dure journée d'écriture, et de fait on ne les a jamais sélectionnés pour le Booker Prize. Et au sujet de l'index, à la fin ? Il y en a, des pages ! Qui a eu la douloureuse charge de cette tâche ingrate ? Sûrement pas moi, je suis bien trop importante ! Non, en fait, cela a été fait par un jeune homme charmant qui s'appelle Ben Murphy, et dont le métier est d'indexer les livres – eh oui, ce métier existe ! Ensuite, il y a les charmantes illustrations qui illuminent le texte avec tant de bonheur. C'est Nicolette Caven qui les a dessinées, et que Dieu l'en remercie ! Mes propres esquisses rudimentaires auraient défiguré chaque page sur laquelle elles auraient fait leur apparition. Trois grands bravos à mes éditeurs, chez Harper Collins : Chris Smith, Kate Latham et Natalie Jerome, qui m'ont encouragée tout au long de mon travail, ont enlevé les morceaux qui devaient aller à la poubelle et ont fait en sorte que j'écrive correctement « nécrose faciale ». Mon agent, Laura Morris, mérite une mention spéciale pour m'avoir ramenée à la réalité avec entrain quand je jurais que j'aurais mieux fait d'entrer dans les ordres, comme l'a fait ma belle-mère américaine, Joan, qui (à part être une très bonne et agréable belle-mère) m'a envoyé des recettes et autres trucs très utiles. Ma belle-sœur, Marianne Saabye, a lu ce livre avec un regard partial et a émis de bonnes critiques – je lui en suis très reconnaissante – pendant que son fils improvisait des morceaux de blues à la guitare, vraiment cool. Mon frère, Tom Cutler, mérite une ovation gratinée pour ses remarques laconiques, quand j'essayais de comprendre ses trucs d'homme. Son propre livre, *211 idées pour devenir un garçon génial*, m'a d'ailleurs inspiré celui-ci.

Je garde le meilleur pour la fin. Je remercie ma tante Sarah, qui est allée dénicher des faits intéressants, des coupures de presse et autres publications, m'évitant plus d'une fois de tomber de Charybde en Scylla. D'autres personnes doivent être mentionnées pour leur participation aux recherches, ce sont mon bon ami Jo Uttley et sa bande – Siobhan Collis, Susie Ireland et Charlotte Wolff – qui m'ont tous donné des idées utiles. Merci, les filles !

Comment utiliser ce livre

Quand j'ai demandé à mon frère ce qu'il faisait samedi soir, il m'a répondu : « Enfiler une capote avec Tiffany ! » J'ai tout de suite compris, étant une femme de lettres, qu'il faisait allusion au roman de Truman Capote, *Petit déjeuner chez Tiffany*. Un bouquin que j'avais moi-même récemment mis de côté, un peu dégoûtée par l'introduction rasante de certain ponte universitaire.

Quand je lis un livre, je ne veux pas patauger dans les méandres d'un prologue verbeux ; je veux tout de suite arriver aux parties juteuses. Mon livre de *Don Quichotte* commence par une introduction si pompeuse – rédigée par un homme qui porte bien son nom, Marcus Cock – qu'un seul coup d'œil m'a fait sombrer dans le sommeil, et que ce chef-d'œuvre de 752 pages m'en est tombé des mains.

Quoi qu'il en soit, c'est ma manière détournée de m'excuser pour la longueur de mon propre préambule. Vous n'êtes pas obligée de le lire, bien sûr, vous pouvez vous rendre directement aux passages juteux, mais vous voulez peut-être savoir qu'au lieu des 29 pages de bla-bla ronflant, cette introduction est une exégèse concise, destinée à vous donner envie d'ouvrir ce livre.

211 idées pour devenir une fille brillante ne ressemble pas aux autres livres pratiques pour filles – surtout ces antiquités pleines de photos qui vous montrent comment tenir une casserole. Quand je pense à ce genre de bouquins déprimants, je pense à *Notre livre de vacances, à nous les filles*, qui comprend parmi ses pages cartonnées marbrées un chapitre illustré intitulé *Comment grandir*, ainsi que des récompenses fadasses comme les Posters pour les activités scolaires. Mon *Comment péter avec grâce et élégance à une réception d'ambassadeur* est un des nombreux chapitres dans lesquels je me suis échinée à transmettre des conseils destinés à des femmes modernes, dans un style plus vivant et plus frappant que celui des traités poussiéreux et dépassés.

J'ai essayé, par ailleurs, d'éviter les faiblesses de ces assommants albums d'histoires d'antan, tels que *Histoires gaies pour jeunes filles* (c'est mon préféré), publié en 1950 par le non moins désopilant Beaver Books. La qualité fondamentale de ces histoires encyclopédiques peut se révéler dans des titres aussi excitants que *Olive et Peggy ont des idées* (quelle horreur !) et *Véra à l'âge de pierre*. On se demande ce qu'elles faisaient à l'époque, à part tricoter, faire des gâteaux, repriser des chaussettes et bichonner leurs hommes ; le terme *féminisme* les laisserait aussi pantoises que votre grand-mère en entendant l'expression *peigner la girafe*. Au lieu de cela, je me suis concentrée sur des sujets essentiels de la vie de tous les jours, très utiles pour une jeune femme active de notre temps, tels que *Comment perdre trois kilos en trois heures* ou *17 façons d'utiliser un bas résille*. La lectrice à qui je pense, comme vous avez pu le deviner, est davantage une jeune femme dynamique qu'une vieille rombière décatie.

N'essayez pas de lire ce livre d'une traite, vous risqueriez la folie. Vous devriez plutôt le considérer comme une de ces grosses boîtes de chocolats belges. Regardez le contenu, dirigez-vous vers les morceaux de choix, puis dégustez. Si vous deviez tout engloutir d'un coup, vous en auriez sûrement la nausée et passeriez du vert au marron. C'est la même chose pour ce livre. Dès que vous en aurez lu un nombre de pages suffisant – disons une demi-douzaine – allez prendre soin de vos ongles, avec un petit verre de cava ou autre chose (mais non, je ne vous dis pas de faire vos ongles avec, je vous suggère simplement de savourer un petit cava pendant que vous appliquez le vernis à ongles – cela va de soi).

Si vous suivez mes instructions attentivement, vous ne devriez encourir aucun problème de sécurité (ne prêtez aucune attention aux confusions du paragraphe précédent). Vous vous rendrez service en utilisant les outils que je vous recommande, car une grande différence sépare une paire de ciseaux aiguisés et ces machins recouverts de rouille que vous retrouverez sous votre canapé : les lames émoussées ne servent à rien, si ce n'est à couper du flan.

Les recettes de *211 idées pour devenir une fille brillante* préconisent des ingrédients particuliers. Vous pourrez toujours les modifier à votre guise selon ce que vous trouverez dans votre cuisine. Mais n'allez pas vous plaindre si vos loukoums sont aussi durs que la brique, parce que vous avez multiplié la dose de farine, ou d'autre chose.

Au fait, toutes les mesures sont en métrique, cela devrait vous éviter les conversions et vous faciliter la vie (c'est dur, quand on ne sait pas ce que sont les *oz* ni les *pt* du système britannique).

Enfin, je sais ce que vous êtes en train de vous demander, pourquoi ce livre s'intitule-t-il *211 idées pour devenir une fille brillante*, au lieu d'un titre plus rond, comme *200 idées*. En fait, c'est le pendant de l'ouvrage de mon frère Tom, *211 idées pour devenir un garçon génial*. Ne me demandez pas ce qui lui est passé par la tête quand il en est arrivé à ce nombre. Quand j'ai suggéré à l'éditeur de trouver quelque chose de plus intelligent, pour changer, les gens du marketing ont dit qu'il ne fallait pas que je mette mon grain de sel dans un système qui fonctionnait déjà très bien. Je me demande vraiment de quoi ils parlaient – ils ont leur propre langage, ces gens-là. Bon, en fait, qu'est-ce que j'en sais, moi qui ne suis qu'une simple auteure ? J'ai quand même réussi à imposer un adjectif plus gracieux que « géniale », c'est le principal !

Allez, maintenant, passons aux parties juteuses !

I

La reine de la cuisine

Plats, recettes et autres trucs pour gagner du temps dans la cuisine

Il faut manger pour vivre et non pas vivre pour manger.

JEAN-BAPTISTE POQUELIN, DIT MOLIÈRE

Comment
Faire du yaourt
dans une Thermos

Quand j'étais petite, à l'occasion d'une colo avec l'orchestre de l'école, je suis allée en Allemagne – qu'on appelait encore Allemagne de l'Ouest. À l'époque, j'avais tendance à m'agripper à mon violoncelle et à le faire grincer de manière exécrable, à tel point que l'adorable professeur de musique qui s'occupait de nous finit par me demander gracieusement de faire semblant de jouer. Ce n'est pas si difficile de mimer l'ouverture de Guillaume Tell, parce que ça fuse dans tous les sens, mais ça se complique quand il s'agit d'imiter la lenteur d'un concerto de Jean-Sébastien Bach. Mon archet s'obstinait dans la mauvaise direction, et tout bonnement, je ne suivais pas les autres violoncellistes. Franchement, c'était gênant !

Pendant ce séjour, j'étais hébergée dans une famille allemande charmante. Ils avaient une cave à faire pâlir d'envie Ali Baba. (Plus garnie que le Monop' !) Un jour, nous y sommes descendus pour y chercher un pot qui contenait ce qu'ils appelaient le « Quark ». Cela se révéla une sorte de fromage liquide et aigre, aux airs de yaourt répugnant couleur pus et qui, une fois goûté, vous laissait une haleine fétide. Comble de l'horreur, ils me le firent manger avec du pain noir.

De retour chez moi, je retrouvai le délicieux yaourt maison que tante Béatrice gardait au chaud dans une Thermos à la cuisine. Un vrai nectar, après l'expérience immonde du *Quark*.

Voici la délicieuse recette de tante Béatrice :

Ingrédients

* *50 cl de lait entier*
* *1 grosse cuillerée à soupe de yaourt bio*
* *Votre parfum préféré*

PRÉPARATION

1 Faites tiédir un demi-litre de lait dans une casserole à feu doux. Vous pouvez tester la température en mettant votre doigt dans la casserole. Cela ne devrait pas être trop long, mais il faut prendre son temps.

2 Ajoutez une bonne grosse cuillerée de yaourt fermenté et mélangez bien.

3 Versez ensuite la mixture dans une Thermos, vous savez, celles qui ont un joli motif écossais, ce sont les meilleures. Après cela, allez vous balader quelques heures (on vous conseille une absence de 6 à 12 heures).

4 Le lendemain matin, vous serez ravie de voir qu'un demi-litre de succulent yaourt est là, prêt pour la dégustation. Plus vous attendrez, plus le yaourt fermenté gagnera en âpreté, il ne tient qu'à vous de l'apprécier à votre convenance. Si vous attendez encore quelques jours, vous pourrez toujours en tartiner votre sandwich.

Lorsque vous l'avez brassé, vous pouvez évidemment aromatiser votre yaourt maison comme bon vous semble, avec du chocolat, de l'extrait de vanille, des framboises écrasées ou bien des myrtilles, ou encore des fraises ou bien de la sardine. Bon, non, pas de sardine, là je m'emballe.

Quoi qu'il en soit, grâce à cette recette, vous allez faire des économies de temps, d'argent et d'énergie. Vous n'aurez plus besoin d'acheter de yaourt, puisque vous pourrez engendrer un tas de petits bébés yaourts à partir de votre essai initial.

Au fait, si un jour on vous propose de goûter au *Quark*, faites la morte !

❖ *C'est un Munichois qui a baptisé l'antique flasque « Thermos ».* ❖

Comment
Faire cuire un œuf
comme une pro

M a grand-mère maternelle faisait cuire ses œufs durs jusqu'à ce qu'ils aient la couleur et l'aspect de gants chirurgicaux. Quand on se plaignait, elle rétorquait : « C'est pas ma faute, j'étais en train de mettre la table ». C'était drôle au début, mais au bout d'un certain temps, c'est devenu lassant. Les conseils suivants sont le fruit d'une longue recherche et d'expériences conséquentes qui n'ont rien à voir avec la technique néandertalienne de mamie.

Il existe deux types d'œufs durs : avec le jaune moelleux ou dur. Ma méthode aborde les deux aspects de la cuisson, que vous réussirez à merveille si vous suivez mes conseils à la lettre. La taille de l'œuf est importante, bien sûr ! Un œuf de caille sera prêt bien avant un œuf d'autruche, mais je suppose que vous utiliserez de bons gros œufs de poule.

LES ŒUFS DURS

Mettez vos œufs dans une casserole, couvrez-les avec de l'eau froide. Faites chauffer (la casserole) jusqu'à ce que l'eau frémisse et laissez cuire pendant 7 minutes : *vous devez impérativement utiliser un minuteur*. Dès que la sonnerie retentit, mettez la casserole dans l'évier et faites couler de l'eau froide sur les œufs. Pas besoin de tout éclabousser, un jet constant mais vigoureux suffit. Au bout d'une minute, fermez le robinet et laissez les œufs dans l'eau froide pendant encore 2 minutes ou, en tout cas, jusqu'à ce que vous puissiez les saisir sans vous brûler.

Vos œufs seront alors à point sans mollesse excessive. Si vous les préférez un peu plus moelleux, réduisez le temps de cuisson d'une minute afin d'être sûre que le blanc soit tout de même suffisamment ferme.

ÉCALER LES ŒUFS DURS

Enlever la coquille d'un œuf dur peut être une intervention délicate, pendant laquelle on risque d'endommager le blanc. Plus les œufs sont vieux, meilleur c'est. La solution est de tapoter les œufs sur une surface dure et de faire craquer la coquille entre vos mains sous l'eau froide. Commencez à les écailler par la base dans l'eau, jusqu'à ce qu'ils soient froids. Un œuf chaud continue à cuire même si vous l'avez retiré du feu, c'est pour cela que vous devez le plonger dans l'eau froide sans délai.

LES ŒUFS MOLLETS

Mettez les œufs dans une casserole d'eau froide, comme indiqué précédemment. Le feu doit être au maximum et dès que l'eau commence à bouillir, réduisez la température et laissez-les cuire dans une eau frémissante pendant 4 minutes. Vous obtiendrez ainsi un jaune crémeux et un blanc ferme. Comme je le disais, l'œuf continue à cuire même quand il n'est plus dans l'eau chaude, alors ne traînez pas.

QUELQUES CONSEILS

* Les œufs extra-frais requièrent une cuisson supplémentaire de 30 secondes. Le minutage indiqué concerne les œufs que vous avez laissés dans le frigo depuis quelque temps.

* Une poche d'air se trouve à la base de l'œuf. Sous l'effet de la chaleur, l'air se dilate au point que la pression à l'intérieur peut faire craquer la coquille. Si vous voulez être une vraie pro, je vous conseille de percer le bas de l'œuf avec une aiguille avant de le cuire.

* Les œufs tout droit sortis du frigo craqueront dès que vous les plongerez dans l'eau chaude. Sortez-les au moins une demi-heure à l'avance, si vous avez l'intention de les faire bouillir.

* Ne pensez pas que vous pouvez les cuire à l'aveuglette. Munissez-vous de votre montre ou d'un minuteur.

* Ne faites jamais bouillir des œufs trop longtemps, au risque de vous retrouver avec des jaunes trop durs et glauques.

* Faites toujours bouillir vos œufs dans une petite casserole. Les grandes casseroles provoquent des accidents irréparables !

* Ne faites pas bouillir vos œufs à mort, laissez-les reposer dans une eau frémissante. Vos œufs ne seront pas meilleurs, même s'ils s'agitent dans un gros bouillon volcanique.

Au fait, les œufs à la coquille blanche proviennent de poules aux plumes blanches et aux lobes d'oreilles blancs. Les œufs à la coquille marron proviennent de poules aux plumes rouges et aux lobes d'oreilles rouges. C'est la seule différence. Mais je me demande bien comment on peut voir les lobes d'oreilles d'une poule.

❀ *La France produit 16 milliards d'œufs tous les ans.* ❀

Comment
Cuisiner avec des fleurs comestibles

Il y a quelques années, je connaissais du côté de mon oncle un homme guindé, replet et gourmand qui s'appelait P. J. Malheureusement pour moi, il ne fait plus partie de mon cercle familier, puisque sa goinfrerie l'a conduit tout droit dans la tombe. Sa courtoisie, la fumée de son cigare et ses traductions latines, ironiques et impromptues, me manquent. Mais ce qui me manque surtout, c'est sa joie, quand il nous invitait à dîner. Je me souviens d'une fois où il m'avait emmenée dans un petit restaurant planté aux pieds des collines de Bourgogne. Tous les plats que ce restaurant proposait étaient décorés d'une profusion de fleurs. Je n'avais jamais vu d'arrangement horticole aussi délicieux. La salade qui nous fut présentée était une farandole de diverses efflorescences de capucines, de pensées et de lavande.

Quelques conseils avisés

1   Les fleurs comestibles sont certes très jolies, mais elles constituent surtout une source non négligeable de nutriments essentiels telles la vitamine A et la vitamine C.

2   Généralement, la partie comestible est le pétale. Vous pouvez donc vous débarrasser des tiges, des anthères et des pistils qui sont bien souvent amers. Cependant, dans certains cas, toute la fleur est mangeable.

3   Nettoyez les fleurs avant de les utiliser. Il n'y a rien de pire que de trouver une chenille se trémoussant dans votre assiette. Donc, avant de préparer vos plats, évincez tous les insectes – vérifiez bien sous les fleurs ! Nettoyez-les sous un léger filet d'eau froide.

4   Les fleurs sont des choses fragiles et même si vous pouvez les conserver au frigo quelque temps, elles se flétriront vite. Utilisez-les dès que possible : ramassez, rincez, et à table !

DES GARNITURES IDÉALES DANS UNE SALADE
* *Capucines*
* *Fleurs de petits pois*
* *Pensées*
* *Glaïeuls*
* *Pétales de roses*
* *Soucis (pas ceux que vous collectionnez tous les jours, mais ceux qui ressemblent à des grosses pâquerettes orange)*
* *Fleurs de sureau*
* *Lavande*

Même si on ne m'a jamais conseillé de manger des pâquerettes, j'en ai avalé pendant des années. Vous savez, celles qui poussent sur les pelouses. Dès que je suis assise dans l'herbe, j'en coince une, le petit bout de tige entre les dents, et je la mâchouille consciencieusement. Ça a un goût particulier de pile électrique.

La vue d'une assiette décorée de fleurs foisonnantes excerce toujours un effet épatant sur vos invités et il n'est pas difficile de concocter un dîner entièrement floral avec les plantes de vos jardinières. Il existe un tas de recettes et dès que vous aurez trouvé les fleurs qui vous inspirent le plus, vous pourrez créer les vôtres. En voici trois pour commencer : tout d'abord celle d'une tarte qui faisait saliver Mgr Tessier.

Les ingrédients de la tarte aux soucis de Mgr Tessier

* *Une pâte sablée toute faite (eh oui, plus personne n'a le temps de la faire soi-même de nos jours !)*
* *Une demi-cuillerée à café de safran (je sais, vous allez vous ruiner !)*
* *3 cuillerées à soupe de pétales de soucis séchés (coupez-leur la tête)*
* *60 g de cassonade*
* *225 g de fromage frais*
* *2 œufs, séparez les blancs des jaunes*
* *3 cuillerées à soupe de crème liquide*
* *Le zeste de 2 oranges*
* *30 g de farine*
* *Des fleurs de bourrache ou de violette cristallisées pour la décoration (optionnel)*

Préparation

1   Faites chauffer de l'eau jusqu'à frémissement et jetez-y les pétales. Quand ils sont gorgés d'eau, retirez-les aussitôt et mettez-les de côté.

2   Fouettez le fromage frais et le sucre jusqu'à l'obtention d'une texture douce et onctueuse.

3   Incorporez les jaunes d'œufs un à un et ajoutez la crème liquide.

4   Mélangez les zestes d'orange, les pétales de soucis, le safran et la farine. Ah ! ça vous met l'eau à la bouche, pas vrai ?

5   Battez les blancs en neige fermement. Arrêtez-vous dès que vous pouvez y faire tenir une cuillère.

6   Incorporez les blancs en neige dans la préparation.

7   Versez cette mixture dans le fond de tarte et faites cuire à feu doux (200 °C ou thermostat 6) pendant 35 à 40 minutes, ou vérifiez avec un couteau si la pâte est suffisamment cuite.

8   Placez quelques pétales sur la tarte et servez.

Une de mes amies a servi la tarte aux soucis de Mgr Tessier lors d'un goûter médiéval et il n'en est resté aucune miette. Toute notre gratitude va à notre Éminence !

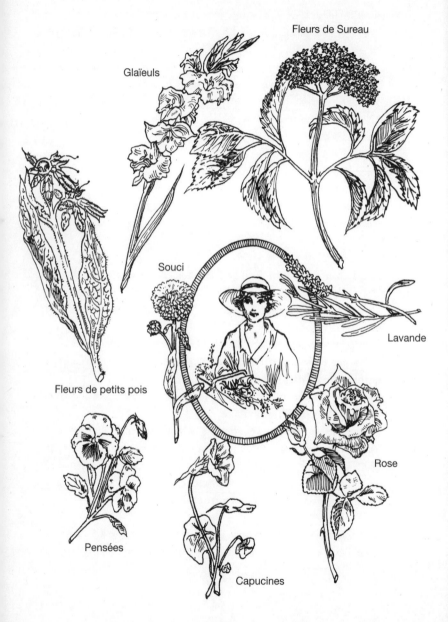

Fleurs de Sureau

Glaïeuls

Souci

Lavande

Fleurs de petits pois

Rose

Pensées

Capucines

LAVANDE EN FLEUR ET GLACE AU MIEL

Cette recette nécessite 8 heures de préparation, en raison de tout le schmilblick de la congélation. Faites donc cette recette un jour où vous n'avez rien prévu d'autre.

INGRÉDIENTS

* *2 cuillerées à soupe de fleurs de lavande comestible*
* *70 cl de crème épaisse*
* *15 cl de lait entier*
* *10 cuillerées et demie de miel*
* *2 gros œufs*
* *Une pincée de sel*

MATÉRIEL

* *Une sorbetière*

PRÉPARATION

1 Dans une grande casserole à feu doux, portez à ébullition – en remuant de temps en temps – la crème, le lait, le miel et la lavande. Retirez la casserole du feu, couvrez et laissez reposer pendant 30 minutes.

2 Faites passer la préparation dans un tamis et ôtez les fleurs de lavande. Versez la préparation dans une casserole propre et faites cuire doucement. Attention, elle ne doit pas bouillir.

3 Battez les œufs dans un grand saladier et ajoutez une pincée de sel. Ensuite, versez-y lentement 250 cl de la préparation encore chaude, en fouettant le tout au fur et à mesure. Versez cette crème aux œufs dans la préparation restée dans la casserole et remuez continuellement à feu doux jusqu'à ce qu'elle attache au dos de la cuillère. Surtout ne la laissez pas bouillir !

4 Maintenant, tamisez la préparation dans un saladier propre et laissez la crème refroidir complètement. Mélangez de temps en temps quand vous passez dans le coin. Si vous manquez de patience, placez le saladier dans l'évier dans un fond d'eau glacée et remuez-le.

5   Couvrez et laissez le tout refroidir pendant au moins 3 heures.
     Vous obtiendrez ainsi une délicieuse préparation bien froide.
6   Maintenant, faites-la prendre dans votre sorbetière.
7   Placez la crème une fois glacée dans un récipient en plastique her-
     métique que vous mettrez au congélateur.

Cette crème glacée accompagnera merveilleusement la tarte de Mgr Tessier. Vous pouvez concocter
un autre délice pour célébrer la Saint-Valentin, en
remplaçant la lavande par des pétales de roses. La glace
aux pétales de roses se marie particulièrement bien avec
une cuillerée dégoulinante de sirop de pensée noire.
Tout simplement exquis.

LE SIROP DE PENSÉE NOIRE

Je ne vous raconterai pas ce que mon oncle Marcel a bien pu
me dire quand je lui ai parlé de ce sirop. À la place, j'irai droit au but,
vous verrez c'est on ne peut plus simple.

INGRÉDIENTS

* *L'équivalent de 25 cl de pétales de pensées noires ou violettes. En vrac
  dans le verre mesureur, surtout pas compressés.*
* *340 g de sucre*
* *25 cl d'eau*

PRÉPARATION

1   Mélangez les pétales de pensées avec 55 g de sucre. Un mixeur est ici
     l'idéal, puisque nous souhaitons obtenir une pâte onctueuse. Mais vous
     pouvez toujours essayer de le faire à la main et de voir le résultat.
2   Dans une petite casserole, mélangez la mixture de pétales et de sucre
     avec de l'eau et ajoutez le reste de sucre. N'utilisez pas de casserole en
     aluminium, vous risqueriez d'avoir des surprises !
3   Faites bouillir la préparation à feu moyen. Remuez un peu et baissez
     le feu.

4   Faites réduire le sirop à feu doux, *faites très attention de ne pas le laisser brûler.*

5   Quand le sirop commence à coller mais qu'il continue encore de dégouliner de la cuillère, retirez-le du feu, versez-le dans un pot et laissez-le refroidir.

Comme beaucoup d'autres fleurs, les pensées n'ont en fait pas beaucoup de goût. Leur véritable intérêt culinaire est leur incroyable capacité à tout colorer intensément. Elles font également office de magnifiques garnitures.

La jolie couleur violette du sirop de pensée noire accompagnera merveilleusement n'importe quel dessert, mais elle ressortira davantage sur la glace à la lavande proposée dans la recette précédente. À cela vous pouvez ajouter une petite pensée pour compléter le tableau.

❊ *La lavande appartient à la famille de la menthe.* ❊

Comment
Faire du sirop de gratte-cul

Quand je n'étais encore qu'un bébé, j'admirais le monde du haut de mon landau. Les boîtes aux lettres aux couleurs éclatantes et les dames à chapeaux, qui, panier à la main, achetaient du chou-fleur, de la baguette, du maquereau et des tripes au marché quand l'air printanier pointait son nez. Les choses paraissaient tellement plus agréables à l'époque comme, notamment, le très apprécié sirop de gratte-cul, conseillé par bon nombre de rebouteux. Qui, enfant, n'en a pas bu des litres ? Gorgé de vitamines C, c'était aussi bon que le lait de la cantine et l'huile de foie de morue – on pouvait sentir que ça nous faisait du bien. Les enfants en ont bu depuis les années yéyé jusqu'à Mai 68. Et puis, tout à coup, il a disparu.

Voici donc une recette pour ce fameux remède de grand-mère : le sirop de gratte-cul. Vous pourrez le réaliser en un tour de main. Diluée dans cinq mesures d'eau chaude ou froide, c'est une succulente boisson automnale destinée aussi bien aux enfants qu'aux adultes. Non dilué, vous pouvez également le faire couler délicatement sur de la glace ou une tartine. Les ingrédients sont d'une simplicité consternante, d'ailleurs, vous pouvez vous-même aller ramasser les gratte-cul. Vous ne pouvez pas les rater, ils ressemblent à des petits ovnis rosés avec une petite couronne. Mais maintenant, au boulot !

Ingrédients
* *1 kg de gratte-cul (fleurs d'églantier)*
* *500 g de sucre*
* *Une grande casserole*
* *Un sac à gelée ou une mousseline*
* *Un verre mesureur*
* *Quelques petites bouteilles*

Préparation

1 Ramassez les gratte-cul au cours d'une journée ensoleillée. Vous aurez besoin d'un bon kilo, il vaut toujours mieux en avoir trop.

2 De retour à la maison, lavez-les bien.

3 Écrasez-les dans un saladier (allez chercher de l'aide, c'est une opération franchement pénible) et jetez-les dans 1,5 litre d'eau bouillante.

4 Retirez-les du feu quand l'eau se remet à bouillir. Laissez macérer 10 minutes. Juste le temps nécessaire pour vous épiler les sourcils.

5 Maintenant, faites passer la mixture dans un sac à gelée. Au cas où vous ne sauriez pas ce qu'est un sac à gelée, c'est un petit sac en tissu qui permet de tamiser la gelée, bien évidemment ! Si la tâche vous paraît insurmontable, allez encore chercher de l'aide. C'est toute une combine.

6 Quand le liquide s'arrête de couler, mettez le jus de côté et remettez la pulpe dans la casserole, dans laquelle vous aurez versé 75 cl d'eau bouillante. Refaites bouillir la préparation et retirez-la du feu afin qu'elle puisse reposer à nouveau.

7 10 minutes plus tard, retamisez-la et mélangez les deux jus ainsi obtenus.

8 Versez ce liquide dans une casserole propre et portez à ébullition jusqu'à ce jus soit réduit à 75 cl.

9   Ajoutez 500 g de sucre, remuez à feu doux jusqu'à la dissolution complète du sucre.

10 Portez à ébullition, mais surtout faites très attention de ne pas faire brûler.

11 Versez le sirop de gratte-cul chaud dans des petites bouteilles extrêmement propres. Si elles ressemblent à des bouteilles pour sirop médicinal c'est encore mieux. Fermez-les bien et distribuez-les à tous vos amis sous-alimentés.

❊   *La soupe de gratte-cul est très appréciée des Suédois.*   ❊

Comment
Faire un véritable et majestueux glaçage royal

S i vous avez déjà entrepris de glacer un gâteau, vous avez sûrement eu la désagréable surprise de constater qu'au bout de quelques jours il était redevenu aussi mou qu'au moment de sa préparation.

Je me souviens avoir fait un cake, un jour. D'ailleurs, ce n'était pas si difficile que ça. Ensuite, j'ai mis la pâte d'amande – un vrai boulot de forçat ! Puis, avec beaucoup de soin, j'ai étalé le glaçage à l'aide d'un couteau humide, comme on me l'avait appris.

Or, le lendemain j'ai constaté que le glaçage avait, en quelque sorte, coulé sur les côtés. Le deuxième gâteau que j'ai glacé était aussi dur que de la pierre. Un vrai bunker !

Mais maintenant je connais la technique. Si vous voulez faire un gâteau pour Noël avec un glaçage impeccable digne du meilleur pâtissier de la ville – vous savez, un glaçage ni trop dur ni trop mou – voici la recette idéale. Deux ingrédients magiques vous permettront de durcir délicatement le glaçage et de lui donner une blancheur juvénile.

À noter : attention aux dégâts si vous ne faites pas tremper vos saladiers, cuillères et couteaux après les avoir utilisés.

INGRÉDIENTS

* *450 g de sucre glace*
* *Une cuillerée à café de jus de citron*
* *2 blancs d'œufs*
* *Quelques gouttes de colorant alimentaire bleu*
* *2 cuillerées à café de glycérine (optionnel)*

PRÉPARATION

1 Tamisez le sucre glace dans un saladier.

2 Dans un autre récipient, mélangez le jus de citron et les blancs d'œufs. Incorporez le sucre glace petit à petit. Battez la préparation avec une cuillère en bois jusqu'à l'obtention d'un mélange onctueux. Cette opération ne prend que 10 minutes, mais vous aurez l'impression de vous être acharnée pendant une bonne heure.

3 Bon, passons maintenant à l'ingrédient magique. Pour obtenir un glaçage d'un blanc impeccable (et pas jaunâtre) ajoutez 3 ou 4 gouttes de colorant alimentaire bleu. Il permettra d'éviter au glaçage de jaunir, effet indésirable qui survient avec le temps. Ne versez pas toute la bouteille, si vous voulez éviter de vous retrouver avec un glaçage bleu.

4 Le deuxième ingrédient magique, c'est la glycérine. C'est à vous de décider de la quantité que vous voudrez y mettre. Elle sert à ramollir le glaçage sans lui donner cet aspect ratatiné indésirable. S'il est trop cassant, vous ne pourrez pas couper votre gâteau, et n'allez pas vous plaindre quand vos amis vous enverront la facture du dentiste ! Avant de vous lancer dans la préparation finale, faites quelques expériences la veille.

5 Battez la préparation jusqu'à ce que la cuillère puisse tenir debout toute seule. Si vous devez vous

absenter une minute, recouvrez le saladier d'un torchon humide avant que le glaçage durcisse.

6   Un couteau à grande lame trempée dans de l'eau chaude devrait faire l'affaire pour étaler le glaçage délicatement. Vous n'obtiendrez jamais le résultat des gâteaux pâtissiers. En effet, ils utilisent des machines qui donnent à la surface l'aspect incroyablement lisse et brillant d'une patinoire.

7   Si vous souhaitez un effet écumeux, utilisez un couteau sec. Attention, ne l'aiguisez pas trop si vous voulez éviter d'éborgner votre entourage.

8   Vous pouvez toujours utiliser une douille, mais alors là c'est une autre histoire et j'ai de l'huile sur le feu.

❀ *Lübeck est le creuset des manufactures de pâte d'amande.* ❀

Comment
Faire de véritables loukoums

Dans *Le Monde de Narnia 1 : Le lion, la sorcière blanche et l'armoire magique*, on se souvient de l'infortuné Edmund, qui est ensorcelé par la froide et non moins séduisante Sorcière Blanche, avec une sorte de loukoum « enchanté ». Après s'en être enfilé toute une boîte, il tombe sous son charme et agit ensuite comme le pire goujat. Mais heureusement, il redeviendra lui-même.

Évidemment, les loukoums évoquent le charme et la séduction d'un Orient mystique. C'est une délicieuse combinaison de parfums, de goûts et de textures, le plus délicat des moments, fondant sous la dent, ferme et souple à la fois, avec des morceaux d'ambre brillant comme par enchantement, ou quelques précieux cristaux roses. Non seulement le sucre glace et le mélange d'amidon avec lesquels on les saupoudre permettent d'éviter que les morceaux ne se collent dans la boîte, mais cela leur donne un aspect des plus délicieux. Bien sûr, leur goût est divin – et ceci en raison de la présence d'un ingrédient secret que je vais vous révéler. Il existe des tas de formules pour concocter des loukoums, mais ma recette de « la maîtresse du Sultan » est inspirée d'une recette traditionnelle de ce que les Orientaux considèrent comme « le repos de la gorge ».

INGRÉDIENTS

* *1 kg de sucre*
* *275 cl d'eau*
* *140 g de fécule de maïs*
* *1 cuillerée à café de crème de tartre (en pharmacie)*
* *1 cuillerée à soupe de jus de citron*
* *2 cuillerées à soupe d'eau de rose (l'ingrédient magique)*
* *250 g de sucre glace*
* *De l'huile pour graisser le plat*

INSTRUCTIONS

Les propriétés physiques uniques d'un véritable loukoum sont le résultat d'une délicieuse alchimie entre l'amidon et le sucre qui produisent une pâte sucrée à la densité digne de la planète Jupiter. Si vous le posez sur un parquet, il peut en brûler l'équivalent d'un mètre carré (c'est juste une blague !). Il n'y a pas de gélatine dans ma recette, comme cela peut être le cas dans d'autres. La gélatine a tendance à produire les caractéristiques transparentes et rebondissantes d'un succédané qui n'ont rien à voir avec les propriétés opaques et visqueuses de la fabrication authentique du loukoum. Les meilleurs loukoums sont de couleur ambrée ou bien simplement rose pâle, mais jamais ils n'auront le rose synthétique criard et concupiscent des loukoums industriels. Vous n'aurez donc pas besoin de colorant alimentaire.

1 Graissez le plat avec de l'huile végétale ou toute autre matière grasse, et recouvrez-le d'une feuille de papier sulfurisé.
2 Mélangez 250 cl d'eau avec le jus de citron et le sucre dans une casserole. Chauffez à feu moyen.
3 Tournez tout le temps en écoutant France Culture ou tout autre divertissement radiophonique, jusqu'à ce que le sucre soit dissout. Le liquide redeviendra alors transparent.

4   Augmentez le feu et portez à ébullition, puis baissez le feu à nouveau.

5   Laissez mijoter sans remuer, jusqu'à ce que le sirop se gélifie. Vous saurez que vous y êtes quand une goutte de sirop tombée dans de l'eau froide formera une boulette, que vous pourrez ensuite aplatir entre vos doigts. Si vous avez un thermomètre à sucre, vous verrez que cela se produit à une température située entre 114 et 118 °C. Retirez la casserole du feu et réservez.

6   Dans une casserole à feu moyen, mélangez la crème de tartre avec les 140 g de fécule de maïs et le reste de l'eau. Diluez tous les grumeaux et portez à ébullition. Quand le tout atteint une consistance collante, vous pouvez cesser de remuer.

7   Incorporez le sirop et le jus de citron et continuez à remuer pendant au moins 5 minutes. Baissez alors le feu et laissez mijoter pendant 1 heure, en remuant fréquemment. C'est à partir de là que la magie commence.

8   Dès que votre mixture a pris une couleur ambrée, ajoutez l'eau de rose et mélangez bien. Le parfum évoquera d'un seul coup des visions de minarets embrasés par le soleil couchant et de vents sablonneux flottant chaudement au-dessus de la Grande Mosquée de Kahramanmaras. Goûtez un peu, et si vous ne sentez ni l'eau de rose ni les minarets, rajoutez-en (de l'eau de rose) jusqu'à ce que vous estimiez qu'il y en a assez. N'oubliez pas, vous pouvez toujours en ajouter une goutte, mais pas en retirer !

9   Versez ce délicieux liquide épais dans le plat huilé recouvert du papier sulfurisé. Étalez-le uniformément et laissez refroidir toute la nuit.

10 Tamisez le sucre glace avec le reste de fécule de maïs et saupoudrez-en un peu sur une planche. Ensuite, retournez la préparation et coupez les loukoums en forme de cube avec un couteau huilé.

11 Saupoudrez le reste du mélange sucre et fécule de maïs sur les loukoums. Vous pouvez les placer dans une boîte hermétique avec des feuilles de papier sulfurisé entre chaque étage. Ou mieux, vous n'avez qu'à les déguster immédiatement.

❈ *Dans les* Chroniques de Narnia, *le nom de famille des enfants est Pevensie.* ❈

Comment
Faire du pain perdu

Il t'a humilié et t'a fait avoir faim et t'a fait manger la manne, que tu ne connaissais pas et que n'avaient pas connue tes pères, afin de t'apprendre que l'homme ne vivra pas de pain seulement, mais que l'homme vivra de tout ce qui sort de la bouche de l'Éternel.

On ne peut pas vraiment être en désaccord avec ce vieux verset du Deutéronome, mais il aurait pu être précisé que l'homme (et la femme, bien sûr) se nourrit presque essentiellement de pain sans rien d'autre (sauf parfois avec un peu de beurre). Il arrive même qu'il ne se nourisse *que* de pain, (comme, par exemple, les étudiants fauchés qui, pour survivre, se gavent de baguettes arrosées de vin en briques premier prix, même si le gros rouge, ça tache un peu).

Quoi qu'il en soit, le pain et surtout la baguette ont tendance à rassir vite. Voici donc la recette du pain perdu. Vous pourrez déguster de délicieuses tranches gorgées de saveurs vanillées.

INGRÉDIENTS

* *1/2 litre de lait*
* *2 œufs*
* *50 g de sucre*
* *2 cuillerées à soupe de sucre vanillé*
* *Cannelle (facultatif)*
* *100 g de beurre*
* *6 tranches de pain ou de baguette rassis (mais pas moisi)*

CE QU'IL FAUT FAIRE

1   Fouettez les œufs avec le lait et le sucre vanillé pour obtenir un mélange mousseux.

2   Trempez-y les tranches de pain jusqu'à ce qu'elles soient bien

imbibées, (mais n'en profitez pas non plus pour aller vous faire une manucure, vous risqueriez de retrouver de la charpie), puis disposez-les sur une assiette pour qu'elles s'égouttent légèrement.

3 Faites fondre le beurre dans une poêle et, dès qu'il diffuse une bonne odeur de noisette, faites-y cuire les tranches de pain sur chaque face.

4 Lorsqu'elles sont bien dorées, retirez les tranches et saupoudrez-les de sucre et-ou de cannelle. Vous pouvez les manger chaudes ou froides, à tout moment de la journée, au petit déjeuner, au goûter ou même au dessert.

❀ *Le mot pain se dit* pan *en espagnol,* pane *en italien et* pâine *en roumain.* ❀

Comment
Réussir les flapjacks comme les Anglais

William Shakespeare a vraiment dû ennuyer ses professeurs d'anglais, assis là en cours, ressortant à chaque fois les bonnes citations de manière arrogante. Je suis persuadée qu'ils n'arrêtaient pas de lui répéter : « William ! Cessez donc de parler de cette manière ; vous perturbez tout le monde. » Ce à quoi il devait répondre : « Venez, rentrez céans, et nous aurons de la viande pour les jours de faste, du poisson pour les jours de jeûne, en outre du pudding et des flapjacks, et vous serez les bienvenus. » Je ne fais allusion à tout cela que pour montrer que ces petits carrés aux flocons d'avoine étaient déjà très à la mode du temps des Tudor. En voici deux recettes savoureuses, et je parie que Périclès les aurait adorées, lui aussi.

INGRÉDIENTS

* *150 g de beurre frais*
* *90 g de cassonade*
* *1 cuillerée à soupe de miel*
* *240 g de flocons d'avoine nature*

INSTRUCTIONS

Cette recette de base permet de faire des flapjacks pour 12 personnes.

1   Faites fondre le beurre, le sucre et le miel à feu doux (dans une casserole, bien évidemment) et trempez les flocons d'avoine dans le mélange, jusqu'à ce qu'ils soient tous bien imbibés.

2   Mettez la mixture ainsi obtenue dans un moule beurré, étalez-la en une couche d'à peu près 1,5 cm.

3   Faites cuire dans un four à 180 °C (thermostat 6) pendant au moins 25 minutes ou jusqu'à obtention d'une belle couleur dorée.

4   Laissez refroidir dans le moule, et découpez ensuite au choix en petits carrés ou en petits morceaux de la taille d'un doigt.

Les flapjacks au fromage sont une variante salée. C'est délicieux avec des œufs au plat. Pour 12 personnes encore.

INGRÉDIENTS

* *550 g de beurre*
* *550 g de cacahouètes concassées*
* *300 g de noix de macadamia décortiquées*
* *Une grosse carotte râpée*
* *120 g de gruyère râpé*
* *150 g de flocons d'avoine nature*
* *1 petite cuillerée d'herbes de Provence*
* *Un œuf (battu)*

INSTRUCTIONS

1   Faites fondre le beurre et mélangez-le avec tous les ingrédients.

2   Mettez la mixture dans un moule beurré, étalez une couche de 1,5 cm environ.

3   Faites cuire dans un four à 180 °C (thermostat 6) pendant au moins 25 minutes ou jusqu'à ce qu'ils soient dorés.

4   Laissez refroidir dans le moule, et découpez en petites tranches.

Les deux recettes vous donneront de délicieux flapjacks. Mais n'allez pas vous empiffrer et souvenez-vous que « ceux qui ont tout et se gavent sont aussi malades que ceux qui n'ont rien et ont faim ».

❀ *Les noix de macadamia viennent de la partie est de l'Australie.* ❀

Comment
Faire des cigarettes fourrées au Cointreau

*L*es chimistes de l'agro-alimentaire savent qu'un extérieur ferme et croustillant avec un intérieur doux et moelleux constitue un gage de réussite pour tous les gâteaux industriels. Les tartelettes fourrées, les sablés à la confiture ou les cookies au chocolat doivent allier ces deux exigences. C'est aussi le cas des cigarettes fourrées, qui doivent certes être croquantes, mais aussi fondantes sous la langue. La première fois que j'ai mangé des cigarettes fourrées – une vieille recette datant du Moyen Âge – c'était l'été ; j'étais invitée chez une amie à Chantilly. À l'heure du thé, une servante en uniforme nous servit des cigarettes fourrées. Je me souviens avoir pensé que le mariage entre le croustillant de la cigarette et le fondant de la crème sucrée représentait le summum de la sophistication, même si la mère m'apprit plus tard qu'elles sortaient tout droit d'une boîte en carton. Néanmoins, j'ai appris à les faire. Et voici comment.

INGRÉDIENTS
* *4 cuillerées à soupe de miel*
* *1 cuillerée à café de gingembre râpé*
* *1 cuillerée à café de Cointreau*
* *4 cuillerées à soupe de farine*
* *4 cuillerées à soupe de sucre roux*
* *200 g de beurre*
* *Un peu de noix de muscade*
* *Le zeste d'un demi-citron*

INSTRUCTIONS

1   Faites fondre lentement le beurre, le sucre et le miel et ôtez du feu.

2   Mélangez la farine, la noix de muscade, le gingembre et le citron, ajoutez ensuite le Cointreau et battez fermement.

3   Mettez des cuillerées de la mixture sur une plaque beurrée. Répartissez-les bien, en les écartant les unes des autres, sinon vous vous retrouverez avec une cigarette géante par plaque.

4   Faites cuire dans un four à 180 °C (thermostat 6), pendant 8 à 10 minutes ou jusqu'à ce qu'elles soient dorées.

5   Soulevez chaque disque au Cointreau et séparez-le de la plaque avec une spatule, roulez-les tant qu'ils sont encore manipulables. Pour ce faire, utilisez par exemple le manche d'une cuillère en bois. Ensuite, faites glisser les cigarettes hors du manche et réservez-les pour qu'elles refroidissent.

6   Remplissez vos cigarettes de crème Chantilly aromatisée, au Cointreau par exemple. La poche à douille est sûrement l'ustensile le plus adapté pour fourrer les cigarettes. En fait, c'est impossible d'y arriver autrement. Croyez-moi, j'ai déjà essayé.

Si vos cigarettes refroidissent trop vite et ne se roulent pas, remettez-les dans le four quelques instants pour les ramollir. Elles se marieront particulièrement bien avec de la glace au café et au caramel. Ouh, rien qu'à cette idée, j'en ai l'eau à la bouche !

❀ *Le Cointreau est une liqueur à base d'écorce d'orange amère.* ❀

Comment
Préparer la bûche de Noël idéale

Qui ne se souvient des Noëls enneigés au coin du feu ? Maintenant, avec le réchauffement climatique, on risque de manger bientôt des bûches glacées (les traditions se perdent). À l'origine, il s'agissait d'une vraie bûche, qui devait brûler du 24 décembre jusqu'à l'Épiphanie. Les restes de la bûche étaient pieusement conservés et accompagnaient parfois les morts dans leurs cercueils. Ce n'est qu'au XIXe siècle, les radiateurs tendant à remplacer les cheminées, que des pâtissiers décidèrent de rendre hommage à cette tradition obsolète, avec une bûche de Noël sous forme d'un dessert à base de crème au beurre. Dès lors, la bûche de Noël a connu de nombreuses transformations, mais voici la recette traditionnelle de ma tante Béatrice.

INGRÉDIENTS (POUR LE BISCUIT)
* *100 g de sucre*
* *100 g de farine*
* *5 œufs*
* *1 sachet de sucre vanillé*

INGRÉDIENTS (POUR LA CRÈME)
* *100 g de sucre en morceaux*
* *1/2 tasse à café d'eau*
* *3 jaunes d'œufs*
* *250 g de beurre doux*
* *100 g de chocolat noir*
* *2 ml d'extrait de café*

INSTRUCTIONS (LE GÂTEAU ROULÉ)
1 Travaillez ensemble 4 jaunes d'œufs avec le sucre et le sucre vanillé. Quand le mélange est crémeux, ajoutez un œuf entier et travaillez quelques minutes à la spatule (allez, un peu d'énergie dans le mouvement !).
2 Ajoutez peu à peu la farine au mélange, puis les blancs battus en neige, d'une main légère.
3 Appliquez un papier sulfurisé légèrement beurré sur une plaque rectangulaire, et étalez la pâte régulièrement.
4 Enfournez et allumez votre four à 200 °C (thermostat 6-7) pendant 10 minutes.

5   Sortez le gâteau, retournez-le sur une surface froide sans enlever le papier. L'idéal serait d'avoir une plaque de marbre, mais nous n'avons pas toutes la panoplie de cuisine de Joël Robuchon. Recouvrez la pâte chaude d'un torchon (ramollie par la vapeur, elle sera plus facile à rouler).

Instructions (la crème au beurre)

1   Faites fondre le sucre dans l'eau à feu doux pour obtenir un sirop épais.

2   Versez lentement le sirop chaud sur les jaunes d'œufs sans cesser de remuer avec un fouet, jusqu'à ce que toute la mixture soit complètement refroidie.

3   Rajoutez le beurre ramolli en pommade et mélangez afin d'obtenir une crème bien lisse.

4   Partagez la préparation en deux et parfumez une moitié avec le café, l'autre avec le chocolat fondu dans un peu d'eau.

Instructions (montage)

1   Retirez le papier sulfurisé du gâteau.

2   Tartinez de crème au café, et roulez le tout dans le sens de la longueur.

3   Égalisez les extrémités, qui serviront à confectionner des « nœuds ».

4   Recouvrez de crème au chocolat, rajoutez les deux « nœuds », et imitez la texture de l'écorce à l'aide d'une fourchette (ou d'un peigne) que vous tirez délicatement sur la longueur de la bûche.

5   Décorez à votre guise. Il vous reste sûrement des petits bonshommes de neige, des luges et des scies en plastique que votre grand-mère gardait dans une boîte à chaussures et que vous avez retrouvés quand vous avez fait du rangement l'année où vous l'avez envoyée en maison de repos. (C'est si fatigant de préparer des bûches !)

6   Réservez au frais.

❀ *En Nouvelle-Zélande, le sapin traditionnel est remplacé par le Pohutukawa, dont les fleurs rouges éclosent lors des fêtes de fin d'année.* ❀

La maîtresse de maison accomplie

Tout ce que vous devez savoir pour rendre votre maison agréable

*Comment puis-je jouer la carte du romantisme
et penser à acheter du papier toilette ?*

Mlle Pélagie Ricotta

Comment
Cirer une cuisinière à la mode de chez nous

Au XIXe siècle, on considérait que les femmes devaient rivaliser avec les clubs réservés aux hommes, leurs cafés, leurs salons discrets et leurs restaurants. En effet, pour garder son mari à la maison, une femme devait entretenir le *Home Sweet Home*.

De nos jours, beaucoup d'entre nous pensent qu'un homme incapable de faire des pâtes bolognaises ou du boudin-purée, de laver son assiette et de se servir du micro-ondes n'a qu'à mourir de faim. C'est ce que *Psychologie* magazine appelle « l'amour vache ».

Ce n'est donc que par pure nostalgie que je vais vous apprendre à cirer correctement votre cuisinière.

Apprenez à connaître votre cuisinière

La première chose à savoir est que si votre poêle est blanc ou s'il a l'air moderne, vous ne devez en aucun cas le cirer. Surtout ne vous méprenez pas sur les plaques noires collées à l'intérieur, il ne s'agit pas de fonte, mais bien de crasse. Munissez-vous alors d'une bombe aérosol dont les mérites sont vantés par ce célèbre chauve à la musculature saillante.

Les poêles que vous pouvez cirer sont ceux qui s'ouvrent par le devant, avec une poignée en forme de tringle à rideaux parce que la porte est toujours brûlante. Vous y fourrez du charbon et du bois depuis des lustres, vous voyez ce que je veux dire ? Godin et autres fours à l'ancienne sont maintenant émaillés, une technique proche de celle de la porcelaine qui s'est développée au début du XXe siècle. Jusque là, les poêles qui n'étaient pas cirés étaient peints en vert foncé ou « japonisés » avec un vernis noir et résistant venu tout droit du Japon. N'allez donc pas cirer une cuisinière qui n'en a pas besoin, vous courrez à la catastrophe ! Le genre de poêle dont nous parlons se trouve habituellement dans les cheminées et on les appelle parfois des « fourneaux ».

LE TRUC NOIR

La pâte à noircir – ou «pâte à cuisinière», selon une autre expression consacrée – est composée de cire et de suie. Elle permet d'obtenir une surface d'un noir profond laquée et brillante. C'est une solution économique et facile. On peut l'appliquer soit avec une brosse spéciale cirage munie d'un manche en bois, soit avec un quelconque substitut à poils courts.

Au boulot ! Vous avez l'air sceptique, mais sachez qu'un jour, j'ai acheté un appartement dans lequel se trouvait un véritable fourneau ancien en fonte. Il ne fonctionnait plus depuis belle lurette et avait été peint en blanc. Cela ne m'a pas pris longtemps pour lui rendre son brillant, après l'avoir décapé, badigeonné de pâte à noircir et d'huile de coude.

1   Si vous pouvez déplacer votre fourneau, faites-le sortir par de gros bras musclés. Sinon, munissez-vous d'une housse de protection ou de beaucoup de papier journal. Le cirage est tenace si vous en mettez sur vos coussins et vos rideaux.

2   Aspirez bien votre fourneau.

3   Si vous vous attelez à un vieux modèle ou à un poêle à l'abandon, grattez les morceaux qui sont restés collés et nettoyez les traces de rouille avec une brosse métallique.

4   Quand il est propre, vous pouvez commencer à le nettoyer avec de la pâte à noircir. C'est un exercice qui en vaut la peine, car les résultats sont pratiquement instantanés. Il vous suffit d'imaginer que votre fourneau est 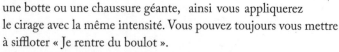 une botte ou une chaussure géante, ainsi vous appliquerez le cirage avec la même intensité. Vous pouvez toujours vous mettre à siffloter « Je rentre du boulot ».

5   Reculez de quelques pas, et admirez le travail !

🏵 *Les objets noirs ne réfléchissent pas la lumière.* 🏵

Comment
Baratter du beurre

Petit pot de beurre
Quand te dépetit-pot-de-beurreriseras-tu
Je me dépetit-pot-de-beurreriserai
Quand tous les petit pots de beurre
Se dépetit-pot-de-beurreriseront.

Bon, ça y est, vous avez articulé à cent à l'heure ce fameux exercice de diction, ou du moins l'avez-vous chantonné… ou murmuré. Mais avant de beurrer vos pots, il va bien falloir vous retrousser les manches pour faire votre propre beurre. Vous verrez, c'est très facile.

CE QU'IL VOUS FAUT
* *de la crème liquide*
* *du sel*
* *un fouet*
* *un saladier*
* *deux spatules à battre le beurre (ou deux raquettes de ping-pong)*
* *un thermomètre*
* *du papier sulfurisé*
* *un verre de vin*

Faire du beurre est une question de fessée. Il faut battre la crème, qui doit être à la bonne température (20 °C). Les bactéries auront eu, ainsi, assez de temps pour transformer le lactose (le sucre du lait) en acide lactique. La crème sera alors « faite » ou légèrement aigre, mais pas « tournée » ni complètement solide. J'imagine que vous ne possédez pas de baratte ancienne. La baratte ressemble au tambour d'une machine à laver, elle tourne sur elle-même, balançant son contenu dans tous les sens. Elle peut aussi comporter une poignée que vous faites tourner avec une manivelle, ou alors c'est un simple récipient doté d'un couvercle, avec un petit manche coincé sur le côté. En tout cas, ces objets font tous la même chose : tourner la crème sens dessus dessous. Vous pouvez obtenir ce résultat à moindre échelle, en utilisant une cuillère de bois, un saladier ou un fouet. Tout fera l'affaire, du moment que vous assénez une bonne raclée à la crème. Allons-y !

INSTRUCTIONS

1. Versez la crème dans un saladier et commencez à la malmener. Au bout de 2 ou 3 minutes, des gouttelettes de beurre vont bientôt faire leur apparition. Si vous avez toujours de la crème très liquide entre les mains au bout de 10 minutes, réchauffez-la et recommencez.

2. Au bout de quelques minutes, la crème va commencer à cailler et coaguler. En fait, ce qui se passe, c'est que le gras et l'eau émulsionnés sont en train de se séparer. Débarrassez-vous du babeurre, car ce qui vous intéresse en réalité, c'est le gras.

3. Mettez le beurre sur un égouttoir propre.

4. Lavez-le consciencieusement sous l'eau froide, pressez-le et compressez-le encore à l'aide des spatules ou des raquettes de ping-pong.

5. Vous avez mérité un petit verre de vin !

6. Continuez à presser afin d'éliminer toute trace de babeurre et d'eau. *Le secret d'un beurre réussi, c'est d'avoir enlevé toute l'eau et tout le babeurre.*

7. Ajoutez du sel à votre convenance et mélangez bien.

8. Donnez maintenant une forme à votre beurre grâce à des battoirs humides. Ôtez le reste d'eau. C'est le moment le plus sympa : on croirait entendre deux gros baigneurs qui se donnent des claques avec des magazines.

9. Si vous avez un moule, vous pouvez faire en sorte que votre beurre prenne une forme bien nette. Sinon, faites de votre mieux ! Le mien ressemblait à un monstre gluant sorti d'un marécage, on n'est pas toutes des Camille Claudel.

10. Enveloppez la motte dans du papier sulfurisé.

Le lait de chèvre fait également du très bon beurre. Mais chaque chose en son temps.

❀ *Le babeurre s'utilise pour faire du pain, des soupes et des sauces.* ❀

Comment
Utiliser au mieux le placard sous l'escalier

Je vais vous raconter une des plus grandes hontes de ma vie. C'est encore pire que le jour où j'ai bu le contenu du rince-doigt qui se trouvait devant le garçon que j'essayais d'impressionner, dans un restaurant chic, ou encore pire que le jour où je suis sortie d'un entretien d'embauche et que la jeune et jolie secrétaire pimpante mais glaciale m'a fait remarquer que ma jupe était coincée dans ma culotte.

Toutes ces vexations ne sont en rien comparables à cette honte qui me donne encore la chair de poule aujourd'hui. J'ai ressenti un embarras considérable la fois où je m'apprêtais à faire un discours à l'école, alors que j'avais une envie irrépressible d'éternuer. Pour réfréner mon éternuement au moment critique, je serrai les dents, fermai les yeux et les narines – une de mes plus belles grimaces, d'ailleurs ! Comme elle ne pouvait s'échapper par le nez, cette énergie réprimée s'extirpa alors en un énorme pet rugissant et tonitruant, tel un coup de clairon *mezzo forte*. Ce pet provoqua les éclats de rire de mes camarades de classe. J'en fus mortifiée au point que cet incident est resté gravé dans ma mémoire comme la marque du fer rouge sur le postérieur d'une vache.

Mais au lieu d'oublier cette honte, comme je l'ai fait pour les cours de grec, par exemple, j'aime me remémorer cet événement, m'en occuper et le cajoler, pour que son souvenir demeure aussi vivace et clair que le jour de sa venue. Pourquoi devrions-nous réprimer les événements embarrassants que nous avons vécus ? Pourquoi ne pas les ranger dans le placard sous l'escalier et les sortir de temps en temps, pour les polir comme des trophées ? En fait, vous pouvez toujours utiliser ce placard à plusieurs fins, que je vais à présent vous énumérer.

I Le plus évident : y ranger son aspirateur, ses cabas, sa planche à repasser et toutes les boîtes de choses que l'on a transportées de déménagement en déménagement.

2   Y ranger le calva ou le cidre frelatés. Mon frère faisait son propre cidre et, parfois, on entendait le son atténué d'un bouchon qui venait de sauter sous l'escalier.

3   Y installer un petit espace de bureau confortable.

4   Les mauvais garçons pourront toujours y percer un trou pour regarder sous les jupes des filles.

5   Y enfouir les horreurs achetées en solde que l'on n'a mises qu'une fois.

6   Y ranger les chaussures qui traînent.

7   Y faire un endroit à mi-chemin entre votre habitation et Emmaüs, pour les sacs poubelle pleins de vieux vêtements, de jouets, de hanches artificielles, etc.

8   Y établir une cave personnelle pour la culture des champignons de Paris. En effet, les conditions y sont idéales, mais ne les mettez pas à même le sol, il existe tout un attirail prévu à cet effet.

9   Y surveiller le retour de vos parents quand vous recevez votre petit ami en cachette. Interdiction de fumer !

❀ *Quand on rougit sans raison, c'est qu'on souffre d'érythème cranio-facial idiopathique.* ❀

Comment
Allumer un feu dans une cheminée

*A*ttention aux yeux, votre homme a décidé qu'il allait ôter les cendres de l'âtre. Il en ramasse une bonne pelletée, tout en donnant un grand coup dans les garnitures du foyer avec son coude. Le bruit assourdissant fait fuir le chat. Ce n'est qu'un début !

Il décide ensuite d'aller jeter les cendres dehors : une pelletée à la fois. Alors qu'il traverse la pièce avec précaution, la pelle à ras bords tendue devant lui, des petites escarbilles orangées s'envolent et atterrissent sur le tapis, sur les coussins et derrière la télé. Maintenant, il ouvre la porte d'une seule main et un courant d'air le surprend. Un nuage de fumée grise s'engouffre dans ses yeux. Bien sûr, il y en a plein la pièce. À cette étape, on peut l'entendre jurer et tousser.

Finalement, il a réussi à tout préparer (et à tout nettoyer) : il a empilé le petit bois, placé les allume-feu et brillamment arrangé le charbon et les bûches sur le dessus. Maintenant, il va craquer son allumette. Un des allume-feu commence à vaciller, alors votre homme s'acharne dans l'âtre pour faciliter le passage de l'air. Mais le feu joue les difficiles. Il prend donc du papier journal et commence à le secouer dans tous les sens pour faire un courant d'air. « Ne t'inquiète pas, dit-il d'un air rassurant, je sais ce que je fais. » Tout à coup, un appel d'air lui arrache le journal des mains et fait voler dans la cheminée ce qui est devenu une boule de feu.

Après une ou deux tentatives inquiétantes, il se tient là, fier comme Artaban, admirant son œuvre, et donne un coup de tête dans le manteau de la cheminée, alors qu'un allume-feu poussif brûle tant bien que mal. En fait, faire un feu n'est pas si difficile que cela en a l'air. Voici comment il faut s'y prendre pour bien allumer un feu de bois dans votre cheminée.

CE QU'IL VOUS FAUT
* *trois allume-feu*
* *une poignée de petit bois*
* *10 morceaux de charbon*
* *4-5 petites bûches*
* *une boîte d'allumettes*

INSTRUCTIONS
1 Enlevez les cendres pour faire circuler l'air dans la cheminée.
2 Assurez vous que le combustible est bien sec.
3 Placez trois allume-feu dans l'âtre parmi les restes de charbon en partie consumés.
4 Construisez un tipi avec le petit bois au dessus des allume-feu.
5 Entourez l'édifice de morceaux de charbon afin de le consolider.
6 Placez quelques petites bûches très sèches au-dessus de votre construction en laissant toutefois des trous d'air.

7   Allumez les allume-feu.

8   Ne touchez à rien !

9   D'ici 15 minutes, le feu doit avoir pris, si ce n'est pas le cas, vérifiez que l'air circule bien.

10   Dès que le petit bois est en flamme et que les petites bûches sont saisies, commencez à entasser d'autres bûches ou morceaux de charbon. Surtout n'étouffez pas le feu !

11   Et arrêtez de le tripoter, cela ne sert à rien.

PETITS TRUCS ET CONSEILS

*   *Vous devez nettoyer votre cheminée régulièrement.*

*   *Quand il rougeoie, le charbon produit une chaleur intense.*

*   *Les bûches produisent de jolies flammes, mais leur chaleur n'est pas aussi radiante.*

*   *Aspergez vos bûches de quelques gouttes d'huiles essentielles avant de les allumer, pour parfumer votre intérieur. Vous pouvez utiliser des essences de cèdre, de pin et de santal.*

❀ Touchez un petit ramoneur porte-bonheur. ❀

Comment
Vous débarrasser du calcaire

Quand j'étais secrétaire dans un bureau à Londres, je passais mon temps à boire du thé. Il nous était offert par l'honorable et serviable Mme Treen, dont l'énorme bouilloire en métal était toujours en marche. Un jour, j'ai essayé de la soulever, mais elle pesait une tonne. Quand j'ai regardé à l'intérieur, j'ai constaté qu'une couche de calcaire digne des grottes préhistoriques s'était accumulée au fond. Londres est connue pour son eau calcaire. Cette couche devait bien faire 2 cm d'épaisseur.

Une eau dure est une eau qui contient beaucoup de sels dissous, comme les sels de calcium (le carbonate de calcium ou calcaire, par exemple) et de magnésium. Elle peut aussi contenir d'autres métaux comme les bicarbonates et les sulfates. Mais vous n'avez pas besoin de savoir tout cela et vous pouvez vérifier si votre eau est dure en faisant mousser du savon. Si la mousse n'est pas épaisse c'est que votre eau est dure, mais si vous avez l'impression d'avoir provoqué une coulée de mousse avec quelques gouttes, alors votre eau est douce (l'eau douce accommode très bien le whisky).

Le calcaire qui se dépose sur vos robinets est très disgracieux, mais vous pouvez vous en débarrasser laborieusement avec de l'huile de coude ou encore en utilisant l'anticalcaire totalement naturel dont je vais vous parler. Il vaut mieux répéter cette opération régulièrement, sinon, quand la couche de calcaire est aussi épaisse que dans la bouilloire de Mme Treen, on ne parle plus de tâches de ménagères, mais de grandes manœuvres.

MÉTHODE POUR LA BOUILLOIRE
La présence d'une couche blanchâtre dans votre bouilloire est la preuve la plus évidente que votre eau est calcaire. Si, quand vous soulevez le couvercle, vous avez l'impression d'être entrée dans une grotte de stalactites prêts à fondre dans votre tasse de thé, il est grand temps d'agir.

1 Videz la bouilloire.

2 Versez 5 cm d'eau et deux bouchons de votre éradicateur de

calcaire totalement naturel : le vinaigre. Le vinaigre de vin convient parfaitement.

3   En avant pour la magie : faites chauffer. Arrêtez la machine dès que l'eau se met à bouillir. Si vous ne le faites pas à temps, le vinaigre va provoquer une éruption volcanique répugnante digne du Vésuve et votre plan de travail sera recouvert d'une écume brunâtre qui vous brûlera les yeux et remplira votre cuisine d'effluves méphitiques.

Si vous nettoyez votre bouilloire une fois par semaine avec ce mélange eau-vinaigre, elle devrait rester aussi pimpante qu'au premier jour. Surtout n'oubliez pas de la rincer, sinon vos invités auront l'impression d'être victime d'un empoisonnement.

Méthode pour le robinet

1   Prenez un petit sac de congélation, remplissez-le avec du vinaigre et attachez-le autour du robinet avec un petit élastique. Laissez toute la nuit le robinet englouti dans le vinaigre. Le lendemain matin, il sera comme neuf. Vous pouvez vous débarrasser du vinaigre, il ne pourra malheureusement plus vous servir pour assaisonner vos salades.

Méthode pour le bain et la douche

1   Mélangez 60 ml de vinaigre et 250 ml d'eau dans un vaporisateur.
2   Aspergez la baignoire et la douche. Faites en sorte qu'il n'y ait personne dans la salle de bain : ce n'est jamais très agréable de se faire asperger de vinaigre froid.
3   Allez vous allonger au soleil avec un bon bouquin pendant 1 heure.
4   Essuyez avec une éponge humide.

Si vous voulez obtenir un résultat probant, vous devez répéter l'opération régulièrement. Encore mieux, trouvez quelqu'un d'autre pour le faire et mettez-vous au ski.

❀ *Plus de 90 % de l'eau douce mondiale
se trouve en Antarctique.* ❀

Comment
Cirer une vieille table

N'oubliez pas que les tables – même les plus jolies – sont faites pour vous servir. Un jour, je parlais avec un célèbre ébéniste (eh oui, je connais du beau monde !). Il me faisait remarquer que les tables et les chaises sont des meubles qu'il faut utiliser. Je n'avais rien à redire à cela. Ce n'est pas parce qu'elles sont rayées, cabossées ou écorchées que le soleil ne se lèvera pas demain. Oui, il est impossible de garder la surface d'une table parfaitement intacte, à moins de l'envelopper dans une couverture et de la ranger dans un garde-meubles. Mais si votre vieille table préférée a pris un coup de vieux et que vous voulez la rafraîchir, voilà ce qu'il faut faire.

Préparation
1 Essuyez et époussetez votre table.
2 Pour vous débarrasser des traces de verres et des éraflures, appliquez de la vaseline et laissez-la agir toute la nuit. Essuyez les taches le lendemain matin. Pour dissimuler une rayure disgracieuse, frottez-la avec les bords d'une demi coquille de noix.
3 On peut venir à bout des taches de gras avec un mélange de talc et d'alcool (méthanol). Appliquez-le avec une brosse et laissez sécher. Brossez.
4 Vous pouvez vous débarrasser des traces de cire séchée avec un mélange fait d'une moitié d'huile de lin et d'une moitié d'essence de térébenthine : un vrai régal pour vos narines. Étalez le mélange à l'aide d'un vieux chiffon, puis frottez-le avec un tampon de fine laine d'acier. Il sera judicieux de mettre des gants pour protéger votre manucure.

Faire briller avec de la cire
Polir vos meubles en bois avec de la cire leur donnera un brillant éclatant. C'est un procédé très simple. Pour y arriver, il suffit d'utiliser les bons produits. Essayez de trouver une cire en crème plutôt qu'en pâte.

Plus facile à appliquer, elle ne risque pas de devenir dure comme du bois. Les meilleures cires sont les cires naturelles. Évitez celles qui contiennent du toluène, un dissolvant nocif et malodorant. Son odeur vous donnera l'impression d'avoir repeint la voiture dans le salon. Utilisez une cire contenant de la térébenthine, faite à partir de sève de pin, d'où son parfum très agréable.

CE QU'IL VOUS FAUT

* *De la cire d'abeille pour meuble (les magasins spécialisés sont très faciles à trouver)*
* *Des torchons propres*
* *Un chiffon doux qui ne peluche pas*

INSTRUCTIONS

1 Étalez un peu de cire avec un torchon de coton propre, en suivant le grain du bois. Ne mettez pas trop de cire, sinon vous laisserez des traces sur les anciennes couches de cire durcies par le temps. Cela ne fera pas briller la surface pour autant, au contraire, elle paraîtra encore plus épaisse et sombre qu'auparavant. *Voir étape 4 de la partie Préparation pour la suite.*

2 Cirez avec un chiffon qui ne peluche pas

3 Faites venir vos amis pour qu'ils admirent le travail et respirent la bonne odeur de cire.

❀ *Proverbe allemand : Autour d'une table ronde, on a tous la place d'honneur.* ❀

Comment
Tailler ses rosiers

*A*h les fleurs du supermarché ! Bon, maintenant je vais vraiment dire ce que je pense. C'est quoi le problème des mecs qui oublient la Saint-Valentin, les anniversaires de mariage, et j'en passe ? Et là, à la dernière minute, il s'en souviennent et ils pensent que vous n'allez pas remarquer que la boîte de bonbons immonde et le bouquet blafard enveloppé dans du cellophane clinquant portent encore le prix. Nous, on veut des roses et des chocolats, des vrais, et puis un peu d'attention et d'affection. Vous pourriez, bien sûr, faire pousser vos roses vous-même, et alors votre homme irait en couper de temps en temps tout en regardant le match de foot par la fenêtre.

On cultive les roses partout dans le monde et elles existent dans toutes les couleurs – sauf le noir. Mais alors, comment tailler un rosier ? Quelles branches couper ? Pour répondre à ces questions essentielles, voici quelques conseils. Tailler un rosier est nécessaire pour :

* Enlever le bois mort et malade.
* Booster la floraison des nouvelles pousses.
* Donner une jolie forme au buisson afin de permettre à l'air et aux rayons du soleil de passer.

Il faut tailler ses rosiers quand il fait froid et que les plantes sont au repos. Bon, je dis ça, mais j'ai de gros rosiers jaunes qui fleurissent devant ma porte d'entrée en janvier, et avec le changement climatique, il est de plus en plus dur de reconnaître les saisons. S'il fait doux en novembre, vous pouvez tailler vos rosiers, mais dès qu'il se mettra à geler et à neiger, rangez votre sécateur et attendez le printemps.

CE QU'IL VOUS FAUT
* *Une bonne paire de gants de jardinage, voire des gants de jardinier spéciaux pour épineux*
* *Quelques sécateurs aiguisés*
* *Une petite scie pour tailler les gros morceaux*
* *De la ficelle de jardinier pour les grimpants et pour faire le ménage*

INSTRUCTIONS
Vous devez enlever toutes les pousses mortes, faibles, étiolées, vieilles ou noueuses. Vous devrez aussi couper les pousses qui se trouvent au milieu du buisson, et qui risquent, avec le temps, de provoquer un enchevêtrement. Coupez aussi les pousses pour éviter qu'elles ne se touchent.

TAILLER DES POUSSES

1   Coupez toujours au-dessus de l'oeil – là où la feuille est attachée à la tige, on verra une petite boursouflure. C'est là que pousse le bourgeon, qui se transformera en une nouvelle pousse.

2   Choisissez un bourgeon qui pousse vers l'extérieur, un qui ne grandira pas vers le milieu de la plante.

3   Faites une belle entaille à 2 cm environ au-dessus de ce bourgeon. Taillez en biais afin que la pluie ne coule pas sur le bourgeon et qu'elle ne le noie pas.

La plupart des rosiers domestiques sont greffés sur une racine de rosier sauvage vigoureux, ce qui peut provoquer des surgeons qui terrassent et achèvent les rosiers cultivés.

Les surgeons sont de petits scions vert pâle filasses qui poussent rapidement – leurs feuilles sont plus petites que celles des roses cultivées. Elles émergent sous la greffe – là où les pousses prennent aux racines – vous devrez donc creuser un peu le sol pour les atteindre. *Ne coupez pas* les surgeons. Écartez-les plutôt des racines afin de les empêcher de repousser.

Quand vous avez taillé vos rosier, nourrissez-les avec un engrais de qualité ou du compost maison (voir p. 141).

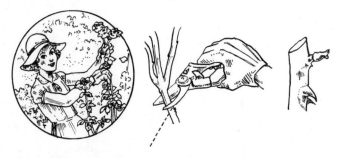

Au fait, on dit que l'on peut obtenir des roses noires, mais en réalité, elles ne sont pas vraiment noires – en tout cas, pas si vous les regardez à la lumière d'une ampoule électrique.

❀ *Les cervidés aiment brouter les rosiers.* ❀

Comment

Faire disparaître des taches sur n'importe quel support

*I*l n'y'a rien de plus obsédant, pour une femme au foyer accomplie telle que vous, que de nettoyer derrière les autres. Vos invités s'installent, laissent tomber du café sur votre kilim, écrasent leur mine de crayon gras sur votre tapis persan et détruisent votre plus belle carpette en y collant allègrement leurs chewing-gums. Ensuite viennent les lessives et toutes les traces sur les murs.

Avant de racheter carrément une nouvelle maison, essayez plutôt ces quelques nettoyants ingénieux.

* *Pour le café* : appliquez un mélange de blanc d'œuf et de glycérine et épongez à l'eau tiède. Quant aux vêtements, lavez-les après les avoir épongés du même mélange.

* *Pour les excréments d'oiseaux sur les fenêtres* : ils disparaîtront en un clin d'œil à l'aide d'un chiffon trempé dans du vinaigre chaud.

* *Pour la sueur* : aspergez la robe ou la chemise avec du vinaigre blanc (après avoir ôté le vêtement bien sûr !). Lavez-le ensuite avec deux cachets d'aspirine dissous dans de l'eau.

* *Pour les traces autour d'un col* : utilisez un shampoing pour cheveux gras et frottez énergiquement avec une brosse à ongle.

* *Pour un bleu de travail bien taché* : trempez-le dans le contenu d'une cannette de Coca, puis lavez-le à la machine avec votre lessive habituelle.

* *Pour les taches de stylo bille* : très faciles à enlever si l'encre n'a pas encore séché. Frottez la tache délicatement avec du liquide vaisselle et grattez à l'aide d'un couteau, puis recommencez.

* *Pour de la pâte adhésive* : c'est la technique la plus bizarre. Mettez une noisette de dentifrice et laissez sécher. Une fois sec (le lendemain), le dentifrice doit être rincé, et la pâte à fixe partira avec. Je ne comprends pas comment ça marche, mais ça marche !

* *Pour des éraflures sur une table en bois* : d'accord, ce n'est pas vraiment une tache, mais cela peut être tellement disgracieux ! Frottez-la avec les bords d'une demi-coquille de noix. Je pense que c'est le tanin qui noircit le bois, mais n'allez pas me donner le Bon Dieu sans confession !
* *Pour du chewing-gum* : Ça, c'est vraiment la plaie ! Refroidissez le chewing-gum à l'aide d'un sac rempli de glaçons. Quand la tache a durci, assenez des grands coups de marteau sur le chewing-gum et ramassez les morceaux. Utilisez un chiffon imbibé d'alcool méthylique sur tout ce qui reste. Pas radical, mais c'est toujours mieux que rien.
* *Pour les résidus d'étiquette sur les bocaux* : quelquefois vous voulez garder le bocal, mais pas l'étiquette. Laissez tremper le bocal et l'étiquette s'en ira facilement, ou si vous êtes pressée, utilisez de l'alcool méthylique (du methanol).
* *Pour la poussière sur des fleurs artificielles en soie* : c'est ma tante Béatrice qui m'a appris ce truc et c'est génial ! Mettez les fleurs dans un grand sac en papier et assaisonnez avec beaucoup de sel. Secouez le tout et hop, le tour est joué ! Plus une trace de poussière. Un peu comme un sac de chips de mon enfance !

❀ *C'est une dure tâche que d'enlever des taches.* ❀

Comment
Réussir à enlever
le couvercle d'un bocal

Combien de fois avez-vous ouvert vos placards et pris un beau pot de cornichons, de mayonnaise ou de n'importe quoi d'autre en conserve et passé au moins 10 minutes à essayer d'en enlever le maudit couvercle, en vain ?

Et c'est fou comme ce qui se révèle impossible à obtenir devient soudain incroyablement désirable. D'habitude, je ne suis pas une grande fan de marrons en conserve, mais quand j'ai nonchalamment essayé d'ouvrir un bocal à Noël, j'en ai été incapable. Quelle frustration ! J'ai eu alors une envie soudaine d'en engloutir au moins deux ou trois bocaux. Ma vie n'avait plus de sens sans mes marrons. C'est comme ça avec les bocaux, on essaie à tout prix de trouver une solution et en même temps on a envie de tout laisser tomber – ce qui est dommage, parce qu'il y a souvent plusieurs angles d'attaque, finalement.

Premièrement, on revoit ses bases de sciences physiques. Le problème vient du processus de conservation. Après avoir mis les cornichons et autres oignons dans le bocal, on y verse du vinaigre chaud et on le ferme à l'aide d'une machine très puissante, avant que le tout ait eu le temps de refroidir. Au cours du refroidissment, le volume d'air et des ingrédients diminue. Cela signifie que la pression de l'air à l'intérieur devient plus faible que la pression extérieure. C'est donc une sorte d'effet ventouse qui permet de maintenir le couvercle bien fermé. L'effet conjoint de la machine et du rétrécissement du couvercle en métal rend alors l'ouverture de la conserve extrêmement difficile.

Jadis, vous pouviez demander l'aide d'un homme, mais aujourd'hui certaines de ces conserves sont si grosses et si bien scellées que même votre petit ami deviendrait tout rouge et haletant s'il tentait de les ouvrir à la main. J'ai testé toutes les méthodes que je vais vous donner et elles ont toutes marché, même si parfois vous devez vous y reprendre à deux fois avec certains bocaux récalcitrants.

1   Pour ouvrir un bocal hermétiquement scellé, tapotez le couvercle contre la surface de votre plan de travail. Ce n'est pas infaillible, mais parfois ça marche.

2   Renversez le bocal et tapez sur le fond deux ou trois fois, comme pour un nouveau-né. Avec de la chance, cette solution fonctionnera surtout pour les petits pots de câpres, de moutarde ou de ce genre de condiments.

3   Placez la partie triangulaire d'un vieil ouvre-boîte sous le couvercle et poussez vers l'extérieur jusqu'à ce que le sceau se brise ; vous entendrez alors un petit souffle d'air s'engouffrer à l'intérieur.

4   Vous pouvez faire la même chose avec un tournevis plat : insérez

le tournevis sous le couvercle et retournez-le de manière à faire rentrer l'air dans le bocal.

5 Placez le couvercle sous l'eau chaude pendant 2 minutes, tournez-le pour que toute sa surface soit bien chaude. Cela permet de dilater le métal et de chauffer l'air qui se trouve dans le bocal, ce qui va le dilater aussi. Ne chauffez que le couvercle sans réchauffer les aliments. Ensuite, essayez mes conseils 6, 7 et 8.

6 Frottez vos mains sur vos cuisses – ou les cuisses de quelqu'un d'autre si vous préférez – pendant 20 secondes. Vous devrez en fait porter un jean ou un vêtement en toile épaisse. Réchauffées, vos mains vous donneront une sacrée poigne.

7 Enveloppez le couvercle avec un torchon afin d'avoir plus de force quand vous le tournerez .

8 Vous pouvez aussi porter des gants de vaisselle pour obtenir le même résultat. Cette technique fonctionne particulièrement bien quand vous avez suivi la méthode n° 5.

9 Munissez-vous d'un couteau pointu, serrez-le bien dans votre main droite (gauche si vous êtes gauchère bien sûr !). Pointe brandie, assénez un bon coup de couteau au milieu du couvercle. Ne laissez pas traîner votre autre main !

Le petit trou que vous aurez alors percé permettra à l'air ambiant de combler le vide dans le bocal. Tournez le couvercle, vous voyez, rien de plus facile.

10   Si vous n'y arrivez toujours pas, déboutonnez un peu votre chemisier et allez voir votre gentil voisin. On ne sait jamais, il pourra peut-être ouvrir votre bocal, et si ce n'est pas le cas, vous n'avez rien à perdre, n'est-ce pas ?

❀ *Au Royaume-Uni, les pickles les plus courants sont les « pickled onions ».* ❀

Comment
Confectionner une rallonge électrique

C'onfectionner une rallonge est une de ces activités que les femmes ne sont pas censées faire. C'est peut-être vrai, surtout si vos ongles sont très longs. Bien sûr, vous avez plutôt intérêt à réussir votre affaire si vous ne voulez pas mettre le feu à tout l'immeuble ou électrocuter votre femme de ménage. Heureusement, les fusibles sont là pour éviter l'incendie et sauteront en cas de danger, mais ce n'est pas une raison pour faire un travail de sagouin sur vos prises électriques. Je vais donc résumer l'affaire en un mot. Ces instructions sont valables pour les prises modernes, pas celles en bakélite avec des fils en tissus de toutes les couleurs, appelez un professionnel dans ces cas-là. Ces vieilles installations sont hors norme en France, elles DOIVENT être remplacées.

INSTRUCTIONS

1   Démontez la prise. Dévissez les serre-câbles de chaque fiche. Ça y est, je vous entends, vous commencez déjà à râler ! Vous pouvez essayer avec un couteau de cuisine, une pièce de monnaie ou un coupe-ongle, mais le mieux, je vous le promets, c'est encore un véritable tournevis. Et là encore, ce n'est pas gagné, vous vous demandez qui a bien pu inventer ces machins-là.

2   Avec un canif ou un couteau, coupez de manière circulaire le bout de la gaine qui entoure le fil et retirez quelques millimètres de plastique pour faire apparaître les fils colorés.

3   Coupez et enlevez l'isolant de chaque fil – à l'aide de votre couteau, mettez à nu le conducteur de cuivre sur 5 ou 7 mm.

4   Occupez-vous d'un fil à la fois. Entortillez ses brins.

5   Placez chaque fil là où il faut : raccordez les fils en veillant à brancher le fil de terre (jaune et vert) sur la broche centrale. Pendant que vous vous acharnez sur votre prise, la mini vis vous aura sûrement échappé des mains et aura roulé sous le frigo. C'est normal. Ayez pitié de vos voisins, ne jurez pas. Remontez le capot bornier. Veillez à bien aligner les deux détrompeurs – les encoches placées sur un côté d'une prise afin d'interdire qu'on la branche à l'envers, ce qui peut parfois avoir des conséquences désastreuses…

6   Serrez manuellement le serre-câble. Il sert à empêcher le câble de s'arracher. Attention : le serre-câble doit bloquer le câble, et non les fils de couleur qui en sortent. Généralement, le câble est noir ou blanc. Pour éviter de faire chauffer les conducteurs, veillez à bien dérouler votre rallonge. Voyez, c'était pas la peine de râler autant.

❈ *Le premier grille-pain électrique a été inventé en 1905.* ❈

Comment
Faire une lampe avec une bouteille et des coquillages

Eh oui, le *revival* des années 1970 nous montre ô combien nos parents avaient du goût ! Qui n'a pas eu sa suspension pour plantes vertes en macramé et les fameuses lampes faites maison avec de vieilles bouteilles ? Sans s'en apercevoir, on était déjà à l'ère du recyclage. Après avoir vidé une bonne bouteille de vin, on s'en servait comme bougeoir et la cire, en coulant, formait des sculptures psychédéliques dignes des grottes de Rocamadour. Voici une variante qui vous replongera à l'époque de *Casimir* et de *L'Île aux Enfants*.

CE QU'IL VOUS FAUT
* *Une bouteille en verre vide*
* *Suffisamment de coquillages de toutes formes, couleur et taille*
* *De l'Araldite. Eh non il ne s'agit pas d'un dieu grec, mais d'une colle contenant de la résine époxyde utilisée, entre autres, dans l'aviation.*
* *Un interrupteur, du fil électrique et une douille*
* *Un abat-jour*

INSTRUCTIONS
1   Buvez le vin, ôtez l'étiquette et lavez la bouteille.
2   Vérifiez que votre douille s'adapte à la taille du goulot. Choisissez-la le jour où vous achetez la bouteille.
3   La colle prend vite, alors je vous conseille de décorer de petites surfaces au fur et à mesure, un peu comme Michel-Ange quand il peignait ses fresques. Répartissez vos coquillages de façon à en avoir assez pour la décoration – ne commencez pas par placer les plus beaux. Ça, c'est bien une erreur de débutante – on a un côté de la bouteille très joli et l'autre est une vraie catastrophe. Gardez les plus petits pour le goulot. Même les coquillages cassés peuvent servir, s'ils sont mis du bon côté.
4   Mélangez la colle et commencez à en mettre à la base de la bouteille. Répartissez par petites zones de quelques centimètres. Tournez la bouteille en remontant au fur et à mesure. Si vous voulez obtenir des bayadères, faites simplement des cercles en alternant les formes et les couleurs pour créer un contraste. Si vous voulez créer un effet plus aléatoire, délimitez des zones que vous décorerez pas à pas. Vous obtiendrez un résultat encore plus catastrophique si vous utilisez une sorte de pâte adhésive blanche qui ressemble à du chewing-gum – elle déborde autour des coquillages, ce qui leur donne l'air d'avoir été enfoncés plutôt que délicatement posés.
5   Laissez sécher.

6   Installez la douille au sommet de la bouteille, enlevez la partie ronde en plastique, placez l'abat-jour, revissez la partie ronde et fixez une ampoule.

7   Invitez un jeune homme sympa à passer avec vous une agréable soirée.

❂ *L'ampoule américaine la plus ancienne fonctionne depuis 1901.* ❂

Comment
Servir le café à vos ouvriers

Préparer une bonne tasse de café pour un ouvrier est un de ces talents que l'on ne vous apprend pas à l'école ni dans les livres de maintien pour jeunes filles. C'est à vous de savoir comment doser correctement et obtenir le goût idéal. C'est terrible, car si vous vous trompez vous pouvez mettre en danger une relation fructueuse et heureuse, risquant d'entraîner par la même occasion la chute malencontreuse de vos fenêtres, dont les débris épars peuvent causer des accidents. Vous risquez aussi de vous retrouver avec des portes non vernies, bientôt endommagées par la pluie, ainsi que des parpaings abandonnés dans des flaques d'eau. Il est donc très important de trouver le bon équilibre. En un mot, suivez ce précepte chinois : occupez-vous bien de vos ouvriers, si vous voulez qu'ils s'occupent bien de vous.

∗   S'il est important de se préoccuper des besoins en caféine de vos ouvriers, vous ne devez pas en faire trop. Sinon, ils finiront par envoyer des textos à leurs copines ou lire *L'Équipe* pendant que vous leur apporterez leurs chaussons, leurs pipes et que vous préparerez leur dîner. Voici quelques points à suivre qui mettront les choses bien à leur place.

∗   Avant le début des travaux, munissez-vous d'une sacrée quantité de sucre. Quatre ou cinq sachets de cette poudre blanche devrait suffire pour la semaine des travaux. N'achetez rien d'élaboré (comme du sucre roux). Le sucre blanc très raffiné est le seul qui convienne vraiment.

* La recette parfaite comprend neuf morceaux de sucre pour un litre d'eau bouillante et sept doses de café instantané. Il faut, pour préparer un bon café, faire bouillir l'eau et la verser sur une ou deux doses de café dans une grande tasse (si possible indestructible). Ensuite, mettez le sucre et faites de votre mieux pour remuer. Ne donnez à votre ouvrier aucun élément de votre plus beau ser- vice, auquel vous tenez comme à la pru- nelle de vos yeux. Plus vous y tenez, plus vous prenez le risque d'un accident : il va forcément cogner l'anse et la casser, ou alors il se servira de la tasse pour mélanger du white spirit et de l'huile de coude. Certains ouvriers aiment bien qu'on laisse la cuillère dans la tasse, pour pouvoir récupérer le sucre qui n'a pas fondu au fond.

* Les cafés en grains ou moulus qui proviennent d'une jolie boîte, qui sentent bon l'arabica, le robusta, les tunnels ferroviaires ou le pipi de chat ne conviennent absolument pas pour un ouvrier digne de ce nom, d'ailleurs il renversera sûrement le contenu de sa tasse dans vos pots de fleurs ou dans les égouts. Et là, vous serez bien avancée.

* Faites du café régulièrement, mais pas trop souvent quand même.

* Servez le café avec des petits gâteaux à tremper. (Les BN convien- nent parfaitement, de même que les cookies ou les Fingers. Les boudoirs ou les cigarettes sont des biscuits de qualité et ne doivent être proposés que dans de grandes occasions, comme à la toute fin du grand nettoyage final ou à la livraison des travaux).

* N'offrez jamais de café ni de biscuits à vos ouvriers avant qu'ils n'aient commencé à travailler. Vous devriez pourtant les avertir très tôt et de manière pavlovienne que le café sera servi en milieu de matinée quand vous aurez aussi « l'occasion de vérifier l'avance- ment des travaux ». En le disant ainsi, vous montrez votre sollici- tude, mais aussi votre détermination sans faille à les surveiller et à vérifier qu'ils font bien leur boulot. Vous les conditionnerez en

leur promettant une récompense pour leurs bons et loyaux services, mais vous sous-entendrez en même temps que vous pouvez leur retirer leurs privilèges. Jetez un coup d'œil sur l'échelle à 11 heures et demandez « comment ça se passe là-haut, vous êtes prêt pour une petite tasse de café ? ». Ceci leur fera comprendre que la pause-café dépend de l'avancement du travail. Cela s'appelle de la psychologie.

* On ne doit pas servir le café plus de trois fois par jour. Sinon, vous allez les payer à boire du café et grignoter des petits gâteaux pendant plus d'une demi-heure sur leurs heures de travail. Dès que vous sentez un relâchement ou qu'ils en profitent, dites-leur : « Oh, je pensais que vous auriez fini ce mur à 11 heures. Je suis désolée, visiblement je vous empêche de travailler en vous offrant trop de pauses. Je reviendrai à 16 heures. » C'est ce qui s'appelle communiquer avec ses employés.

* N'allez pas vous embarrasser avec une cafetière – on n'est pas chez George Clooney et cela ne vous avancera à rien. Et de toute façon, ce n'est pas avec une bonne tasse de café que vous allez satisfaire vos ouvriers, mais avec une bonne bière fraîche, mais là vous prenez des risques, les accidents d'échafaudage sont si vite arrivés…

❀ *Le café le plus cher et le plus fameux est le Bourbon pointu (cultivé dans l'île de La Réunion).* ❀

Comment
Fabriquer un chien de porte

*A*vant l'avènement du chauffage central, le vent s'engouffrait sous les portes. Cela me rappelle une anecdote que mon prof d'anglais nous avait racontée. Thomas Hardy, le célèbre auteur anglais, avait pu écrire « brrr » avec la pointe de ses chaussures, dans la neige qui s'était engouffrée sur le seuil de son entrée. Je suis étonnée qu'il n'ait pas écrit plutôt le *Maire de Casterfridge*[1]. (Pour une fois que je fais un jeu de mots !)

[1] Le titre original est *Le Maire de Casterbridge* (N.d.T)

Je suis consternée que Thomas Hardy n'ait pas pensé à se fabriquer un coupe-vent en forme de chien saucisse. C'est assez facile à faire et, entre deux poèmes, on peut bien trouver le temps d'en confectionner un. Il y a deux versions possibles : celui qui ressemble à un bâtard avachi et celui qui a obtenu tous ses pedigrees.

CE QU'IL VOUS FAUT

* *Tout votre matériel de couture habituel*
* *Énormément de chutes de tissus*
* *Des choses que je mentionnerai ci-après et dont je ne ferai pas une liste soporifique*

INSTRUCTIONS (POUR LE BÂTARD)

1   Prenez une jambe d'une paire de collants en laine ou un bas en nylon bien épais – 60 deniers. (Au fait, ça n'a rien à voir ici avec les 30 deniers de Judas. Le denier correspond à l'unité de mesure de finesse des fils continus : c'est le poids en grammes d'une longueur de 9 000 mètres de fil. Ça vous en bouche un coin, n'est-ce pas ?)

2   Reprisez les trous (pas celui par lequel vous passez les jambes, bien sûr !).

3   Découpez de vieux bouts de tissu, des vieux torchons, des coussins éventrés, etc.

4   Remplissez la chaussette.

5   Cousez l'extrémité, et le tour est joué.

INSTRUCTIONS (POUR LA BÊTE À CONCOURS)

1   Munissez-vous d'un beau et grand morceau de velours épais.

2   Mesurez la largeur de la porte qui laisse passer le vent. Coupez un rectangle un peu plus grand, prévoyez 2 cm pour les ourlets.

3   Pliez dans le sens de la longueur, à l'envers. Cousez un des petits côtés et le grand côté afin de former un tube ouvert à l'une des extrémités.

4   Retournez le tube (comme un gant) et remplissez-le de kapok. Mettez-en suffisamment pour qu'il ait l'air en pleine forme – vous éviterez ainsi les creux et les bosses.

5   Pliez les parties coupées de l'ouverture qui s'effilochent, placez-les bord à bord et cousez soigneusement à la main.

6   Vous pouvez laisser votre saucisse telle quelle, la recouvrir de paillettes ou la broder de sequins ou de tout ce qui vous passera sous la main. Mais, si vous voulez qu'elle ressemble vraiment à un chien, fabriquez une petite tête rembourrée avec le reste du tissu. Ajoutez des boutons pour les yeux et le nez. Donnez-lui de jolies petites oreilles tombantes en velours, une jolie petite queue, quatre pattes minuscules (deux à chaque extrémité). Vous pouvez aussi recycler efficacement vos bas résilles en confectionnant un petit tricot de peau pour votre basset. C'est-y pas beau ? Bon allez ça va, vous n'allez pas vous y mettre aussi et me raconter vos petites tentatives qui ont lamentablement échoué, j'ai une vie, moi !

Pour le cas où la peste bubonique viendrait faire son apparition au pas de votre porte, placez une grosse chaîne à l'intérieur du boudin avant de le remplir.

❀ *Beaucoup de teckels souffrent du dos.* ❀

Comment
Planter des fleurs tombantes dans un sac poubelle

*É*tudiante, j'ai passé beaucoup de temps avec ma logeuse, une vraie maman juive qui s'appelait Mme Golda Gertler. Si elle ne prenait pas la peine de parler boutique avec moi – une de ses rares pensionnaires *goys* – elle passait la plupart de son temps dans son jardin où elle cassait les oreilles de ses « hôtes » juifs. Elle parlait souvent de la Guerre des Six Jours – c'était une autorité en la matière.

Le locataire de l'appartement n° 5, un négociateur itinérant qui s'appelait Bobby Bernheim, avait l'habitude de laisser tomber du gâteau dans le piano de Mme Gertler, quand elle l'avait importuné trop longtemps à son goût. Je crois que c'est lui qui m'a raconté qu'un jour elle avait demandé un entretien privé au grand rabbin et qu'après une heure de conciliabule, la secrétaire avait entendu, à travers la porte fermée, le rabbin gémir : « Mais, Madame, je suis *déjà* juif ! »

Oui, Mme Gertler était souvent à côté de la plaque. Je me souviens du jour où elle avait dit d'une voisine en manteau de fourrure : « Regardez-là ! Elle a sorti son bison. ». Et elle faisait aussi souvent référence aux « jardinières suspendues de Babylone ».

Suspendre des jardinières est une chose délicate. C'est beaucoup plus facile de faire des jardinières avec des sacs à poubelle. Voici comment.

Instructions

1 Étalez un sac poubelle de bonne qualité sur le sol, les coins bien à plat sur les côtés, et fermez l'ouverture avec du Scotch.

2 Vous devez maintenant fabriquer un tube dont le diamètre mesurera un quart de la longueur du sac. Imaginez que vous entourez le sac (carré) autour d'un tuyau de 7 cm de diamètre, que vous le scotchez et que vous le retirez en le coulissant. Vous obtiendrez ainsi un tube ouvert, dont le diamètre (7 cm) correspond à un quart de sa longueur (28 cm). Sans tuyau sous la main, pliez un côté du sac aux deux tiers, pliez le tiers restant par-dessus et scotchez les coins par l'intérieur.

3 Attachez la base fermement avec de la ficelle. Coupez le plastique qui dépasse. Maintenant, cela devrait plus ou moins ressembler à un petit seau mou.

4 Mettez-y beaucoup de terreau, votre engrais préféré, sans oublier les petites billes pour retenir l'eau.

5 Refermez la partie supérieure en laissant un petit trou pour l'arrosage.

6 Faites des petits trous sur le côté, un pour chaque plant que vous allez rempoter. Vous utiliserez des petites plantes. *À noter* : placez les racines vers le haut et non vers le bas.

7 Plantez des fleurs près des bords du sac poubelle et mettez deux plants de fleurs tombantes vers le haut afin qu'ils poussent près de la ficelle. Utilisez des fleurs tape-à-l'œil comme les cardinales, des

pétunias miniatures (aussi appelés «Million Bells»), des pensées, du lierre, des impatiences et de la verveine.

8   Bizarrement, quand les plantes commenceront à pousser, vous ne verrez plus le sac poubelle, vous aurez sous les yeux une profusion de fleurs suspendues à un fil.

9   Ne laissez surtout pas la terre se dessécher.

10   Ajoutez de l'engrais régulièrement.

11   Ôtez les fleurs fanées pour stimuler la croissance des nouvelles pousses.

12   Inscrivez-vous au concours Jardiland.

❀   *Le sac poubelle a été inventé en 1950.*   ❀

Comment
Faire comme si vous saviez de quoi vous parlez chez le boucher

*D*e nos jours, il est dur de trouver un boucher qui se souvienne de votre nom et qui ait l'air de savoir de quoi il parle. J'ai de la chance, j'en ai un qui taille sa viande lui-même devant vous et c'est un vrai plaisir de le regarder faire. Le problème, c'est que les supermarchés nous ont lavé le cerveau et qu'on se retrouve souvent comme une andouille, quand on entre chez un vrai boucher et qu'il vous demande : « Et pour la petite dame, qu'est-ce que ce s'ra ? ».

Voici donc un petit glossaire des parties les plus intéressantes, c'est toujours un début.

LES ABATS

*   *Crépinettes* : du porc haché (principalement le foie et les joues), du pain, des herbes et des oignons, le tout enveloppé dans de la coiffe de porc. Beurk !

*   *Fromage de tête* : les restes de viande de porc provenant du crâne, pris dans de la gélatine et refroidis. Bah !

* *Tripes* : un truc qui ressemble à un nid d'abeilles blanc, confectionné à partir des trois premiers estomacs de la vache (qui en a quatre). Dégueu !
* *Tripes de porc* : tube digestif du cochon. Ahhrrr !
* *Haggis* : ou panse de brebis farcie avec le foie, le cœur, les poumons bouillis, des flocons d'avoine et autre garniture. Un vrai délice !

LE PORC

* *Le cou* : la meilleure partie du cou sert à fabriquer la chair à saucisse.
* *L'épaule* : avec os ou en roulade pour les rôtis. On peut aussi l'émincer ou la hacher.
* *Le filet* : meilleur morceau pour les côtelettes de porc. On peut le fumer pour faire du jambon.
* *La panse* : un peu grasse, mais parfaite pour faire un rôti ou un ragoût, si elle est bien préparée.
* *Le jarret* : avec l'os, et enroulé pour faire des rôtis.
* *Le jambon* : avec l'os, peut être fumé ou cuit.

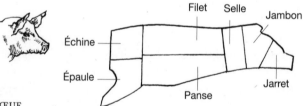

LE BŒUF

* *Le cou* : haché pour le hachis parmentier et les steaks hachés.
* *L'épaule* : ragoûts et plats en sauce.
* *Le gîte avant* : morceau idéal pour les hachis.
* *La poitrine* : doit être cuite longtemps.
* *L'aloyau et le filet* : morceaux de premier choix, marbrés, pour faire des rôtis savoureux et des steaks. Le filet est une partie de l'aloyau. Très tendre, mais moins savoureux que la culotte.
* *La culotte* : morceau qui se trouve à côté de l'aloyau. Parfait pour les rumstecks.

* *Le gîte et le tende de tranche* : bons à rôtir.
* *La crosse* : parfait pour les tourtes et les plats en sauce.

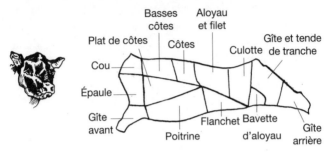

L'AGNEAU

* *L'épaule* : avec l'os, en roulade ou découpée en côtelettes.
* *Le collet* : délicieux mijoté.
* *Le carré d'agneau* : c'est la meilleure partie du collet (qui comprend en tout une douzaine de côtes). Deux carrés attachés avec les côtes dévertébrées et des petits chapeaux à froufrous : voici la fameuse recette de la couronne d'agneau. On le vend aussi en côtelette avec une seule côte.
* *Côtes* : les côtes d'agneau sont divisées en plusieurs catégories. On distingue trois sortes de côtes *(côtes découvertes, côtes secondes, quatre côtes premières)* formant un carré lorsqu'elles ne sont pas séparées et que vous pouvez rôtir en un seul morceau.
* *La patte* : vous pouvez l'acheter entière ou en deux morceaux : le gigot et la souris. Le gigot peut être préparé avec ou sans son os. Le gigot, rôti pendant des heures, est particulièrement succulent, et c'est sûrement mon plat préféré.

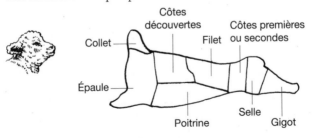

Les autres morceaux moins courus (et moins chers) commencent à susciter une attention toute méritée. Même si la cuisson de la poitrine de bœuf, des pieds ou de la panse de porc est un peu plus longue, ces vilains petits canards de l'art d'accommoder les viandes peuvent donner des plats particulièrement savoureux. Si vous avez toujours des doutes sur la question, demandez conseil à votre boucher ; lui, il sait.

❀ *Dans le* Mouton à cinq pattes, *Fernandel joue six personnages, le père et ses fils.* ❀

III

L'hôtesse parfaite

— ❧ —

L'art de faire tourner les têtes,
de faire chanter les oiseaux et
de recevoir la crème de la crème

Treize : évitez d'être treize à table, ça porte malheur.
Les esprits forts ne devront jamais manquer de plaisanter :
« Qu'est-ce que ça fait ? Je mangerai pour deux. » Ou bien,
s'il y a des dames, de demander si l'une d'elles n'est pas enceinte.

GUSTAVE FLAUBERT

Comment
Recevoir comme une ambassadrice

D e nos jours, pratiquement plus personne ne sait recevoir. À notre époque, on est constamment en train de courir pour ranger derrière les autres, sortir de la maison à 6 h 30 pour gagner sa croûte et rentrer à 21 h 30 pour avaler un plat surgelé en buvant une bouteille de vin devant la télé. Des nounous s'occupent de nos enfants et de nos chiens, on voit à peine nos amis, qui ont l'air aussi débordés que nous. Alors l'idée d'organiser une fête, un apéritif dînatoire ou ce genre de festivités dans notre propre maison peut sembler trop contraignant. Mais ne désespérez pas, j'ai quelques trucs pour recevoir aisément. C'est un peu comme le tournage d'un film.

* *Acteur/réalisateur* : vous n'êtes pas seulement le metteur en scène, vous devez aussi participer au film. Même si les plats raffinés sont de vrais délices, vous voulez apprécier la compagnie de vos invités et eux ne souhaitent en aucun cas vous voir faire passer les plateaux de petits-fours toute la soirée avec vos gants Mapa roses et votre tablier. Prenez donc le temps de leur parler, amusez-vous et détendez-vous. La plupart du gros-œuvre devra s'accomplir avant leur arrivée (voir *Le ravitaillement*).

* *Assistant metteur en scène* : vous pouvez recruter des assistants parmi vos amis ou au sein de votre famille. Ils peuvent s'occuper des manteaux, appeler des taxis, faire passer les bols de cacahouètes, indiquer où se trouvent les toilettes, chasser les fumeurs vers le balcon, etc.

* *Le casting* : organisez un casting de stars pour votre superproduction. Pour ce faire, mélangez les genres avec un zest d'extravertis. Pas des rustres, des extravertis. Si c'est un dîner à table, ne laissez pas les couples ensemble, séparez-les. Et surtout, n'invitez pas de gens que vous détestez.

* *Le ravitaillement* : la préparation est l'élément essentiel de la réussite de votre réception. Faites en sorte de préparer le plus de plats possible avant la soirée, afin de ne pas vous retrouver coincée dans la cuisine toute la nuit. Voici mon secret : vos invités ne se soucient guère de ce qu'il y a dans leur assiette, du moment que c'est comestible. Ils sont venus pour vous voir et pour se détendre un peu. Souvenez-vous de la fameuse scène où Bridget Jones se trompe et se retrouve avec de la soupe bleue ? Cela nous est toutes arrivé, et tant que c'est amusant, vos invités n'y verront aucun inconvénient. Ayez toujours des plats d'urgence dans votre congélateur et vos placards en cas de désastre. Des choses que vous pourrez préparer à la va-vite, s'entend !

Les consommés en briques font de très bonnes entrées que vous pouvez garder au chaud dans un grand faitout jusqu'à ce que vous soyez prête. Versez une bonne dose de vin de Xérès deux minutes avant de servir et vos invités croiront que c'est vous qui avez tout fait. Les chipolatas servies avec des frites remportent toujours un vrai succès, qu'elles soient servies à table ou lors d'un barbecue. Comme elles sont très faciles à préparer à l'avance, on peut les garder au chaud pendant des heures. Mais n'achetez pas n'importe quelles saucisses, investissez dans du premier choix. Plus elles contiennent de la viande, moins elles auront tendance à rétrécir. Prévoyez un gros bocal de moutarde (c'est pratique et très efficace : il n'y a qu'à ouvrir le couvercle !). L'odeur qui embaume la cuisine enchantera vos invités. Vous pouvez aussi faire frire un oignon – pas pour le manger – juste pour l'odeur. On peut satisfaire les végétariens avec une quiche au fromage, que vous ferez vous-même ou que vous achèterez tout prête. Si vous l'achetez, retirez-la de son emballage et agrémentez-la de pas mal de mâche et de tomates-cerises en guise de garniture.

Pour le dessert, je vous suggère d'acheter des gâteaux au chocolat que vous aurez tranchés à l'avance. Mettez les morceaux dans des assiettes et passez-les au micro-ondes 30 secondes, avant de les servir avec des litres de crème anglaise ou de la crème glacée de bonne qualité. Préparez beaucoup de café et servez-le avec des petits biscuits. Ça fait toujours son effet. Vous avez compris le truc ? Pas de temps perdu dans la cuisine, de bons petits plats que tout le monde pensera cuisinés par vos soins. Résultat : davantage de temps à consacrer à vos amis. Ne donnez rien à vos invités que vous n'ayez vous-même testé. Ce ne sont pas des cobayes.

* *Intrigue et dialogues* : à table, placez les poètes à côté des comptables et présentez les femmes aux hommes. Un introverti se réveillera si vous le placez près de quelqu'un de chaleureux et sympathique. Ne collez pas deux timides ensemble, sinon ils passeront tout leur temps à regarder leurs chaussures, leur sourire embarrassé glacera toute la pièce. Quand vous présentez deux personnes, aidez-les à engager la conversation en disant quelque chose comme : « Jeanette, voici Gérard, c'est un expert en maladies rongeuses de chair, comme la nécrose faciale. Gérard, je te présente Jeanette, qui collectionne les araignées de verre. » Ensuite, partez. Je connaissais une *Madame l'Ambassadrice reçoit* qui proposait des dîners à thème et aussi des dîners où les invités devaient deviner le nom du personnage qu'elle leur collait sur le front dès qu'ils entraient chez elle. Ces soirées ne m'ont jamais vraiment enchantée.

* *Décor* : les fêtes au bureau sont insupportables pour différentes raisons, les gens photocopiant leurs fesses, la réserve où l'on va à tâtons, et la présence d'un grand nombre de personnes que vous détestez. Et bien sûr, la lumière blafarde des néons qui ne fait rien pour enjoliver l'atmosphère. Faites en sorte que votre éclairage soit juste suffisant pour permettre à vos invités de voir ce qu'ils mangent, ce qu'ils fument et le visage de la personne avec qui ils discutent. Mais la lumière ne doit pas être trop faible, ils ne doivent pas chercher les poignées de porte à l'aveuglette. Des guirlandes de Noël peuvent transformer un balcon sans intérêt en un petit coin de paradis – surtout si vos invités en sont déjà à leur deuxième verre.

Les fleurs sont aussi un gage de réussite. Un restaurateur qui met des fleurs sur les tables peut espérer faire gonfler la note de 10 € – paraît-il ! Mettez des bouquets de fleurs naturelles un peu partout. Si vous connaissez bien vos invités, vous pouvez vraiment leur faire plaisir en offrant à chacun un petit cadeau qui ne vous coûtera pas les yeux de la tête, mais qui sera personnel : un plectre, des chocolats, des feux de Bengale ou un cigare, par exemple.

✳ *Clap de fin* : les meilleurs invités partiront à une heure convenable, regrettant seulement, au moment de vous dire au revoir, de ne pas pouvoir rester plus longtemps. D'autres, si vous ne réagissez pas, resteront en revanche vissés au canapé jusqu'à l'aube. Ne craignez pas de les vexer, ce sont eux qui ne changeront jamais. Vous pouvez commencer par bâiller et vous étirer, et ensuite mettre votre chemise de nuit. S'ils sont toujours là à votre retour de la salle de bains, munissez-vous d'un mégaphone comme ceux que l'on utilise dans les manifestations, et hurlez : « La Terre, ici la Terre, les Chauvin sont attendus à destination. Il est l'heure de rentrer ! » Ça devrait marcher.

✺ *« La vie engendre la vie. L'énergie produit l'énergie. C'est en se dépensant soi-même que l'on devient riche. » Sarah Bernhardt* ✺

Comment
Recevoir des invités que vous n'attendiez pas

N'est-il jamais arrivé à votre conjoint d'inviter des amis à dîner, et que cela lui soit sorti totalement de la tête jusqu'au moment où vous les entendez arriver ? Il vous crie alors d'aller préparer à manger au plus vite. Vous protestez : « Mais, chéri, je n'ai pas fait les courses ! » Il rétorque, alors que l'on sonne à la porte : « Pas grave ! Fais de ton mieux. ». Vous trouvez ce qui traîne dans les placards et votre repas ressemble davantage à un pique-nique qu'à un dîner pour six.

Bon, c'est vrai, il y a une différence entre des invités oubliés et des invités inattendus, mais elle est très mince, dans le sens où vous devrez quand même improviser. Voici quelques trucs pour faire face à ce genre d'impondérables.

Si vous êtes contente de voir vos invités :

* Soyez franche, si vous devez sortir à 21 heures, prévenez-les.

* Si vous êtes occupée quand ils arrivent, essayez de les faire participer. Demandez-leur de vous accompagner dans le jardin ou de vous donner un coup de main à la cuisine.

* Surtout ne vous excusez pas pour le désordre. En fait, vous n'avez à vous excuser de rien, vous êtes chez vous, quand même !

* Faites en sorte qu'ils ne pensent pas qu'ils vous dérangent, à moins que cela ne soit le cas.

* Accordez-vous une pause-café (c'est toujours ça de pris).

* Arrêtez de penser au dernier épisode de votre feuilleton préféré – que vous allez rater alors que vous avez attendu ce moment toute la semaine. Laissez la télé éteinte !

* Ayez toujours des plats d'urgence dans vos placards pour pouvoir préparer un petit frichti à tout moment : soupe, pâtes, haricots et autres conserves de mets intéressants. En fait, des spaghettis avec une sauce en boîte (d'urgence) mélangée avec quelques ingrédients glanés de ci de là peuvent donner un résultat fastueux en un instant. Surtout si vous débouchez une bonne bouteille de vin au même moment… L'odeur d'un oignon frit embaume la cuisine et met tout de suite les gens à l'aise.

* S'ils sont venus avec leurs enfants, amusez-les en leur proposant de jouer à un jeu, par exemple. Un jeu sympa consiste à enfourner le maximum de grains de raisin dans la bouche et de siffler en essayant de ne pas rire. Bien sûr il y aura des projections de raisin, je vous conseille donc d'inviter tout ce petit monde à aller jouer dehors. (Pas sur la route, évidemment !)

* Si vous n'avez rien à manger à la maison, commandez des plats à emporter et faites en sorte de partager les frais.

* Allez faire une grande balade avec le chien et racontez-vous vos vies. Il faut un chien, de toute évidence, pour cette suggestion, les filles ! Les gens vous trouveront vraiment bizarre si vous vous promenez avec une laisse sans rien au bout.

Si vous n'êtes pas contente de voir vos invités inattendus, essayez ceci :

* Faites comme si vous étiez sortie. Mais ne vous faites pas prendre à regarder par la fenêtre. Trop embarrassant.
* Demandez-leur de vous aider à purger vos radiateurs.
* Servez-leur du pâté de sardine avec des morceaux d'anguilles et des écailles de poisson.
* Montrez-leur toutes vos photos de vacances depuis la maternelle. Même les plus indiscrets auront du mal à le supporter.
* Allumez le gaz et allez faire un tour. Au moins, les restes calcinés de votre maison seront à vous quand vous rentrerez.

❂ La Guerre du feu *a été réalisé par Jean-Jacques Annaud en 1981.* ❂

Comment
Préparer un Harvey Wallbanger

*P*ourquoi les cocktails ont-ils toujours des noms à coucher dehors ? Je me sens déjà assez bête quand je commande un perroquet, mais maintenant on vous propose des mélanges aux noms particulièrement évocateurs, que je n'ose écrire pour ne pas choquer vos chastes oreilles. Déjà, « cocktail » signifie littéralement « la queue du coq », et je reste polie. On se demande bien qui a pu inventer ce mot. Eh bien, je vais vous le dire : le terme est apparu pour la première fois le 13 mai 1806, dans une revue américaine intitulée *Balance and Colombia Repository*. Le journal, en réponse au courrier d'un lecteur, définissait le cocktail comme un : « breuvage fort à base d'alcools, de bitters, d'eau et de sucre ». Cela ne m'étonnerait pas que ce soit le rédacteur de *Balance and Colombia Repository* lui-même qui ait inventé cette recette !

Voici la version de l'origine du Harvey Wallbanger que je préfère : un surfeur californien prénommé Harvey aimait y ajouter du galliano (une délicieuse liqueur à base d'anis, de lavande, de menthe, de vanille, de cannelle et de coriandre – on en trouve dans tous les bons supermarchés) à sa vodka orange. Un soir de grande tristesse, alors qu'il venait de perdre une compétition de surf, Harvey noya tellement son chagrin dans l'alcool qu'il ne réussit à s'extraire du bar qu'après plusieurs tentatives. Il ratait systématiquement la porte et se tapait continuellement la tête contre le mur. Il devint la véritable incarnation du terme *wallbanger*, qui signifie « à se taper la tête contre les murs ».

La version que j'aime le moins, même si elle est fondée, prétend que c'est le barman californien Bill Doner qui inventa ce breuvage. De toute façon, en voici la recette.

INGRÉDIENTS
* *1 mesure de vodka*
* *4 mesures de jus d'orange*
* *2 cuillerées à café de galliano*
* *6 glaçons*
* *1 rondelle d'orange*

PRÉPARATION
Il y a cinq manières de préparer les cocktails : on peut faire des cocktails en couches successives, au verre mélangeur, au mélangeur électrique, au shaker ou directement dans le verre. Vous vous souvenez que James Bond préfère son Dry Martini préparé à l'aide d'un shaker plutôt que versé directement. En fait, c'est parce que chaque méthode produit un mélange à la température et à l'aspect différents. La préparation d'un Harvey Wallbanger combine le cocktail en strates et le shaker. Le shaker permet de rafraîchir et de diluer les ingrédients, et en plus c'est sympa à regarder.

1   Mettez 3 glaçons, la vodka et le jus d'orange dans le shaker.
2   Secouez bien pendant 30 secondes. Essayez d'avoir l'air inspiré.
3   Passez le mélange dans un grand verre sur les 3 autres glaçons (laissez ceux du shaker dans le récipient).
4   Versez le galliano sur le dessus. Le résultat est super et ce n'est pas dur à réaliser. Pour ce faire, versez délicatement le galliano sur le dos d'une cuillère qui touche la surface de la boisson.
5   Décorez avec des rondelles d'orange.

6   Offrez au bellâtre en smoking blanc affalé dans votre canapé. Et
     surtout, pas de petits parasols, de grâce !

❀ *On fête la saint Harvey Wallbanger le 8 novembre.* ❀

Comment
*Préparer un panier garni
pour un pique-nique*

On connaît toutes la comptine : « 1, 2, 3, nous irons au bois / 4, 5, 6, cueillir des cerises / 7, 8, 9, dans un panier neuf… » Ah, que de souvenirs… Eh bien maintenant, apprenons à préparer un panier garni exemplaire. Bien sûr, il est tellement facile de le préparer à la va-vite. On oublie alors tant de choses : le couteau à beurre, le décapsuleur pour les bières, le sel pour les œufs durs et les tomates. Bon, alors, si vous voulez apprendre à préparer correctement un panier à pique-nique, allez le chercher, et au travail !

INSTRUCTIONS

1   Offrez-vous un joli panier, pour commencer. Vous n'avez pas besoin
     d'une antiquité avec des sangles en cuir comme du temps de nos
     grand-mères, mais évitez quand même de vous munir d'une dou-
     zaine de sacs plastiques qui ne feront absolument pas l'affaire.

2   Tout d'abord, faites une liste de ce dont vous avez besoin. Sortez
     les ingrédients et cochez votre liste au fur et à mesure que vous les
     mettrez dans le panier.

3   Pas la peine de s'énerver à vouloir tout emporter. J'ai une amie qui
     insistait lourdement sur le contenu de sa liste d'ingrédients et d'ob-
     jets essentiels : des bâtons de céleri, un peu de glace, quelques mor-
     ceaux de sucre, un peu de sucre glace, du ketchup, *quatre* Thermos
     et *trois* tire-bouchons. Vous pensiez qu'elle faisait partie d'une ligue
     de défense des droits des pique-niqueuses, à vouloir trimballer
     tout ce barda. En fait, contentez-vous du minimum, mais n'oubliez

pas pour autant l'essentiel. (D'habitude, c'est surtout le sel que l'on oublie, ce qui, en soi, suffit à gâcher la journée.)

4 Apportez suffisamment d'assiettes, de couverts, de tasses et de verres.

5 C'est une bonne idée de prendre des petits sacs plastiques pour les sandwichs. On peut s'en servir pour mélanger la salade ou pour jeter ses trognons de pomme, et ainsi de suite.

6 Pensez à de la nourriture qui se mange avec les doigts : les saucisses, les quiches, les œufs durs, les cornichons, les sandwichs, les bâtonnets de céleri et de carotte, les gâteaux, les cuisses de poulet, le pain que l'on peut rompre à la main comme la baguette et les pitas – oh, j'en ai déjà l'eau à la bouche !

7 Si vous devez vraiment prendre des conserves, bon sang, surtout n'oubliez pas l'ouvre-boîte, ou tout le monde traînera votre nom dans la boue (voir le sel précité).

8 N'oubliez pas les condiments : sauce béarnaise, poivre, cornichons, moutarde, ketchup, etc. Une bonne sauce relèvera tout l'éclat d'un banal œuf en gelée, d'un pilon de poulet ou d'une petite saucisse.

9 La salade doit être robuste. Des feuilles de laitue trop fines, un concombre, des tomates trop mûres peuvent vite se transformer en bouillie. Je mélange souvent dans un grand saladier de gros

morceaux de légumes que j'émince ensuite sur place, et auxquels j'ajoute la vinaigrette.

10   L'emmental sue à grosses gouttes quand il fait chaud. Essayez la fourme d'Ambert, qui peut survivre à la chaleur d'une explosion nucléaire.

11   Pour le dessert, évitez les confitures et autres gelées collantes et coulantes, à cause des guêpes. Préférez les petits gâteaux et les fruits – d'ailleurs, vous pouvez tremper tout ça dans la crème Chantilly.

12   Si vous voulez emporter des boissons fraîches, mettez quelques cannettes et bouteilles en plastique dans le congélateur au moins une heure avant de partir (faites quelques tentatives avant, on ne sait jamais !). À votre arrivée, elles seront à la bonne température. Cela vous évitera de vous balader avec des glaçons. Je prends toujours des boissons *light*, qui, en plus d'éviter l'apparition des bourrelets, ont l'avantage de ne pas attirer les guêpes. Vous pouvez mélanger vos boissons (sirops et soda) sur place, de toute façon tout ce qui a des bulles conviendra.

Pour finir, apportez des sacs plastiques en guise de poubelles. Je ne sais pas ce qu'il en est pour vous, mais moi, j'ai toujours l'impression de produire une tonne de déchets pendant un pique-nique. Enfin, voici d'autres choses qui peuvent paraître évidentes, mais que l'on peut parfois oublier.

* *Une bonne couverture. Il n'y a rien de pire que de déjeuner parmi les bouses de vache et les chardons.*
* *Quelques coussins*
* *Beaucoup d'eau*
* *Un limonadier (qui ouvre et le vin et les bières). Très important.*
* *Un couteau bien aiguisé. Vital.*
* *Des lingettes pour les mains. Vous pratiquerez le nettoyage impromptu de vaisselle, de mains et de visage.*
* *Un rouleau d'essuie-tout (on en utilise beaucoup).*
* *Des serviettes en papier ou en tissu*

* *Des chapeaux et un immense parasol qui vous protègeront également de la pluie, le cas échéant.*
* *LE SEL !*

❀ *Le verbe « piquer » est synonyme de « picorer » tandis que le terme « nique »,
signifiait au XVIIIe siècle « par ci, par là ». ❀*

Comment
Danser avec un homme plus petit que soi

Ne méprisez pas les hommes petits, si vous êtes une femme de grande taille. Il est possible d'être *petit*, brun et beau. Tenez, Alexandre le Grand et Napoléon étaient petits, après tout, mais cela ne les a pas empêchés d'être puissants, et même si Tom Cruise est minuscule, il n'en est pas moins riche et élégant. Au fait, pensez au célèbre Danny de Vito, qui ne mesure qu'un 1,50 m ; bon, d'accord, il est un peu dégarni et pas très séduisant… Mais les autres peuvent être pas mal.

Bon, même si statistiquement les hommes auront plus d'enfants s'ils sont grands que s'ils sont petits, même si les hommes de petite taille ont plus de chance d'être pauvres, gros, sujets aux crises cardiaques, ce n'est pas une raison pour ne pas danser avec un Toulouse-Lautrec, alors que vous êtes grande, élégante et aussi classe que Nicole Kidman (1,83 m) – rappelons-le, ex-femme de Tom Cruise.

Quand on s'intéresse de près à la question de danser avec un homme plus petit que soi, on peut résoudre le problème de deux manières : *on y va franco* ou *on atténue la différence*.

Celles qui préféreront *y aller franco* me semblent être des femmes heureuses et normalement constituées, alors que celles qui *atténuent les différences* ne seront jamais contentes. Un peu comme le prince Charles, à qui on avait demandé de monter sur un cageot pour la photo officielle du couple royal. Tu m'étonnes qu'il fasse la tête !

Y ALLER FRANCO

Y aller franco est tellement plus facile que d'atténuer les différences ! Pourquoi vous priver de vous pencher et de porter des talons, même si vous êtes une géante ? Pourquoi cacher votre taille ? Si vous êtes grande, montrez-le ! Souvenez-vous alors :

* N'enlevez jamais vos chaussures ; vous pouvez porter de petits talons, sauf s'ils ne vont pas avec votre tenue – si vous ne voyez pas la différence, les autres ne la verront pas non plus.
* Concentrez-vous sur votre couple, et pas sur ce que les autres peuvent penser.
* S'il est beaucoup plus petit que vous, assurez-vous que votre décolleté est bien en place ; en effet, il sera exposé à son regard insistant pendant un petit moment.

ATTÉNUER LES DIFFÉRENCES

Voici quelques conseils :

* Utilisez la perspective à votre avantage en gardant vos distances. Malheureusement, cela réduit d'autant vos chances d'un baiser fougueux.
* Des talons plats pour vous, des talonnettes pour lui.
* Détachez vos cheveux.
* Le tango est intéressant, car il implique de se renverser en arrière.
* Apprenez-lui à porter des échasses sous son pantalon. (Je sais, là vous êtes vraiment désespérée !)

❀ *Les Anglais ont fait croire que Napoléon était petit, alors qu'il mesurait 1,69 m ; il était plus grand que la moyenne des hommes de son époque.* ❀

Comment
Parfumer une pièce en 10 secondes

Il y a quelques années, je voulais acheter une maison, et je dois dire que cela peut être un vrai parcours du combattant. Tout d'abord (A) vous prenez conscience que ce que vous pouvez acheter est plus petit et plus laid que ce que vous aviez imaginé, et ensuite (B) beaucoup d'endroits que l'on vous montre sont de véritables taudis. Je me souviens d'une maison où traînaient d'horribles caleçons un peu partout, dans une chambre qui ressemblait à un véritable bouge. Une autre fois, je remarquai un beignet à la confiture mystérieusement collé au plafond, dans une maison au demeurant très jolie. D'autres endroits sentaient le chien ou les égouts – ce qui m'amène à traiter de l'objet de notre leçon d'aujourd'hui.

Il existe des tas de raisons pour vouloir parfumer une pièce en vitesse : du désir de créer une atmosphère accueillante pour des invités en avance au besoin de masquer les relents de votre frichti de la veille, ou encore à la nécessité de transformer votre chambre à coucher en un boudoir des *Liaisons dangereuses*.

Oublions un instant les préparations commerciales pour prises électriques dont les odeurs tenaces vous titillent les narines, ainsi que les aérosols qui censément neutralisent les odeurs. Cela rappellerait à vos invités les effluves, néfastes pour les yeux, des diffuseurs qui donnent cette couleur bleue à l'eau des toilettes quand on tire la chasse. Ou bien ça vous ferait penser à l'odeur particulièrement nauséabonde des miasmes corporels dans les transports en commun, les jours de grande chaleur.

Pour flatter vos narines, essayez ces petits trucs rapides.

* Aspergez de parfum quelques ampoules et allumez la lumière. Effet puissant instantané.
* Mettez quelques gouttes d'huiles essentielles sur un morceau de coton et placez-le derrière un radiateur.

* Mélangez dans un vaporisateur une ving-
taine de gouttes de citronnelle ou de
lavande avec de l'eau et vaporisez
un peu partout. Effet délicat,
surtout quand il fait chaud.

* Les lis, les frésias, les jacinthes
et d'autres fleurs ont un parfum
particulièrement fort. Mais à moins
de les avoir déjà chez vous, l'effet n'est pas
immédiat.

* Si vous faites un feu dans la cheminée, mettez
quelques gouttes d'essences boisées comme le cèdre
ou le santal sur une bûche, avant de la placer dans
l'âtre. Vous pouvez aussi mettre quelques gouttes directement sur
les briques chaudes de la cheminée.

* En cas d'urgence, faites brûler du papier d'Arménie. Cela mas-
quera avec succès les relents fermentés de morilles du diable.

* Épluchez des oranges, des mandarines et autres agrumes, pour
obtenir un effet subtil.

* Faites frire des oignons ou de l'ail. C'est bon pour cacher des odeurs
de vieille cuisine et ouvrir l'appétit de vos invités.

* Allumez un gros cigare et crachez la fumée. Effet très rapide, même
si ce n'est pas très féminin.

* Sortez un camembert.

❁ *Le parfum « N°1 » de la maison britannique de luxe Clive Christian
est le parfum le plus cher au monde : 160 000 € la bouteille !* ❁

Comment
Faire une révérence

S i vous ne le saviez pas encore, le mot « révérence » vient du verbe
« révérer », qui signifie « vénérer », lui-même l'anagramme d'« énerver ». Il s'agit d'une salutation formelle (exclusivement pratiquée par les

femmes et les jeunes filles), qui consiste à fléchir les genoux tout en plaçant un pied devant l'autre et en courbant la tête. Parfois, vous devez tenir votre jupe (beaucoup moins spectaculaire quand vous portez un jean). Jadis, les serviteurs faisaient la révérence à leurs maîtres et les petites filles modèles la faisaient aux adultes bien comme il faut. Mais de nos jours, on ne fait la révérence que devant la reine d'Angleterre et dans les films en costume. Néanmoins, en ces temps d'égalité, on constate le déclin de cette pratique et la révérence ne tient plus que sur une patte, même en Angleterre, où depuis 2003, à la demande du duc et de la duchesse de Kent, les joueuses de tennis, épuisées par leur match, sont autorisées à ne plus faire la révérence quand elles sortent du cours central de Wimbledon. Comme l'affirmait le psychopathe travesti, Norman Bates, dans *Psychose* : « Une à une, on abandonne les bonnes manières. »

Cependant, on ne sait jamais quand on aura besoin de faire la révérence. Vous pouvez, par exemple, être invitée à une cérémonie officielle organisée par un ambassadeur, où tout le personnel en livrée passe son temps à garnir une pyramide de petites boules en chocolat enveloppées dans du papier aluminium doré. Et là, rien que pour les caméras, vous devez être à la hauteur.

INSTRUCTIONS

1 Contrairement à la petite révérence, la quintessence ultime de la grande révérence exige que vous vous penchiez sur votre pied droit incliné, entourant le pied gauche, tout en restant statique pendant l'exercice.

2 Le pied que vous avez glissé supporte votre poids et vous permet de vous baisser avec grâce, pour finalement vous maintenir en position assise sur votre jambe droite pliée, les bras ballant et la tête baissée. Vous serez dans une position particulièrement soumise et vulnérable.

3 Quand vous serez prête à vous relever, déplacez votre poids sur la jambe gauche et remontez complètement. Cette grande révérence est le fondement de toutes les révérences, même les plus mignonnes, que vous aurez vues ou pratiquées.

Une variation un peu spéciale de la grande révérence implique que vous pliiez les genoux vers l'extérieur, un peu comme si vous aviez passé toute la journée sur un cheval, au lieu d'entourer la jambe droite autour de la gauche. Je n'ai jamais essayé cette révérence, mais elle me paraît un peu dégingandée, comme si vous deviez enjamber un ballon sauteur perpendiculairement, sans pouvoir vous tenir avec les mains.

À partir du XIXe siècle, on hiérarchisa les différents types de révérences selon leur niveau de déférence – vous trouverez ci-dessous, les trois manières principales de faire la révérence.

TROIS TYPES DE RÉVÉRENCES

* *La révérence en avant* : celle-ci, que l'on utilise en entrant dans une pièce, me fait penser à une courbette de vieux serviteur. Vous devez faire glisser un de vos pieds vers l'avant et ensuite plier les genoux, le corps raide et en équilibre. Vous devez vous soulever en maintenant votre poids sur le pied qui se trouve devant.

* *La révérence en arrière* : recommandée lorsque l'on quitte une pièce, vous faites un pas de côté et vous faites votre révérence mais cette fois le poids de votre corps se trouve sur le pied de derrière.

* *La révérence en passant* : pratique, puisque c'est une révérence que l'on peut répéter quand on est dans une file d'attente. Pour faire cette courbette, vous devez vous placer à côté de la personne que vous devez saluer, faites un pas avec le pied gauche et faites un demi-tour vers elle ou lui. Ensuite, pliez les genoux tout en avançant le pied droit. Relevez-vous en gardant le poids du corps sur ce pied.

Ou vous pouvez toujours saluer comme une personne normale.

❀ *On prétend que la reine d'Angleterre était très amusée par le fait que l'épouse de Tony Blair refusait de faire la révérence.* ❀

Comment
Savoir si vous plaisez
à un homme

Les femmes sont en avance dans le domaine de la compréhension et de l'utilisation du langage corporel, ce qui leur donne un certain avantage sur la question. Les hommes, les pauvres, sont aussi doués qu'un gorille qui essaierait d'extraire une poignée de raisins secs d'un petit pot de confiture. En gros, ils ont peu de chance de réussir. Les hommes sont plus simples que les femmes ; attirés par toutes les femmes à tout moment, ils envoient des signaux particulièrement lisibles. Si vous pouvez voir ces signaux, vous serez en tête de la compétition des « blondes à forte poitrine » – et ça, c'est toujours bon à prendre. Vous devriez toujours partir du principe qu'en fait, vous plaisez *vraiment* à Monsieur Y. Votre véritable problème sera, comme c'est le cas pour toutes les femmes, de faire passer vos tests d'acceptabilité à Monsieur Y. Cela devient vraiment compliqué ? Bon, n'entrons pas dans le débat, mais essayons de voir vraiment ce qu'il en est.

QUE DEVEZ-VOUS REPÉRER ?

* *La position relevée* : le premier signe qui montre qu'un homme s'intéresse à vous est qu'il prendra son courage à deux mains, qu'il se relèvera et s'assoira plus droit pour faire ressortir ses pectoraux. Il fera tout cela sans s'en rendre compte, bien sûr.

* *Le lissage de plumes* : comme les oiseaux dans les documentaires animaliers, les hommes se lissent les plumes. Réajuster sa cravate, passer les mains dans les cheveux pour les remettre en place, régler ses boutons de manchette, frotter ses vêtements sont autant d'indices à repérer.

* *La position du corps* : s'il se tourne vers vous, c'est bon signe. Un signe plus subtil est de voir s'il tourne son, ou ses pieds vers vous. Parfois, quand un homme essaie de cacher son intérêt pour vous à quelqu'un (sa femme, par exemple !), il se détourne de vous mais,

inconsciemment, il pointe son pied dans votre direction. Si vous le remarquez, vous constaterez peut-être aussi qu'il jette de temps en temps un œil sur vous. Si c'est le cas, souriez chaleureusement ou faites-lui un clin d'œil – selon ce que vous estimez le plus adapté à la situation. Cela devrait mettre le feu à son pantalon.

* *L'achat de cadeaux* : s'il vous paie un verre ou vous offre un petit quelque chose, c'est un signe que vous l'intéressez.

* *Le regard* : quand vous parlez à un homme pendant une réunion, il regarde en direction de vos yeux et de votre front. Lors des interactions sociales, il regarde vos yeux et votre bouche. S'il est attiré par vous, il usera inconsciemment d'un regard plus intime, par lequel son attention se focalisera sur vos yeux, mais qui se dirigera aussi, il me semble, sur votre poitrine et-ou, il me semble encore, vos genoux. Son regard sera un tantinet plus soutenu que la normale. La dilatation des pupilles est un autre indice à repérer. Quand vous plaisez à quelqu'un, ses pupilles s'agrandissent, c'est la preuve qu'il aime votre physique – ou alors c'est qu'il fait vraiment sombre.

* *Le soulèvement des sourcils* : c'est un signe subtil quand, furtivement, il ouvre grands les yeux et que ses sourcils remontent. Si vous clignez des yeux à ce moment-là, vous risquez de le manquer.

* *Les mains sur les hanches* : cela le fait paraître plus grand. Si ses pouces sont coincés dans sa ceinture et que ses jambes sont écartées comme celles d'un cow-boy, c'est un signe évident qu'il vous fait la cour. Il met en valeur, en y faisant pointer ses pouces, ce que j'appelle la région du pantalon.

* *La mise en évidence de l'aine* : s'il écarte les jambes, c'est un peu comme le courtier en Bourse qui dévoile sa mise. Une fois, j'ai vu un homme assis, exposant son aine, glisser ses talons de chaque côté des jambes

d'une femme assise en face de lui. Un mouvement sexuel très franc, voire agressif. Si cela vous arrive, c'est que c'est dans la poche.

* « Voulez-vous voir ma collection particulière de gravures ? » : ce n'est peut-être pas original mais cela a le mérite d'être clair. Bonne chance !

❀ *Les premières gravures furent imprimées par le graveur allemand Daniel Hopfer (1470-1536).* ❀

Comment
Servir une bière à un homme de qualité

À moins d'être barmaid, quand on sert une bière à un homme de qualité, on le fait à partir d'une bouteille ou d'une cannette. La technique pour servir dans un bistrot ou un pub des demis de blonde bien fraîche à la pression exige des connaissances que je n'inculquerai pas ici.

La chose essentielle à retenir est que les amateurs de bière, comme les critiques d'art et les passionnés de jazz, sont divisés en un certain nombre de factions d'irréductibles qui se déchirent et se détestent. Le bon barbu, buveur de brune, avalera sans hésitation sa bière tiédasse, aussi plate et trouble qu'un étang. En revanche, il passera des heures à pinailler sur sa fabrication. L'amateur de blonde, quant à lui, exigera une bière claire, glacée avec de la mousse – mais pas un col de 10 cm de haut, évidemment ! Les fans de Guinness, eux, se divisent en deux catégories : ceux qui préfèrent leur breuvage en bouteille – ils veulent une bière servie à température ambiante avec un col brunâtre à base de grosses bulles qui se dissipent rapidement – et ceux qui la préfèrent à la pression, avec tout le tintouin – ils souhaitent une boisson froide avec 2,5 cm de mousse crémeuse sur le dessus.

La méthode que je vous prescris est en fait une présentation technique générale qui devrait vous aider à servir tout un tas de bières différentes, en évitant bien sûr les erreurs de base, comme verser 20 cl de mousse ou de mettre un tonnelet au frigo.

INSTRUCTIONS

1   Ouvrez la bouteille ou la canette. Si elle est froide, il y aura davantage de bulles que si elle est tiède, donc soyez prudente dans le maniement de l'objet. Les brunes et les bières fermentées (voir ci-dessous) doivent être servies à température ambiante et non réfrigérées.

2   Dans tous les cas, tenez le verre sous le contenant (cannette ou bouteille) et penchez le verre légèrement. Le goulot touche le bord du verre. Soulevez délicatement le contenant, afin que le liquide s'écoule le long du verre plutôt que de tomber directement dans le fond. Ce faisant, vous éviterez l'excès de bulles qui risque de remplir le verre de mousse. Allez-y doucement ! C'est la seule règle vraiment importante dans l'art de verser une bière.

3   Si vous versez la bière dans un bock ou une pinte (env. 50 cl), faites en sorte de remplir le verre jusqu'au bout, afin que le col, ou un chapeau de mousse si c'est une bière distillée, se trouvent au dessus du verre. La seule bière pour laquelle vous ne devez pas agir ainsi (c'est en tout cas une *loi* en Grande Bretagne !) c'est la Guinness. À part ça, les hommes ne supportent pas que le barman leur serve une « petite bière ». Alors, soyez aussi prévoyante à la maison. Vous devez laisser reposer les bières à fermentation spontanée, comme les lambics. Ensuite, redressez le verre à mi-hauteur et versez vivement les derniers centilitres de la bouteille pour former un chapeau de mousse. On vous en sera très reconnaissant. Les buveurs de bière des régions du Nord préfèrent les cols de mousse plus épais et denses que les buveurs sudistes.

4   En Grande-Bretagne, la pinte (le verre) doit contenir plus qu'une pinte (la mesure) ; une marque sur le verre délimite la hauteur, mais vous pouvez le remplir jusqu'au bout. Les pintes britanniques ont une petite couronne qui indique la viabilité du verre, mais les contraintes de la Communauté européenne font que la marque communautaire commence à supplanter la marque royale. Ah, la pauvre Albion !

5   La Guinness et autres *stouts* ne sont pas aussi difficiles à verser qu'on ne le croit. La bière que l'on achète en cannette est souvent vendue avec un petit gadget en plastique qui fera mousser le breu-

vage quand vous l'ouvrirez. La Guinness en bouteille doit être versée de la même manière que toutes les autres bières en bouteille et vous obtiendrez le même genre de mousse, mais moins dense. Donc ne vous inquiétez pas, vous n'avez rien fait de mal.

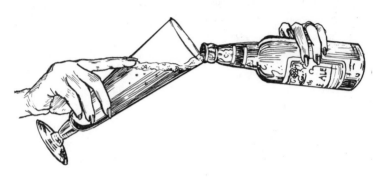

6   *Les bières conditionnées en bouteille,* comme les lambics, exigent une technique particulière parce qu'elles sont toujours en fermentation dans la bouteille – vous pouvez d'ailleurs y voir des sédiments de la levure de bière. Il existe deux courants de pensée – ceux qui les boivent et ceux qui les laissent. Si vous servez une bière à quelqu'un qui laisse les sédiments, vous devez opérer encore plus lentement que d'habitude afin de ne pas les secouer quand vous versez. Et surtout n'ouvrez pas la bouteille dès votre retour du supermarché. Ouvrez l'œil, et quand vous aurez versé les trois quarts de la bouteille, vous verrez les premiers résidus grisâtres de levure ; arrêtez-vous et débarrassez-vous de la lie. Les résidus de levure sont sans danger. Si vous servez un amateur de levure, versez la bière comme d'habitude, et quand vous arrivez à la fin, remuez doucement le liquide pour mélanger les résidus à la bière. Ensuite, versez doucement la mixture dans le verre.

7   C'est toujours mieux de porter un costume bavarois, quand vous versez une bière à un homme de qualité.

❀ *L'Allemagne compte plus de 1 200 brasseries réparties dans tout le pays et produit plus de 5 000 sortes de bières.* ❀

Que faire
Quand votre homme ronfle

*V*oyez le tableau : vous venez de reposer *Le Rouge et le Noir* avec un soupir de bonheur, vous éteignez la lumière et commencez à vous endormir en rêvant du prince charmant. Et là, vous êtes brutalement réveillée par un bruit hallucinant, digne du rugissement d'un morse qui joue de la guimbarde dans une baignoire remplie de flan à la vanille. Eh oui, encore une fois, l'homme allongé à vos côtés est en train de ronfler et tout le quartier peut l'entendre. C'est étrange qu'un homme apparemment charmant que vous trouviez si beau et mystérieux se transforme, tel le Docteur Jekill, en une créature simiesque ronflante, rotante, balourde qui, toutes les nuits, vous vole la couverture, oubliant toutes les bonnes manières.

Vous *devez* réagir. Voici les raisons principales du ronflement et leurs remèdes.

* *L'alcool* : tout se relâche, même les muscles de la gorge. Dites-lui que sa mollesse ne vous satisfait pas.
* *La cigarette* : elle provoque toutes sortes de problèmes, tels que la surproduction de mucus, l'inflammation des cavités nasales et pharyngales ou des maux de gorge. Poussez-le à arrêter en lui expliquant que fumer provoque une impuissance sexuelle irréversible, ce qui est vrai. Le lait entraîne également le production de mucus, donc faites attention qu'il ne soit pas un accro aux boissons lactées.
* *Il est trop gros* : les tissus graisseux autour de son cou peuvent empêcher le passage de l'air. Obligez-le à réduire sa consommation de pizzas, de couscous et de bière et faites-lui faire du sport.
* *Sa position pour dormir* : s'il dort sur le dos, la base de sa langue aura tendance à reculer au fond de la gorge et à boucher le passage de l'air (voir plus bas, apnée du sommeil). Essayez de lui fournir plus d'oreillers ou de l'inciter à dormir sur le côté. Mon plombier

m'a conseillé de lui mettre des balles de tennis dans le pyjama (dans le dos) – cela fonctionnerait pour lui, apparemment. Vous pouvez toujours essayer de le faire se tourner ou l'appeler par son nom et de lui demander de se retourner. Cela ne marchera pas s'il est ivre mort.

* *Les allergies* : remplacez les oreillers en plume par des oreillers en matières synthétiques. Empêchez-le de prendre ses antihistaminiques avant d'aller se coucher. Ils peuvent faire plus de dégâts que de bien, en ce qui concerne les ronflements.

* *L'apnée du sommeil* : c'est une maladie sérieuse, voire dangereuse pour la santé : le sujet s'arrête de respirer quelques instants. Il en résulte un sommeil de mauvaise qualité qui poussera le pauvre homme à se balader toute la journée comme un zombie. Envoyez-le chez le médecin – les cas critiques peuvent être soignés par une intervention chirurgicale.

Je fréquentais un jeune homme qui m'avait raconté qu'il ronflait si fort que ça le réveillait. Il se soigna tout seul, en allant dormir dans la chambre d'ami. Toute notre relation était basée sur ce genre de petites remarques amusantes. Quoiqu'il en soit, le recours à la chambre d'ami est une mesure radicale, mais efficace. Lui ou vous, cela importe peu. Mais souvenez-vous que, quand vous rirez on rira avec vous, et que quand vous ronflerez, vous dormirez seule.

AUTRES REMÈDES TESTÉS ET APPROUVÉS

1 Frappez-le.

2 Tapez dans son oreiller.

3 Des boules Quiès (pour vous, bien sûr !).

4 Des bandelettes nasales et autres sortes de masques destinés à ouvrir la cavité nasale pour laisser passer l'air. On trouve aussi des appareils dentaires qui sont censés pousser la mâchoire inférieure vers le bas et la langue en avant, afin d'élargir le fond de la gorge. Attention, ça peut faire un peu peur de dormir à côté de quelqu'un ainsi appareillé.

5   Allez vous coucher en premier, comme ça vous serez déjà endor-
     mie quand il commencera à ronfler. (Vous entrez ici dans une
     zone de turbulences délicate, parce que ça ne fonctionne que si le
     taux de décibels des ronflements est assez bas pour ne pas perturber
     votre sommeil.)

6   Faites du sport toute la journée : vous serez tellement épuisée
     que rien ne pourra vous réveiller. (Oui, là, vous êtes au bord du
     gouffre !)

Malheureusement, je ne peux pas promettre la réussite de ce que
je viens de vous exposer, mais cela vaut toujours le coup d'essayer,
même si le suspense finit par achever vos nerfs. En effet, c'est une telle
satisfaction quand une nuit, après des mois d'insomnies et de récri-
minations, vous touchez la victoire du bout des doigts. Vous patientez
pendant une demi-heure, tous vos sens en alerte, et là, plus un bruit à
part celui du tic-tac de la pendule et le bruissement du lierre grimpant
sur les murs.

Victoire !

❀ *Quiès est la déesse du calme et de la quiétude chez les Romains.* ❀

Comment
Établir les règles d'usage de la lunette des toilettes dans une colocation

Il y a bien longtemps dans les trains en bois on trouvait dans les toilettes une pancarte précisant dans une prose délicate : « Messieurs,
veuillez soulever la lunette des toilettes. » Cela sous-entendait-il que,
intrinsèquement ou trivialement, les hommes qui ne soulevaient pas la
lunette des toilettes n'étaient pas de vrais gentlemen ?

La formulation de cette requête anodine est en réalité un ordre déguisé.
Même si nous sommes ravies que les hommes soulèvent la lunette avant

usage, ce qui nous pose vraiment problème, c'est qu'ils ne la rabaissent pas après usage ! Si vous vivez avec beaucoup d'hommes – ou un seul d'ailleurs – le problème de la lunette soulevée peut prendre des proportions variées : de la simple requête au harcèlement quotidien qui, comme l'écoulement de l'eau sur de la pierre calcaire, vous ronge pendant des mois, des années, voire des décennies. Je n'ai jamais entendu parler de cas de divorce pour un manque de tact et de considération évident dans l'usage des règles de bonne conduite sanitaire, mais je ne serais pas surprise si cela arrivait.

Voyons maintenant la procédure. J'exclus, pour le moment, le couvercle de la lunette – celui sans trou –, les choses sont assez compliquées comme cela.

FONCTIONS

* Il n'y a qu'une seule façon pour les femmes d'aller aux toilettes, c'est la position assise sur une lunette abaissée. Vous est-il déjà arrivé de tâtonner, la nuit, dans les WC sombres d'un appartement que vous partagiez avec d'autres étudiants, et de vous asseoir sans avoir vérifié, au préalable, si le siége était baissé ? Si c'est le cas, vous connaissez cette sensation saisissante de vous retrouver soudainement le menton collé aux genoux, les jambes droites comme des piquets levées vers le ciel et la froideur de la porcelaine vitreuse glaçant votre postérieur.

* Les hommes, quant à eux, peuvent se payer le luxe de choisir leur position. Et puisqu'ils sont debout la plupart du temps, il est normal qu'ils soulèvent et rabaissent le siège après utilisation. De plus, ils apprécieront de pouvoir s'asseoir quand ils en auront besoin de temps à autre (argument 1).

* *À noter :* pour des raisons qui lui sont propres, un de mes amis insistait pour s'asseoir sur la cuvette. Un jour, bien sûr, le siège se rabattit sur lui et son dos fut couvert de vilains bleus. Cela confirme seulement, je pense, que la seule position valable pour la lunette est la position basse.

STATISTIQUES

* Les statistiques montrent que les femmes vont plus souvent aux toilettes que les hommes, même si vous prenez en considération qu'ils se soulagent derrière les rosiers, contre les balustrades ou qu'ils écrivent leur nom dans la neige. Voilà une nouvelle raison valable pour exiger la position baissée en notre faveur (argument 2).

ESTHÉTISME

* La question de l'esthétisme de la cuvette des toilettes se rapproche de celle de l'opinion que l'on peut avoir du *Cri*, de *L'Enlèvement des Sabines* ou d'une œuvre de Mark Rothko : un trou noir dans les eaux stagnantes de la critique d'art.

* Bon, même si cet argument risque de tourner en eau de boudin, je pense quand même qu'on peut défendre cette théorie et que la position baissée du siège (PBS) est la position la plus naturelle, la plus normale et la plus agréable à l'œil, mais surtout la plus sûre. Cela ne vous fait-il pas penser à la majesté d'un tableau d'Eustache Le Sueur avec ses formes baroques et ses lignes arrondies et souples ? La position relevée évoque plutôt les traits angulaires et psychorigides des cubistes avec des notes mal placées d'un morceau de Stravinsky. Rien à voir avec la peinture classique de l'École française, cela ressemble davantage à de l'Expressionnisme allemand ou russe, plus proche de Wassily Kandinsky que de Poussin et vraiment, je ne sais pas ce qu'il en est pour vous, mais moi, je ne veux pas m'asseoir sur un Kandinsky (argument 3).

Le dernier point est évident. La position baissée est la seule position acceptable dans un logement en colocation - la position levée peut être tolérée temporairement. S'il vous plaît, Messieurs, soulevez le siège, certes, mais rabaissez-le immédiatement après utilisation.

❀ Le Cri *a été volé au Musée Münch à Oslo en 2004.* ❀

Comment
Descendre un escalier avec des talons aiguilles

Je connaissais une femme qui portait des talons aiguilles tous les jours au bureau. On l'entendait marcher dans le couloir avec ce bruit distinctif qui ressemble tant au tic-tac d'une bombe à retardement. Elle était toujours impeccable et on se doutait bien qu'elle portait aussi de vrais bas. C'était tout à fait ce genre de femme.

C'est vrai que les talons aiguilles flattent la silhouette des femmes : la croupe ressort, allongeant les muscles des mollets, tout en vous grandissant (c'est toujours bon à prendre). Vous marchez alors avec grâce et féminité, comme si vous longiez un ruban avec un livre en équilibre sur la tête.

Mais bon sang, ça peut aussi être un vrai cauchemar à porter. Votre centre de gravité étant plus haut, vous devez apprendre à maintenir l'équilibre entre votre postérieur (en arrière) et votre poitrine (en avant) pendant que vos hanches se balancent à gauche et à droite. Descendre un escalier en colimaçon en robe de soirée et talons hauts est un exercice particulièrement hasardeux. Voici, avec des informations complémentaires sur l'art de « porter le talon », la méthode grâce à laquelle, quand vous vous rendrez à une réception au bras d'un prince charmant, on pourra vous prendre pour Kim Novak dans *Sueurs froides* et non Josiane Balasko dans *Absolument fabuleux*.

MISE EN PRATIQUE

C'est exponentiellement plus dur de marcher avec des talons de 15 cm qu'avec des talons de 10 cm ; ça peut être un peu comme marcher avec des échasses (voir *Comment danser avec un homme plus petit* p. 75). En effet, les talons de 15 cm sont destinés aux femmes expérimentées. Commencez donc par des petits talons sympas, en augmentant la hauteur au fur et à mesure – la transformation ne se fera pas en une nuit. *À noter :* la hauteur du talon correspond à la distance entre le sol et la semelle de la chaussure.

Achetez de bonnes chaussures à votre taille. Les semelles compensées seront plus pratiques que les talons aiguilles et bien meilleures pour votre lino, mais les escarpins peuvent être plus agréables à porter. Pour commencer, placez-vous devant un grand miroir pour voir comment vous vous sentez dans cette nouvelle posture. Faites ensuite des allers et venues ; allez-y doucement.

Vos pas doivent être plus courts que d'habitude ; posez d'abord le talon de votre chaussure et placez la majeure partie de votre poids sur le talon de votre pied. Tenez-vous droite, ne vous penchez pas en avant. Les talons renforcés vous empêcheront de tomber en arrière. Avant de sortir avec vos talons, passez du temps avec eux à la maison, quand vous regardez la télé ou que vous faites vos petites affaires. Mais faites attention de ne pas vous prendre les pieds dans les tapis ni de glisser sur le parquet. Les doigts de pied doivent être pointés vers l'avant, chaque pas doit être placé devant le précédent, comme si vous marchiez sur un muret. Quand vous serez capable de traverser votre salon en transportant avec grâce un plateau de verres remplis de vin sans vous prendre les pieds dans le tapis, vous saurez que vous maîtrisez les bases de la marche en talons hauts.

L'ESCALIER

O.K., vous pouvez marcher. Mais maintenant, vous devez vous confronter à l'escalier, alors que tout le monde a les yeux rivés sur vous. Comment allez-vous vous en sortir ? Seules les plus courageuses se laisseront glisser le long de la rampe. Bon, maintenant, saisissez la rampe, la main d'un homme en smoking ou encore mieux, accrochez-vous aux deux et commencez votre descente. La technique est un peu différente de celle utilisée pour marcher sur le sol ; le pied, et pas seulement le talon, doit être posé complètement sur la marche. Pour être plus stable, faites pivoter votre corps – et vos pieds bien sûr, ou vous ressemblerez à ces contorsionnistes chinoises. Ainsi vous descendrez en étant légèrement décalée par rapport à l'angle de l'escalier. Vous devez poser les pieds en les déviant de la perpendiculaire. Non seulement c'est la manière préconisée pour une femme du monde qui descend un escalier, mais cela vous évitera de dévaler les marches les quatre fers en l'air. Certes, vous pouvez vous accrocher à la rampe, mais faites-le délicatement. *À noter* : si vous portez une robe longue, faites un effort pour ne pas marcher sur la traîne, car, non seulement le bruit du satin déchiré attirerait les regards, mais en plus, vous risqueriez de trébucher.

Ne marchez pas dans la neige, la boue, l'herbe, le sable ni dans les graviers de votre sortie de garage. Si vous le faites, vous aurez l'impression de vous enfoncer telle une bougie dans un gâteau d'anniversaire et vous riquerez vite de vous retrouver à quatre pattes. À la place, faites comme les James Bond Girls, baladez-vous pieds nus, vos précieuses chaussures à la main, en toute sécurité.

❋ *« Les femmes doivent beaucoup à l'inventeur des chaussures à talons. »*
Marilyn Monroe ❋

Comment
Descendre de voiture sans montrer sa petite culotte

S i vous êtes encore étudiante et que vous essayez de vous extraire du siège arrière d'une vieille Coccinelle, les bras chargés de courses, et que vous portez un jean et un vieux ciré jaune, cela n'a pas vraiment d'importance. Mais si vous devez sortir gracieusement d'une Ferrari rouge rugissante ou d'une Rolls Royce noire ronflante devant les flashes des paparazzi, vous devez savoir où vous mettez les pieds. Vos mouvements doivent être souples, maîtrisés, vifs et élégants.

Voici les choses essentielles que vous devez savoir la prochaine fois que vous sortirez d'une voiture du côté passager – ainsi vous ressemblerez davantage à une Gwyneth Paltrow svelte qu'à une Britney Spears débauchée.

LES VÊTEMENTS

Pour commencer, vous avez tout intérêt à porter les bons sous-vêtements, juste au cas où les choses tourneraient mal. Bien sûr, pas vos culottes ventre-plat préférées dignes des gaines beigeâtres de votre grand-mère, ni les vieux slips troués que vous adorez parce qu'ils sont si confortables. Il vaut mieux que votre lingerie soit jolie à regarder.

Même si vous avez tout à fait le droit de porter une minijupe, cela rendra toutefois les choses un peu plus compliquées. Donc, jouez-la fine et abaissez votre jupe le plus possible avant d'ouvrir la porte. Si vous essayez de sortir de la voiture avec votre jupe relevée jusqu'aux hanches, cela ne sera pas du meilleur effet, je le crains.

Si vous portez une jupe longue et évasée, faites en sorte de couvrir vos genoux avant de vous retourner (voir plus bas) afin que vos jambes entraînent le tissu de manière contrôlée, sans remonter ni se prendre dans vos pieds. Et surtout, faites attention à ce satané levier de vitesses !

Au boulot

1   Quand vous êtes fin prête au niveau vestimentaire et que vous voulez sortir de la voiture, ouvrez la porte aussi grande que possible. Idéalement, un jeune homme bien élevé devrait l'avoir fait pour vous de l'extérieur. Ne vous étalez pas complètement toutes jambes dehors. Restez aussi droite que possible.

2   Quoique vous fassiez, à partir de ce moment, imaginez que vos genoux sont solidement attachés ensemble par un élastique serré. La règle d'or est de garder vos genoux en contact tant que vous le pouvez. Sortez votre jambe droite et posez le pied au sol. La jambe gauche doit suivre de près, rapidement mais en douceur.

3   Faites pivoter votre corps vers la sortie, les genoux toujours collés. Vos pieds doivent être fermement plantés dans le sol devant vous. Ne bougez plus.

4   Si vous pouvez, en sortant, compter sur la main du jeune homme élégant qui vous attend à l'extérieur, n'hésitez pas à la saisir. Placez votre main sur le siège à côté de vous et poussez fermement. Posez l'autre main dans celle de votre prince charmant et soulevez-vous avec grâce. Il supportera votre poids et vous aidera à vous extraire. Ne lâchez pas prise si vous ne voulez pas tomber à la renverse et vous cogner la tête contre la voiture, ce ne serait pas très féminin.

Si personne n'est là pour vous aider, mettez vos mains de chaque côté de votre postérieur et poussez. C'est plus élégant de garder les mains le plus bas possible que de s'accrocher désespérément à l'encadrement de la porte. Tout doit avoir l'air aisé et sans heurts. Vous devez éviter tout grognement et tout tortillement.

5   Baissez la tête avec élégance en sortant de la voiture afin d'éviter de vous cogner contre le métal hostile et de vous faire mal.

6   À aucun moment vous ne devez jurer.

7   Mettez-vous debout sans effort en prenant soin de bien caler vos pieds. Laissez quelqu'un fermer la porte ou faites-le vous-même – gentiment, pas comme quand vous êtes énervée. C'est tellement facile – alors que vous êtes sortie de la voiture avec grâce – de tout gâcher en perdant l'équilibre ou de trébucher sur vos talons aiguille, l'air complètement ahuri. Ou alors, en sortant, de vous tordre la cheville, de crier à l'agonie et de vous étaler comme une antilope aux abois.

Travaillez dur et entraînez-vous à la maison avant d'oser sortir en public. Et s'il vous arrive, par malheur, de montrer votre petite culotte et vos bas, faites-le de manière sexy, comme ça vous entendrez les hommes hurler à la mort comme des loups, et non les sifflets de la foule agglutinée sur le tapis rouge.

❀ *La compagnie Aston Martin fut fondée*
par Lionel Martin et Robert Bamford en 1913. ❀

Comment
Péter avec grâce et élégance à une réception chez l'ambassadeur

*D*epuis Rutebeuf, beaucoup ont écrit des textes drôles sur le pet, mais il est certain que les masses s'en divertissaient bien avant *Le Dit du pet au vilain*. Je parie même que nos hommes et femmes des cavernes, autour du feu, pétaient comme des forcenés et trouvaient déjà ça très drôle. Le langage du pet est vieux comme le monde.

Le mot *pet* vient du latin *peditum*, il a éliminé, au Moyen Âge, les anciens termes de *peire* et *poire* que l'on retrouve dans les textes de François Villon au xve siècle. Voilà, l'étymologie du pet n'a plus de secret pour vous.

Lâcher un pet en public peut être problématique, dans nos sociétés modernes et civilisées. La circulation bruyante, la musique et le brouhaha ambiant peuvent facilement dissimuler le bruit du pet si le timing est juste, mais tout cela n'est pas infaillible. Se croyant correctement camouflé par le point culminant d'une marche bruyante de Strauss pendant un concert de cuivre à Chantilly, mon oncle Marcel me raconta qu'il avait lâché un pet sur la toile tendue de sa chaise… juste au moment où la musique s'était arrêtée. Le maire, me dit-il, en fut passablement choqué.

À une réception dans une ambassade, les choses sont encore plus délicates, car on est très exposé ; en fait, on ne peut se cacher nulle part. C'est pourquoi il faut être particulièrement précautionneux pour éviter d'effrayer les chevaux, et vous ne voulez surtout pas être la cause d'un écroulement de petits chocolats italiens enveloppés dans du papier doré. Faites attention à votre timing et tout devrait bien se passer. Voici quelques conseils avisés.

* *Le quartet d'instruments à corde* : les passages de violoncelles *con brio* sont les moments à privilégier.

* *L'opportuniste* : un serveur renverse un plateau chargé de verres à vin : c'est le bon moment pour vous soulager.

* *Le coup de la cigarette* : sortez sur le balcon pour allumer une cigarette, mais ne vous transformez pas en torche vivante.
* *Le dissimulateur* : dites seulement : « Mon Dieu, Monsieur l'Ambassadeur, vos gonds ont besoin d'être huilés. »
* *Trompettes et cymbales* : mon amie Ingeborg (on l'avait surnommée *le cygne borgne*) s'était occupée de la cérémonie du prix Nobel. Elle soupçonnait, d'après le regard fuyant des participants nerveux, qu'ils attendaient le déferlement des trompettes pour se laisser aller. Si un jour vous devenez prix Nobel, prenez exemple sur vos prédécesseurs.

* *La ruse des applaudissements* : le meilleur moment d'un discours, c'est pendant les applaudissements.
* *Jouez les effrontées* : si vous le sentez venir, souriez simplement et mettez au défi quiconque vous empêchera de péter !

❀ *Alfred Nobel inventa la dynamite en 1867.* ❀

Comment
Inviter un galant homme à un rallye

*L*es « rallyes dansants » sont nés après la Libération, inventés par la noblesse et la bourgeoisie qui souhaitaient voir leurs enfants se retrouver au sein d'une société partageant les mêmes valeurs et nouer ainsi des relations amicales, le but étant tout de même qu'ils se marient entre eux, finalement. Ce joyeux rassemblement de jeunes filles et de jeunes gens de bonne famille est conditionné par de nombreuses règles. Ne joue pas au polo, au billard ou au golf qui veut. Il faut connaître les règles et, bien sûr, ce sont toujours les garçons qui invitent. Mais dans nos sociétés modernes, les choses changent, et voici comment inviter un homme à un rallye dansant ou à un simple dîner dans votre deux-pièces.

INSTRUCTIONS

De nos jours, on ne s'offusque plus quand une femme respectable invite un homme chez elle, et la bienséance n'exige plus que la porte de son salon reste ouverte tant qu'il est là. Cependant, certaines formalités persistent. Toutes les invitations formelles, qu'elles soient imprimées ou calligraphiées par vos soins de votre plus belle plume, devraient être rédigées avec le cérémonial le plus pointilleux. Vous devez donc utiliser la troisième personne du pluriel. Comme on dit, le bon usage permet de ne pas déroger aux bonnes manières. Vous devez vous attendre à recevoir un refus ou une acceptation dans la même veine, distante et sèche. Quoiqu'il advienne, vous ne devez pas envoyer un message tel que « Vi1 diné ché oim ce soir a 8h ». Ce n'est pas gracieux.

Les spécialistes de la bienséance, comme Nadine de Rothschild, qui en connaissent un rayon dans ce domaine, autorisent une gamme de vocabulaire dans une invitation formelle qui peut varier selon l'intensité des rapports sociaux et la position de l'hôte et de l'hôtesse. Quoi que vous fassiez, restez bien à votre place dans la hiérarchie sociale. Voici à quoi votre invitation doit ressembler :

Mademoiselle XX
Vous prie de lui faire l'honneur de venir dîner chez elle.
13, rue Richemont, Paris.
Le samedi 5 mars à 20 heures R.S.V.P.

RSVP est l'acronyme de « Répondez s'il vous plaît ». En gros, cela veut dire : « Sois sympa de me prévenir si tu viens, et de ne pas me poser un lapin comme la dernière fois, que je sache si je dois acheter ou non un autre pack de bière dans l'après-midi. »

❀ *Nadine de Rothschild, ancienne actrice, s'est mariée*
avec le baron Edmond de Rothschild en 1962. ❀

Comment
Organiser une fête des voisins

Qui n'a pas dans son enfance participé à une fête de village ou autre kermesse ? C'étaient pour nos parents de belles occasions de sortir les enfants tous bien habillés, se tenant bien droit et s'amusant comme des petits fous en dansant et chantant la *Danse des canards* ou *Adieu les jolis foulards* joués sur un mange-disque orange. Les garçons portaient des chemises, des cravates et des culottes courtes et les filles des robes à smocks roses et de jolies chaussures vernies. Les mamans sur leur trente-et-un faisaient passer les plats pendant que les papas, dans leur costume trois-pièces, fumaient des cigarettes pour érailler leurs voix.

De nos jours, si vous assistez à une fête au village, vous vous rendrez compte que les choses ont bien changé. Vous y verrez une horde de petites frappes en jogging satiné à capuche et baskets, écoutant leur iPod dans un coin ou affalées autour d'une PSP. Ils seront accompagnés de leur parent isolé, mal fagoté, également en survêtement et casquette. Ils s'enverront des textos à longueur de temps, tout en n'écoutant pas un groupe de musique gothique criarde, sur une place miteuse.

Maintenant, si vous voulez organiser une vraie fête du village à l'ancienne, voici quelques petits conseils et trucs.

Planification et organisation

Commencez à vous organiser dès le printemps avec quelques voisins enthousiastes et décidez de la date le plus tôt possible. Un dimanche au tout début du mois de septembre peut tout à fait convenir. Définissez un emploi du temps, disons : arrivée vers 11 heures, garer les voitures en dehors du périmètre des festivités, déjeuner à partir de 13 h 30 et goûter à 16 h 30, les enfants devront aller se coucher à une heure convenable tandis que les parents pourrons continuer à s'amuser (tout en nettoyant les lieux). Restez simple et vous passerez une excellente journée.

FAITES PARTICIPER TOUT LE MONDE

Invitez tous les habitants et les commerçants de la rue et voyez avec eux comment vous pouvez bloquer les accès à la circulation. Prenez vos dispositions bien à l'avance avec les services de voirie de la mairie ou de la préfecture. Si vous habitez rue de Rivoli, évidemment, ce n'est même pas la peine d'y penser, allez plutôt faire la fête aux Tuileries.

Vous aurez davantage de réponses positives si vous vous présentez vous-même à vos voisins plutôt que de leur laisser un simple mot dans leur boîte aux lettres, cela calmera aussi les rabat-joie. Le conseil municipal souhaitera peut-être constater que vous organisez vraiment une fête et que tout le monde a été prévenu, envoyez alors des invitations à vos voisins un peu avant la date des festivités. Rafraîchissez-leur la mémoire et demandez-leur de ranger leur voiture à temps.

Faites participer les gens selon leurs qualités respectives : demandez à Mme Beauté de faire du porte-à-porte pour lancer les invitations, à M. Gourmet de superviser la nourriture et à M. Boute-en-Train de s'occuper des enfants pendant la petite sauterie. M. Poigne-de-Fer pourra jouer les vigiles.

SÉCURITÉ

Vous ne devriez pas avoir besoin d'une assurance spéciale pour votre fête, mais vérifiez quand même à la mairie. Toutefois, tout cela a un coût, prévoyez entre 100 € et 150 €. Assurez-vous que tout le monde est d'accord et que chacun prendra ses responsabilités. Vous ne devez pas vous retrouver toute seule au dernier moment, pas fun.

CHOSES À FAIRE

* Si vous êtes chargée de l'organisation de la fête, faites en sorte que cela se voie et tout ira pour le mieux.
* Décorez la rue, à l'avance, avec des drapeaux pour créer un effet d'attente (le *teasing*).
* La musique mettra de l'ambiance, surtout si c'est en *live*. On peut dégoter des groupes amateurs dans la plupart des quartiers. Faites toutefois attention au bruit.

* Manger assis à table à une heure fixe donne à l'événement un caractère officiel.
* Organisez des jeux au milieu de la rue, mais ne vous y éternisez pas pour autant.
* Si vous connaissez un cracheur de feu dans le quartier, n'hésitez pas une seconde !
* Travaillez au corps les voisins récalcitrants. En dernier recours, enveloppez-les dans une bâche et poussez leur voiture dans la rivière.

S'il pleut, rendez-vous à la salle communale.

❀ *La fête des voisins existe depuis 1999, elle est passée de 10 000 participants la première année à 5 millions en 2007.* ❀

Comment
Faire passer un plat tout préparé pour un plat maison

*L*es livres de cuisine connaissent un grand succès. Cependant, j'ai toujours trouvé que les photos avaient l'air trafiquées dans ces livres. Même si la recette a l'air délicieuse, c'est souvent trompeur. Pas sûr que ce qu'on voit sur l'image soit bien ce que l'on va retrouver dans son assiette ; ou pour dire autrement, pas sûr que ce que vous aurez dans l'assiette sera bien ce que vous avez vu sur la photo.

C'est un peu ce qu'il faut avoir en tête quand vous voulez faire passer un plat tout préparé pour le vôtre. C'est un tour pratique qu'il faut avoir dans son sac, c'est comme de savoir faire la PLS (Position latérale de sécurité). Disons que vous avez mis votre dîner complètement en péril et qu'il n'y a plus rien à faire pour sauver la mise. Si vous pouvez encore limiter les dégâts, lisez le chapitre *Comment rattraper un repas avant qu'il ne vire au cauchemar* p. 103. Vos invités arrivent dans une demi-heure et vous êtes en train de vous arracher les cheveux. Mais n'ayez crainte, avec un peu d'imagination, vous pourrez sauver la partie. Les conseils que je vais vous donner conviennent à des plats soigneusement choisis chez le traiteur ou dans des restaurants de vente à emporter. Allez, séchez vos larmes – pas avec votre tablier, c'est dégoûtant – et mettez-vous au travail. Souvenez-vous, l'imagination est la clé du succès.

INSTRUCTIONS

1 Premièrement, si vous êtes en train de stresser, cessez immédiatement.

2 Ouvrez les fenêtres pour faire sortir la fumée.

3 Allumez une bougie parfumée ou un bâton d'encens pour cacher l'odeur de brûlé due à la catastrophe naturelle qui vient d'avoir lieu.

4 Faites immédiatement disparaître toutes traces de votre tentative avortée de dîner (jetez les morceaux calcinés à la poubelle, mais dehors bien sûr !)

5 Fouillez dans vos placards et dans le congélateur pour trouver des ingrédients utilisables. Disons que vous réussissez à trouver, derrière une énorme tablette de chocolat (bien cachée des gourmands qui vivent avec vous) des herbes de Provence, un gâteau congelé périmé depuis au moins cinq ans et quelques légumes.

6 Décongelez le gâteau au micro-ondes.

7 Pendant ce temps, faites frire un oignon dans du beurre. Tout cela embaume la pièce et ce sera aussi votre première ruse, car vous ne le cuisinez pas pour le manger. Le but de cet ouvreur d'appétit olfactif est de flatter les narines de vos invités quand ils arriveront.

8 Appelez le meilleur livreur à domicile et commandez ce que vous préférez. D'accord, c'est cher et vous n'aurez pas la satisfaction d'avoir tout fait toute seule, mais on ne peut pas tout avoir dans la vie.

9 Quand vous aurez été livrée, déguisez vos plats :

  * Enlevez tous les emballages et mettez la nourriture dans votre joli service.

  * Vous ne serez prise la main dans le sac que si vous servez ces plats dans des barquettes en alu.

  * Ajoutez toujours quelque chose de votre composition. Par exemple des tomates cerises, du fromage, des champignons

frais et des olives sur une pizza ; de la crème fraîche, du yaourt grec, du concombre et de la menthe avec un curry ; et des petits oignons blancs émincés avec des plats chinois.

* *Les herbes* : quoi que vous prépariez, usez et abusez d'herbes fraîches.

* *L'accompagnement* : essayez de cuire votre propre riz pour accompagner une blanquette du traiteur et servez-le encore fumant dans un plat tout chaud.

* *Du pralin :* ajouté à des entremets au chocolat. Vous en trouverez dans des petits sachets et il transformera votre dessert en un délice croustillant.

* *Un forêt-noire* : camouflez votre gâteau industriel en ajoutant une grande quantité de chocolat râpé, mettez-en tout autour du plat. Ça, c'est très rusé !

10 Quand vos invités sont là, restez à l'écart du micro-ondes. Le tintement de l'appareil pourrait vous dénoncer.

❋ *La Forêt-Noire est une chaîne de montagnes qui se situe dans le Bade-Würtemberg, en Allemagne.* ❋

Comment
Rattraper un repas avant qu'il ne vire au cauchemar

*V*ous souvenez-vous du temps où on avait plus de temps libre et moins de choses à faire, du temps où les plombiers gagnaient *moins* que les profs et que très peu d'entre nous possédaient une maison secondaire, du temps où on ne passait pas sa vie au travail et qu'on pouvait encore préparer le dîner ? Pas vraiment ? Eh bien je n'invente rien, ce temps-là a existé.

Bien sûr, il y a beaucoup d'avantages à *ne pas* préparer le dîner et à acheter des plats tout faits, rien que parce que vous êtes sûre que le repas sera bon. Le problème est dû au fait qu'avec les plats faits maison vous risquez, la plupart du temps, de vous planter et de redécorer l'intérieur de votre four à cause d'une explosion de soufflé au chocolat. En gardant ces contingences à l'esprit, je vous ai concocté quelques conseils au cas où tout tournerait à la catastrophe en présence de vos invités. Ils couvrent les aspects généraux, mais peuvent être étendus aux cas particuliers. Avec un peu de chance, ils devraient vous sauver la mise.

PREMIERS SOINS CULINAIRES

* *Trop de grumeaux* : si vous faites une crème anglaise, une béchamel ou une autre sauce, ayez toujours un fouet en main pour vous débarrasser des grumeaux. Toujours trop de grumeaux ? Faites passer dans un tamis. Soyez patiente et pensez d'abord à ne pas mettre trop de farine, si vous ne voulez pas servir votre sauce en tranches.

* *Trop liquide* : mélangez de la farine et de l'eau dans un petit récipient et ajoutez ce liquide petit à petit tout en remuant. Pas trop vite, si la préparation est chaude, elle risque de *prendre* trop rapidement, vous vous retrouverez alors avec votre cuillère en bois coincée dans du béton.

* *Trop salé* : si c'est de la soupe ou une sauce, ajoutez de l'eau. Vous vous retrouverez dans la situation « trop liquide », appliquez alors les conseils donnés ci-dessus pour y remédier. S'il y a trop de grumeaux, faites ce qui est préconisé dans ce cas-là. N'y passez pas toute la nuit, sinon vous finirez par avoir des hectolitres de sauce inutile.

* *Brûlé* : s'il s'agit d'une poêle, ne mélangez pas, ôtez-la immédiatement du feu. Vous pourrez peut-être sauver quelques morceaux – mais goûtez-les, il n'y a rien de pire que l'odeur suffocante du polytétrafluoréthylène (Teflon) brûlé. Dans tous les cas, je vous conseille de transformer votre plat en curry pour cacher le goût de charbon.

* *Trop épicé* : faites bouillir des légumes sans sel ni assaisonnement et ajoutez-les pour atténuer l'effet des épices. Une libation à base d'alcool (de la vodka) ou d'acide gras (du lait) atténuera chimiquement la sensation intense de brûlure dans votre bouche. Surtout ne servez pas d'eau, cela aggraverait la situation.

✻ *Une viande trop cuite ou une tarte desséchée* : faites une sauce et imbibez les parties durcies pour masquer le problème. Les pâtisseries trop dures absorbent particulièrement bien les liquides. Vous pourrez alors transformer un gâteau trop cuit en franco-russe, si vous le laissez macérer dans un coulis ou une gelée de fruits.

❀ *Pour nettoyer une casserole brûlée, faites bouillir une solution d'eau et de bicarbonate de soude.* ❀

Comment
Rédiger une parfaite lettre de remerciement

Quand j'étais petite, ma mère se tenait systématiquement debout, derrière moi, une cravache à la main, après les maudites fêtes, pendant que j'écrivais péniblement des lettres de remerciement destinées à mes tantes, grands-mères, grands-pères et autres bienfaiteurs de toute sorte. Noël et les anniversaires étaient ternis par l'idée de ces pitoyables envois car, de toute façon, je ne savais jamais vraiment quoi dire, surtout quand je n'étais pas satisfaite du présent que j'avais reçu. C'est difficile de remercier quelqu'un qui vous insulte avec un cadeau mesquin, sans imagination ni intérêt et qui, surtout, ne vous convient pas. On se sent malhonnête intellectuellement. Souvent, j'avais envie d'écrire :

Chère tante Léonie, merci pour la ferme Play Mobil (avec son étiquette -50 % toujours collée sur la boîte) qui m'aurait beaucoup plu il y a dix ans. C'est quoi ton problème, tantine ? Ta cervelle s'est complètement ramollie, ou quoi ? Réveille-toi et bouge-toi, ou au moins fais semblant, espèce de vieille chouette !

Mais je ne l'ai jamais fait.

Bien sûr, il ne s'agit pas que de cadeaux, il y a plein d'autres choses pour lesquelles il faut remercier, telles que la présence d'invités à un mariage ou la garde de votre chien en vacances (quand *vous* êtes en vacances, pas votre chien !). Il existe des lettres de remerciement pour passer de la pommade à des clients qui vous permettent de vous maintenir à flots et des petites cartes polies pour remercier votre visiteuse carcérale d'avoir placé une lime dans le gâteau qu'elle vous a apporté (voir p. 269).

Voici donc quelques conseils et petites astuces pour vous faciliter la tâche.

* La plupart des choses que je reçois dans ma boîte à lettres se retrouve directement à la poubelle, cela me fait donc très plaisir de recevoir une vraie lettre. De nos jours, le fait d'avoir écrit vous-même surprendra et remplira de joie votre destinataire, surtout si elle a plus de 40 ans ; et vous verrez que vos amies adolescentes apprécieront le geste tout autant. Surtout n'allez pas croire que vos efforts ne seront pas remarqués.

* Il va sans dire que les mails et les textos ne comptent pas. Si cela va sans le dire, pourquoi est-ce que je l'ai dit ? Parce qu'il vaut mieux le dire, après tout.

* Servez-vous d'un stylo plutôt que de votre clavier, c'est plus personnel. Pas la peine, toutefois, d'écrire sur du parchemin avec une plume et de sceller la lettre à la cire.

* Envoyez toujours votre lettre promptement. Si vous remerciez en retard, cela attirera surtout l'attention sur le fait que vous êtes en retard. Étrange, mais vrai !

* S'il s'agit d'une réponse à un cadeau, faites en sorte de savoir de quoi il s'agit. Il n'y a rien de plus déprimant qu'un vague merci pour quelqu'un qui est fier de vous avoir trouvé un cadeau original. N'allez pas imprimer des lettres-types en ajoutant seulement le prénom au crayon de couleur. C'est tellement évident, surtout si vos amis peuvent ensuite comparer leurs lettres. Vous ne voulez pas passer pour une petite-bourgeoise, n'est-ce pas ?

* Mentionnez quelque chose de particulier à propos du cadeau : son utilité, son originalité, ou le fait qu'il sente particulièrement bon. Dites que c'est un objet que vous désiriez avoir depuis si longtemps,

mais que vous n'aviez pas pensé à vous acheter. Mais restez juste : vous ne convaincrez personne si vous prétendez qu'un chèque-livre est le cadeau original que vous souhaitiez tant.

* Si vous n'avez pas grand-chose à dire, écrivez une carte postale – vous n'aurez pas besoin d'écrire en grosses lettres comme un enfant, vous n'aurez pas besoin non plus de laisser des grands espaces entre chaque ligne et ce sera le meilleur antidote contre les phrases trop longues, délayées, inutilement verbeuses, pleines de pléonasmes redondants, de circonvolutions bavardes, d'une excessive prolixité, d'une loquacité serpentante, d'une verbosité polysyllabique et d'une grandiloquence périphrastique. Personne ne se laisse avoir par de tels effets.

❀ Спасλбо *signifie « merci » en russe.* ❀

IV

Être
totalement sublime

*Astuces glamour pour
femmes pressées toujours chic*

J'ai les cuisses molles, heureusement que mon ventre les couvre.

JOAN RIVERS

Comment
Recycler un bas résille

Combien de fois avez-vous entendu s'ouvrir la porte de votre chambre à coucher avant de vous apercevoir, au lendemain d'une nuit agitée, qu'il vous manquait un bas résille ?

C'est une question de pure rhétorique : surtout, ne m'envoyez pas des cartes postales pour me raconter votre vie sexuelle. À moins que vous ne soyez unijambiste, un bas tout seul ne sert pas à grand-chose. C'est ce que vous croyez, hein ? Avez-vous bien réfléchi ? Car voici d'autres perspectives.

1   *Une poche pour les sacs usagés* : élargissez le trou au niveau des doigts de pieds et fourrez le haut de la jambe de sacs de courses usagés. Quand vous aurez besoin d'un sac plastique, pour noyer des chatons, par exemple, vous n'aurez plus qu'à en prendre un à travers le trou.

2   *Une essoreuse à salade* : une vraie merveille. Enfilez délicatement la salade, les radis et autres légumes passés sous l'eau par le trou, et allez dehors. Faites tourner le bas au dessus de votre tête comme une fronde, serrez bien l'ouverture la plus grande. Et surtout, ne le lâchez pas, sinon l'un de vos voisins aurait la surprise de sa vie.

3   *Un hamac pour peluches sur une fenêtre de la voiture* : si vous êtes assez désespérée pour vouloir ce genre de choses, allez acheter des ventouses et tout ira pour le mieux.

4   *Un bouchon d'évier filtrant* : fini les machins et les pièces coincés au fond de l'évier. Froissez le bas, fourrez-le dans le tuyau et le tour est joué ! Et voilà une passoire instantanée.

5   *Un tamis :* mesurez la quantité de farine, montez sur une chaise et faites passer comme d'habitude.

6   *Un sac pour balles de tennis* : quoi de plus facile ?

7   *Un filet à cheveux* : ils sont peut-être passés de mode mais vous pourriez toujours lancer une nouvelle tendance. Mme de Fontenay en porte bien. Utilisez la partie du milieu et cousez pour fermer le bas.

8   *Une fronde pour la balle du chien* : mettez la balle de tennis dans le bas et fermez juste au-dessus de la balle. Faites-la tourner au-dessus de votre tête et lâchez-la dans un parc, comme si c'était la Comète de Haley. Votre toutou ira vous la chercher.

9   *Décoration intérieure kitsch* : coupez un côté du bas, étalez-le et accrochez-le au mur, décorez ensuite avec des homards, des crabes et des étoiles de mer, avec du varech desséché et des balises en verre. Très années 1970, un vrai régal pour les yeux !

10 *Un masque pour braquer une banque* : pour les sauvageons les plus névrosés.

11 *Des petits sacs* : mettez vos culottes, vos collants, chaussettes, etc. dans le bas, faites un nœud et lavez en machine comme d'habitude. Et voilà, vous ne chercherez plus vos chaussettes orphelines.

12 *Un treillis pour vos plantes* : étirez le bas au dessus d'un tipi composé de trois branches que vous aurez piqué dans le pot de fleurs. Les graines de pâquerettes et de volubilis ne pourront plus les atteindre.

13 *Un chien de porte* : fourrez dans le bas des vieux morceaux de tissus et une grosse chaîne. Couchez-le le long de la porte pour empêcher le vent, qui hurle à la mort, de souffler chez vous (voir p. 54 pour plus d'informations sur le sujet).

14 *Un sac pour des oignons ou du jambon* : suspendez les oignons, les salamis, les jambons aux poutres de votre cuisine. Effet rustique garanti.

15 *Un filet à papillon* : écartez un cintre en métal pour y passer un bas résille à maille fine, cousez-le. Tordez le cintre pour former un cercle, entortillez les bouts et plantez-y un petit manche en bois. Attachez le tout et coupez le surplus du filet.

16 *Une baguette magique pour faire des bulles de savon* : trempez votre filet à papillon dans un mélange d'eau et de liquide vaisselle et soufflez dedans. Ô que c'est beau !

17 *Un distributeur de nourriture pour animaux* : remplissez le bas de pissenlits et accrochez-le dans un coin de la cage de votre Jeannot Lapin.

18 *Un distributeur de graines* : bourrez le bas de pain rassis et de morceaux de gras et faites tremper une minute dans l'évier. Accrochez-le près de la mangeoire à oiseaux.

Et si vous retrouvez le deuxième bas derrière votre canapé après avoir réalisé tout ce que je vous ai conseillé, vous êtes la seule à blâmer.

❦ *Les filets de pêche sont aujourd'hui fabriqués avec des polyamides synthétiques.* ❦

Comment
Acheter un soutien-gorge à la bonne taille

Alors que je discutais récemment avec la reine d'Angleterre, je lui évoquais le problème épineux que rencontrent les femmes d'aujourd'hui : il est très difficile de trouver un soutien-gorge à sa taille. Vous savez, un soutien-gorge qui ne vous rende pas folle parce que l'élastique vous saucissonne et que des bouts de gras ressortent du balconnet. Mais en fait, cela n'a servi à rien, elle ne pouvait pas m'entendre à travers le poste. La reine d'Angleterre reçoit, paraît-il, les meilleurs conseils en matière de soutiens-gorge. Dans les années 1960, au moment où elle rendait son indépendance à la Somalie, elle intronisait aussi Rigby & Peller – la célèbre entreprise de lingerie londonienne – corsetière officielle, en lui délivrant le fameux « Royal Warrant of Appointment », en affirmant de ce fait son propre rôle à la tête de l'État.

MESURER SA TAILLE

Rigby & Peller estiment que 80 % des femmes qui viennent leur demander des conseils portent un soutien-gorge qui ne leur convient pas – j'aurais pu vous le dire moi-même. Vous devriez voir mon soutien-gorge rouge, celui avec les bretelles en loque : il ressemble à une camisole de force. Les experts recommandent de porter des soutiens-gorge faits sur mesure et de ne pas se fier à votre mètre, car les mesures ainsi obtenues peuvent être extrêmement aléatoires : après tout, nous sommes toutes différentes – nos corps varient en taille et en forme – c'est pourquoi se mesurer soi-même, avec un mètre, n'est pas fiable du tout.

Je ne peux qu'insister et redire que le soutien-gorge sur mesure est le seul vraiment valable. La forme et la taille des seins d'une femme évoluent avec le temps, et parfois de manière assez incroyable, vous devriez donc vous faire mesurer par un professionnel régulièrement. Essayez différentes formes de différentes marques : vous constaterez qu'une forme vous va mieux que d'autres.

TROUVER CE QUI VOUS VA LE MIEUX

1. Pour rendre les choses plus difficiles, les tailles de soutiens-gorge ne sont jamais définitives. La taille varie selon le style et la matière du soutien-gorge.
2. Pour mettre un nouveau soutien-gorge, penchez-vous en avant et abaissez vos seins dans les bonnets. Ensuite, relevez-vous, farfouillez un peu, et replacez tout ce qui dépasse encore.
3. Attachez le soutien-gorge avec le premier rang d'agrafes pour commencer – tant que le bandeau ne bâille pas. Il se détendra parce que vous le porterez, le laverez et le tortillerez dans tous les sens. Plus il sera détendu, plus vous resserrerez les agrafes. Si vous avez un dos un peu fort, trois séries d'agrafes valent mieux que deux.
4. Vous devez laver vos soutiens-gorge à la main. Ne jamais les sécher en machine ni sur le radiateur.

5   Le bandeau doit être placé confortablement sur la partie la plus
étroite de votre dos, au milieu,
au même niveau que les
bonnets.
S'il est bien mis,
vous devriez
être capable
de faire glis-
ser vos doigts
derrière sans
les entailler en les
retirant.

6   Essayez votre soutien-
gorge avec un haut ajusté.
Tout devrait avoir l'air lisse et
rond. Si vous avez l'air d'un sac à patates, c'est que quelque chose ne
va pas.

7   Les baleines doivent se placer confortablement sous les seins. Elles
ne doivent pas s'enfoncer dans les chairs. Pour voir si les baleines
sont à la bonne place, enfilez le soutien-gorge et tirez sur les baleines. Si elles s'affaissent mollement et qu'elles se retrouvent sur vos
seins, essayez une taille plus grande. Si elles tiennent fermement
contre votre cage thoracique, elles sont à la bonne place.

8   Bougez avec votre nouveau soutien-gorge et soulevez vos bras au-
dessus de votre tête. Il ne doit pas se soulever, rien ne doit en être
éjecté, il doit continuer à vous maintenir et garder tout à
l'intérieur.

9   Les problèmes les plus courants sont l'effet du « pneu trop gonflé »,
dû à un bandeau trop serré, et l'effet de « la petite bosse de chair »,
à cause de bonnets trop petits.

10   Si vos seins sortent vers l'avant, ou que vous avez l'air empoté, ou
que vos seins s'échappent des baleines, essayez un soutien-gorge
avec un dos plus petit et des bonnets plus grands.

11 Si le soutien-gorge bâille sur les côtés, essayez une taille de bonnet plus petite.

12 Si le bandeau remonte dans votre dos et que les bretelles vous cisaillent la peau, essayez une plus petite largeur de dos.

13 Si les baleines vous chatouillent sous les aisselles, essayez une taille de bonnets plus large.

14 Si vous avez des seins lourds, des bretelles ajustables vous maintiendront plus efficacement.

15 Si vos seins jouent au yo-yo (ce qui arrive souvent), prenez un soutien-gorge dans une matière stretch. Si vos seins ont tendance à doubler de volume, achetez des soutiens-gorge de plusieurs tailles.

16 Essayez une grande variété de soutiens-gorge avec un choix de tenues pour différentes occasions : les sans-coutures, les sans-bretelles, les pour-le-sport…

Pour conclure, surtout rappelez-vous que ce ne sont que des conseils et des petits trucs. L'essentiel est de garder à l'esprit que le bricolage d'un soutien-gorge à la petite semaine, ça ne marche pas ! Vous vous ferez pigeonner. Allez, jetez-moi ce mètre de couturière et allez vous faire mesurer par un professionnel ! Ça vous fera le plus grand bien.

❀ *Mae West passait chaque jour deux heures à se badigeonner*
les seins de crème hydratante. ❀

Comment
Faire le test du crayon à papier

*J*usqu'à sa retraite, mon oncle Marcel était VRP pour une entreprise de fournitures de bureau près de Crépy-en-Valois. Il passait tout son temps libre à jouer au billard, il a d'ailleurs gagné beaucoup de tournois. Quand j'étais ado, il m'emmenait avec lui dans les bars et les salles de billard à travers le pays, afin que je l'aide à porter ses queues, et c'est pendant la pause, durant un tournoi dans la salle des fêtes du village de Crève-Cœur-le-Grand, en Picardie, qu'il me raconta pour la première fois l'histoire du crayon à papier. Je me souviens qu'il m'avait expliqué que les premiers crayons furent produits en Angleterre vers 1558, mais que c'étaient les Italiens qui avaient développé les porte-mines en bois. Oncle Marcel m'initia aux joies du test du crayon. Il me raconta que sa seconde femme était une vraie accro et qu'elle passait des heures, debout devant sa glace, réitérant ses essais maintes et maintes fois. Si vous ne connaissez pas ou n'avez jamais entendu parler du test du crayon, voici enfin l'occasion d'essayer. C'est un test simple pour évaluer votre état de fermeté mammaire, exercice que vous pouvez pratiquer sur vous-même quand vous le souhaitez.

Matériel nécessaire

* *Un crayon à papier. Les meilleurs crayons pour réaliser ce test sont ceux en bois non vernis. Les crayons peints auront tendance à s'accrocher, ce qui faussera les résultats.*

Instructions

1 Montez à l'étage (si vous avez un étage) et faites en sorte de ne pas être dérangée.
2 Déshabillez-vous et placez-vous devant un miroir en pied.
3 Placez un crayon à papier en bois sous votre sein préféré, au point de jonction avec le buste.
4 Tenez-vous droite.

Résultats de l'analyse

Un crayon correctement placé qui cependant tombe est la preuve que vos glandes mammaires se tiennent parfaitement droites et qu'elles sont de grande qualité. Soit vous ne portez pas encore de soutien-gorge (et vous devez être particulièrement jeune), soit vous bénéficiez d'une fermeté glandulaire spectaculaire. Si le crayon tient en place grâce au poids de votre poitrine et ne tombe pas (interdiction de secouer), vous avez échoué à ce test. Toutefois, ceci ne devrait pas être considéré comme une critique de l'apparence physique, c'est même tout à fait le contraire. Jayne Mansfield échoua lamentablement à ce test et si je ne m'abuse, c'était une des filles que l'on trouvait dans les pages du milieu de certains magazines. Cependant, il est important de noter que si vous ne pouvez retirer le crayon qu'en tirant des deux mains et en vous roulant par terre, il est grand temps d'aller vous commander un bon soutien-gorge de maintien.

LE TEST VERTICAL OU TEST DIT DE MAE WEST
C'est un test pour les ambitieuses. Mettez votre soutien-gorge le plus flatteur et insérez un crayon – verticalement – dans votre décolleté. S'il tient, c'est que votre décolleté est parfait.

❀ *Le crayon le plus long se trouve en Malaisie et mesure 19,80 m.* ❀

Comment
Choisir les couleurs qui conviennent le mieux à votre teint

C hoisir les couleurs qui vont avec votre grain de peau, vos cheveux et vos yeux tient davantage, en réalité, de l'art que de la science – ce qui ne veut pas dire pour autant que la science n'ait rien à voir là-dedans. De plus, c'est un art que beaucoup peuvent maîtriser sans trop d'entraînement. Mais même si vous connaissez les couleurs qui vont avec votre teint et vos cheveux, vous pouvez très facilement faire des erreurs. Il vous est sûrement arrivé de choisir un vêtement très joli sur un cintre, pour vous rendre compte de la mine effroyable qu'il vous donnait quand vous l'avez passé. Le truc, c'est de vous mettre devant un miroir en pleine lumière du jour et de placer le vêtement sous votre menton. Si la couleur vous sied, vous constaterez que :

* Vos yeux s'illuminent, car leur couleur ressort.
* Votre peau paraît plus belle, plus jeune et plus douce.
* Vous avez l'impression que votre peau a été éclaircie par un professionnel.
* Vous paraissez plus attirante et plus intéressante.
* Les gens vous sourient davantage.

C'est un peu comme le cadre pour un tableau – ça le met en valeur sans l'étouffer. Un bel encadrement peut réussir à embellir le tableau le plus maussade. Un mauvais cadre peut au contraire ternir le plus beau des tableaux.

Si une couleur ne vous convient pas, vous verrez que :

* Les tonalités de votre peau sont imparfaites et un peu étranges.
* On voit davantage le vêtement que vous-même, comme dans l'exemple de l'encadrement du tableau cité plus haut.
* Bizarrement, des ombres foncées ou colorées déteignent sur votre menton et votre cou.
* Vous avez l'air d'un mannequin de cire du musée Grévin.

Il existe un tas de règles infaillibles pour choisir les bonnes couleurs, et vous en avez sans doute déjà quelques-unes que vous suivez à la lettre. Par exemple, les yeux bleus et les cheveux blonds ressortent mieux avec du bleu, alors que le marron, le beige et le blanc conviennent plutôt aux brunes. Si vous êtes rousse ou auburn, vous savez probablement que le vert est une couleur qui vous mettra particulièrement en valeur. Toujours parfaite. La profondeur des couleurs a aussi son importance. Les bleus chauds sont peut-être préférables aux bleus plus froids ; des rouges délicats seront plus attrayants que des rouges vermillon criards.

On vous fera des compliments sur votre apparence si vous portez une couleur qui vous va particulièrement bien au teint. Donc, chaque fois que cela se produira, prenez la nuance en note et commencez à créer votre propre palette vestimentaire.

❀ *Le rouge à lèvres est le produit cosmétique le plus vendu.* ❀

Comment
Faire vous-même
votre french manucure

C'est au XIXe siècle que l'on a remarqué pour la première fois qu'en général, l'index d'un homme est plus court que son annulaire, alors que c'est l'inverse chez les femmes. Des recherches récentes suggèrent que le rapport entre la longueur des doigts est un indicateur d'agressivité. Plus la différence de taille sera grande entre un index court et un annulaire long, plus la personne sera agressive (entendez par là *masculine*). Il est d'ailleurs certainement vrai que des petits doigts boudinés couverts d'huile de vidange et tenant une clé à molette auront l'air masculin, alors que de longs doigts fins et manucurés paraîtront féminins.

Les instructions qui vont suivre vous expliqueront comment obtenir la quintessence de l'élégance de la manucure maison qui allongera vos doigts sans pour autant vous ruiner chez l'esthéticienne : il ne vous en coûtera que le prix du vernis à ongle.

Les femmes font leurs ongles depuis au moins 5 000 ans, d'après ce que j'ai lu quelque part, mais l'origine de la french manucure est encore incertaine. « French » est un terme apprécié des publicitaires étrangers et des gens du marketing, parce qu'il donne partout dans le monde une touche d'exotisme-chic à la française (du french kiss au french cancan). Pas étonnant alors qu'Orly (pas l'aéroport, la marque de cosmétique américaine) ait déposé dès 1978 le nom « Original French Manicure » : un kit de manucure à faire chez soi. Aujourd'hui, la french manucure est d'ailleurs la plus demandée chez les esthéticiennes.

Ce qui fait la différence avec une french manucure, c'est la petite bande blanche sur le bout de l'ongle qui, associée à la couleur neutre de la base rosée, accentue la longueur de l'ongle.

Pour réussir votre french manucure, suivez simplement les conseils suivants. Assurez-vous que vos ongles sont en parfait état avant de commencer. Soyez réaliste, si vous rongez sans cesse vos ongles, vous devriez vous renseigner sur la pose de faux ongles dans une onglerie. Et si vous êtes une harpiste ou que vous avez les mains dans le terreau toute la journée, des ongles longs peuvent être gênants. Allez donc lire un autre chapitre.

Quoique vous fassiez, surtout entraînez-vous avant de sortir pour la première fois avec un nouveau chéri. Vous ne voulez pas lever votre verre et montrer vos ongles peints à la Pollock.

CE QU'IL VOUS FAUT
* *Du vernis à ongle blanc*
* *Du vernis à ongle transparent ou rose naturel*
* *Un bâtonnet de buis*
* *Des ciseaux à ongle (ou un coupe-ongle)*
* *Des œillets adhésifs (voir rayon papeterie)*

INSTRUCTIONS
1 Avant de commencer à vernir vos ongles, ôtez l'ancien vernis avec un dissolvant ordinaire et du coton.

2 Lavez-vous les mains et trempez vos doigts un petit moment dans un petit bol rempli d'eau tiède, afin de ramollir la peau et les ongles (s'ils commencent à se friper comme des pruneaux, c'est que vous vous êtes endormie devant la télé), ensuite séchez-les soigneusement.

3 Avec un bâtonnet en buis, ou tout autre instrument destiné à cet usage, repoussez doucement les cuticules pour former une ligne nette.

4 Coupez vos ongles soigneusement et mettez-les en forme avec des ciseaux, un coupe-ongle, des limes à ongles et des polissoirs. Ensuite, rincez-les rapidement et séchez-les.

5 Maintenant, nous arrivons à l'étape la plus délicate. Vernissez le bout des ongles avec le vernis blanc. Votre main doit être stable, et le geste assuré et précis. Cela peut être un peu ardu, mais voici un truc génial : enlevez la protection de l'œillet adhésif et coupez-le en deux. Collez-le sur le bout de vos ongles : cela vous donnera une courbe géométrique parfaite que vous n'aurez qu'à

suivre. Vernissez le petit espace au bout de l'ongle en blanc et secouez vos mains, et soufflez sur vos ongles comme d'habitude jusqu'à ce qu'ils soient tout à fait secs. Selon l'opacité du vernis, vous aurez peut-être besoin d'une seconde couche, mais laissez la première sécher, sinon vous allez tout massacrer. Enlevez doucement l'autocollant et voilà, le tour est joué : un bout d'ongle parfaitement verni.

6   Quand vous aurez verni tous vos bouts en blanc, appliquez un vernis transparent ou rose naturel sur vos ongles. N'en étalez pas trop – trois coups de pinceau suffisent. Le premier en plein milieu et les deux autres sur chaque côté. Ensuite, laissez tout ça reposer. Les traces de pinceau vous feront l'effet d'un tableau impressionniste au début, mais finalement ils donneront un fini impeccable. Vous aurez sûrement l'impression qu'il faut une deuxième couche, mais n'allez pas traficoter vos ongles, ou vous gâcherez tout et serez obligée de recommencer. C'est à ce moment-là qu'un homme viendra vous demander de tenir son filet de pêche trempé ou son pot d'échappement complètement carbonisé. N'y touchez pas. N'allez pas vous imaginer que vous pouvez vous mettre à laver le seuil de la porte d'entrée ou aller faire la chasse aux moutons sous votre lit. Retournez donc devant cette émission abrutissante à la télé, et surtout attendez que votre vernis soit bien sec.

Quand tout aura durci, appliquez une couche de fixateur brillant pour protéger votre french manucure très glamour. Vous pourrez éventuellement, si vous souhaitez allonger l'espérance de vie de votre manucure, mettre une nouvelle couche tous les soirs. Cela ne doit pas s'éterniser toutefois, ou vous finirez par avoir des ongles rugueux d'une épaisseur de 2 cm.

❀ *Les ongles sont composés d'une protéine fibreuse appelée « kératine ».* ❀

Les coiffures maison I

Comment faire une tresse ordinaire

*V*ous souvenez-vous de Monsieur Alexandre de Paris, inventeur de la « Haute Coiffure », qui faisait tourner les têtes de toutes les femmes du monde dans les années 1960 ? Il a dû en laquer des perruques, tout au long de son règne ! Cela me rappelle les coiffures des Yé-yé, les choucroutes de Brigitte Bardot et surtout les couettes de Sheila. D'ailleurs les tresses sont toujours à la mode. L'autre jour, j'étais assise près d'un homme qui en arborait fièrement. Toutefois, je ne suis pas sûre qu'elles allaient avec sa veste en peau retournée, mais si les tresses vont à Cléopâtre, elles devraient aller à tout le monde.

Au cas où vous n'auriez jamais fait vos tresses vous-même, voici un petit guide. Il est plus facile de s'entraîner d'abord sur un cobaye.

CE QU'IL VOUS FAUT
* *Des élastiques pour cheveux, qui ne font pas mal.*
* *Une brosse à cheveux*
* *Une pince pour séparer les mèches de cheveux et assurer leur maintien. Une pince Bulldog (ou pince à dessin) devrait faire l'affaire en cas d'urgence.*

INSTRUCTIONS
Dès que vous aurez saisi le rythme, faire des tresses ordinaires sera aisé. Vos cheveux doivent être assez longs (sinon, quel est l'intérêt de les tresser ?) et secs.

1   Brossez-vous les cheveux pour enlever les nœuds. Ça peut prendre trois heures, mais il faut ce qu'il faut.

2   Coiffez-les en arrière et séparez-les en trois parties égales.

3   Prenez deux grosses mèches dans la main gauche (séparées par un doigt) et la troisième dans la main droite. Faites passer votre main droite par-dessus la mèche du milieu et mettez la mèche de droite dans la main gauche, tout en faisant passer celle du milieu dans la main droite (vous commencez à voir où je veux en venir ?).

Maintenant vous devriez avoir de nouveau deux mèches dans la main gauche, seulement ce sont pas les mêmes qu'au début.

4 Croisez la mèche extérieure dans votre main gauche par-dessus celle du milieu. Vous pouvez utiliser votre main droite pour la saisir et la ramener, tout en laissant les deux autres mèches dans votre main droite. (Vous commencez à piger le truc ?)

5 Faites passer la mèche extérieure droite par-dessus celle du milieu.

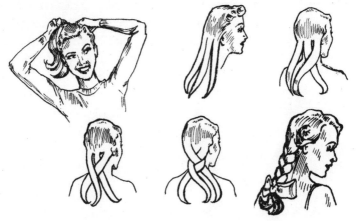

6 Maintenant, si vous regardez bien, vous devriez être en présence de quelque chose qui ressemble à une tresse. Si vous avez sous les yeux une sorte d'explosion de crin pour canapé, c'est que vous avez un problème. Bon, faisons comme si vous vous débrouilliez. Continuez à croiser la mèche droite vers le centre en alternant avec la mèche gauche. C'est la clé de la compréhension tressière.

7 Quand vous n'avez plus de cheveux sous la main, attachez fermement la tresse avec un élastique : un joli, pas les petits élastiques de bureau. Ou trempez-la dans du goudron, comme le faisaient jadis les marins.

La tresse ordinaire est un bon moyen de boucler vos cheveux si vous dormez avec toute la nuit.

❈ *Les parents de Sheila tenaient une confiserie ambulante.* ❈

Les coiffures maison II

Comment se faire une tresse africaine

Les compétitions de body-building pour femmes ont commencé aux États-Unis, évidemment, avec des galas tels que le *Miss Physique Show* (selon moi, ça ressemblait plus à un concours de Bikini ringard dopés aux protéines). Mais, avec les années, les body-buildeuses se mirent à soulever davantage de fonte, au point que leurs biceps ressemblaient à une pizza calzone, que leurs ventres commençaient à faire des vagues, et d'ailleurs certaines d'entre elles ressemblaient plus à Arnold Schwarzenegger – avant qu'il n'entre en politique.

Si je vous raconte cela, c'est pour vous dire que la tresse africaine (appelée parfois tresse américaine) exige un lever de bras constant extrêmement épuisant. Vous n'aurez plus de sang dans les mains, vos membres vont commencer à s'engourdir, quelque temps après, vos mains se mettront à trembler dans tous les sens de manière incontrôlable, un peu comme des roseaux dans une mare, pour finalement se ratatiner et tomber, engourdies et sans vie, sur votre tête, ce qui provoquera la chute de vos lunettes. Mais allez-vous vraiment vous laisser impressionner ou êtes-vous prête à relever le défi et rejoindre les rangs des femmes bioniques, des Miss Physique et des tresseuses acharnées, et à vous faire une belle tresse africaine ? Ah là, je n'en attendais pas moins de vous.

La différence principale entre une tresse ordinaire (voir p. 123) et une tresse africaine, c'est qu'au lieu de n'avoir que trois mèches de cheveux, on en introduit de nouvelles tout au long de la mise en forme. Si vous la faites vous-même, souvenez-vous qu'il vous faudra de l'endurance.

INSTRUCTIONS

1 Séparez la partie de devant de votre chevelure (avec les côtés) de la partie arrière, tirez les cheveux ainsi séparés pour former une sorte de couronne et divisez-la en trois parties égales.

2 Pour commencer, tressez rapidement la mèche de gauche vers le milieu et faites la même chose avec la mèche de droite (comme pour une tresse ordinaire). Ce n'est pas grave si vous ne vous appli-

quez pas, vous êtes encore débutante. Les plupart des premières tentatives ressemblent aux premiers paniers confectionnés par des artisans aveugles. Quand vous aurez pris le pli, vous pourrez commencer à vous concentrer en maintenant la tension et la prise en main des mèches. Et peu à peu les choses se mettront en place.

3   Tout en continuant à tresser, rajoutez des mèches de cheveux prises directement sous *chaque nouvelle partie* que vous êtes sur le point de

croiser. Prenez la même quantité de cheveux à chaque fois. Utilisez votre petit doigt pour séparer les mèches. Cela vous permettra de tenir la mèche principale fermement, pendant que vous ramassez de nouvelles mèches. La tresse suivra la courbure de la tête au fur et à mesure.

4   Continuez jusqu'à la base du cou, jusqu'à ce que vous ayez utilisé toute la chevelure.

5   Finissez votre tresse normalement et attachez-la fermement avec un élastique.

❀ *Comme pour les ongles, la kératine est le composant principal des cheveux.* ❀

Les coiffures maison III
Comment faire un chignon

Quand j'étais jeune et bête, je pensais que seules les femmes de plus de 60 ans, et si possible allemandes, portaient des chignons. Cela vient peut-être du mot « chignon », qui évoque pour moi mes tantines avec leur tricot de laine brunâtre, leurs tailleurs en tweed, et les longs dimanches après-midi moroses et sans intérêt parfumés à l'encens, les bas reprisés, les fleurs séchées, les sous-vêtements en laine mérinos, les bonbons à la menthe, les mocassins, les mots croisés du *Journal du Dimanche* et le Tang. Ce n'était vraiment pas le look à avoir.

Mais un jour que je me promenais sur les Champs-Élysées, je remarquai une jeune femme à l'allure de gazelle descendant l'avenue avec une classe incroyable qui me donna très envie de l'imiter. Elle avait – c'était une vérité difficile à avaler – les cheveux attachés en chignon. Alors que je la regardais disparaître dans l'avenue Montaigne, elle retira de sa chevelure une longue épingle, et secoua la tête pour relâcher ses cheveux sur ses épaules, un peu comme Sophia Loren dans un de ses films. « Ah ah, me dis-je, c'est sympa, les chignons. »

Si vous voulez essayer, voici les instructions à suivre. Vous serez heureuse d'apprendre que vous n'avez pas besoin d'être très soignée pour réussir un chignon. Un look en bataille et dévergondé fera davantage l'affaire. Vous devez cependant avoir des cheveux qui arrivent au moins aux épaules.

INSTRUCTIONS

1   Coiffez vos cheveux en arrière avec vos doigts et faites une queue de cheval à la base du cou. Cela vous donnera des airs de fille prête à tout, sans vergogne, sexy mais relax. Si vous préférez plutôt le genre de la bibliothécaire « coincée, mais qui se dévergonde après le travail », brossez vos cheveux pour un effet plus net. Attachez les cheveux avec un élastique.

2   Tournez la queue de cheval jusqu'à ce qu'elle s'entortille sur elle-même, bien serrée.

3   Vous pouvez maintenant accentuer un fini en bataille, si vous retirez quelques mèches à la base de la queue de cheval.

4   Faites tourner la queue de cheval sur elle-même à la base du cou pour former le chignon.

5   Faites glisser le bout dans l'élastique et fixez le tout avec des épingles à cheveux et des pinces. N'utilisez pas de pinces à linge, le résultat n'est pas concluant.

Vous pouvez tenter des variantes, et continuer à faire tourner les têtes en remontant les cheveux de derrière, soit en les séparant à la base de la tête, soit en les attachant au sommet du crâne. Laissez tomber quelques mèches. Très glamour.

❀ *Le crêpage de chignon connut son heure de gloire dans les années 1960, grâce à la fameuse choucroute de BB.* ❀

Le B.A-BA
En matière de chaussures

ℙendant la Convention nationale des républicains, un certain Pat Robertson (téléévangéliste excentrique notoire) offrit à tous la teneur de sa réflexion intellectuelle. « La cause des femmes, déclara-t-il, les engage à quitter leurs maris, tuer leurs enfants, s'adonner à la sorcellerie, détruire le capitalisme et devenir lesbiennes. » Certains estimèrent qu'il poussait le bouchon un peu loin ; et en 2006, pour bien montrer à ce monsieur Robertson ce qu'il en était, Imelda Marcos, âgée de 77 ans et ancienne première dame des Philippines – aussi appelée la femme aux 3 000 paires de chaussures – lança une marque de bijoux, sacs et baskets, qu'elle baptisa évidemment la Collection Imelda. On peut lire sur le très rose-guimauve-et-pas-si féministe-que-ça site Internet de cette collection : « C'est à partir des déchets de sa vie colorée, des épaves des ses propres drames qu'Imelda fabrique ses bijoux. » Ce qu'il faut pas entendre ! Les gens, vraiment…

Bon, revenons à la réalité juste un instant. Voici un guide sur les chaussures qui aurait fait pâlir d'envie Imelda. Voyons ce que vous en pensez.

CONSEILS TIP-TOP

* Allez faire les magasins de chaussures à la fin de la journée, quand vos pieds sont un peu plus gonflés. Sinon, vos nouvelles chaussures ne vous iront que le matin.

* Essayez les deux chaussures si vos pieds ne sont pas de la même taille. (Question de bon sens !)

* Selon une de mes amies qui habite à Londres : « On a l'impression que les chaussures des Anglaises sont fabriquées par des gens qui ont entendu parler des chaussures, mais qui n'en ont jamais vu en vrai. » C'est sûrement exagéré, mais faites attention quand même quand vous choisissez vos souliers, même ici en France.

* Faites mesurer vos pieds au moins une fois par an. Évidemment, ne sortez pas votre règle après une soirée bien arrosée avec votre petit ami.

* Portez des bas ou des collants quand vous essayez des chaussures que vous porterez avec des bas ou des collants. Vous pensez que cela n'aura aucune incidence, mais si, ça en a.

* En ce qui concerne les chaussures en cuir, il vaut mieux les cirer quand elles sont encore ramollies par la chaleur d'une journée de déambulation.

* Si vos chaussures sont mouillées, ne les faites pas sécher sur une source de chaleur, cela les durcirait. Laissez-les sécher lentement et bourrez-les avec du papier journal pour les empêcher de rétrécir.

* Faites tourner vos chaussures. Pas quand vous marchez, bien sûr. Je veux simplement dire par là qu'il ne faut pas porter la même paire tous les jours.

* Pour qu'elles sentent toujours bon, glissez des écorces d'orange à l'intérieur à la nuit tombée. Ou vous pouvez aussi mettre quelques gouttes de lavande ou de citronnelle sur un mouchoir et le placer dans vos chaussures le soir.

* Pour rafraîchir de vieilles chaussures en peau retournée, passez-les sous la vapeur de votre bouilloire. N'allez pas vous brûler les mains.

* Garnissez vos bottes de papier journal quand vous ne les portez pas. Pareillement, pour vos chaussures, pensez à avoir des embauchoirs à la papa.

* Quand vous avez marché sur les trottoirs salés l'hiver, vos chaussures en cuir risquent d'être tachées et de souffrir de marques blanches. Mélangez une cuillerée à café de vinaigre dans de l'eau et essuyez les taches.

* Les chaussures en toile se nettoient à merveille avec du shampoing à moquette.

* Si vous pensez, comme Big Foot, que vos pieds sont trop grands, essayez de porter des talons hauts avec des chaussures à bouts carrés ; les bouts pointus allongent le pied, et les chaussures claires les grossissent, alors que les noires les affinent – faites vos choix. Les détails et les fanfreluches rapetissent les pieds, alors allez-y, sortez vos plumes, vos chaussures vernies, vos perles, autres boucles et nœuds.

*Le prénom Imelda vient de mots allemands,
qui signifient « entière » et « bataille ».*

Comment
S'épiler les sourcils

Comme le disait Ariel dans *La Tempête* : « Là où l'abeille pique, je pique aussi », et qui l'en blâmerait ? Il y a quelque chose de l'ordre de l'architecture dans un sourcil bien épilé, que rien, ni le mascara ni le Botox subcutané n'arriveront à égaler. Un sourcil épilé avec art attirera l'attention vers les yeux et le regard (un peu comme l'encadrement d'un tableau), élargis par la délimitation de la structure osseuse de la ligne sourcilière.

Une épilation vigoureuse sera nécessaire pour maîtriser un buisson fourni ou pour diviser un « mono-sourcil ». Une touche d'élégance et de finesse est bien sûr recommandée, mais n'allez pas vous acharner. La plus grande erreur serait de vous épiler jusqu'à en devenir imberbe ou de laisser deux petites antennes sur vos arcades sourcilières. Les sourcils peuvent mettre des mois à repousser, alors allez-y mollo ; essayez de sauvegarder quelques poils. Voici la manière dont les experts s'y prennent.

OUTILS INDISPENSABLES
* *Un crayon à sourcils*
* *Une pince à épiler spéciale sourcils*

INSTRUCTIONS
1 Vous aurez besoin d'une bonne source lumineuse. La lumière du soleil est préférable, alors allez vous installer près d'une fenêtre. Ne restez pas collée au miroir. Reculez-vous de temps en temps pour vous contempler et juger de l'effet.
2 Lavez vos sourcils avec du savon, cela les épaissira et les rendra plus faciles à retirer.
3 Planifiez. Décidez de la forme que vous souhaitez obtenir et dessinez une ligne qui vous guidera, utilisez le crayon à sourcils. Le sourcil doit commencer au niveau du coin intérieur de l'œil. Une des clés du succès est de renforcer les traits au milieu et de les effiler en une courbe élégante jusqu'au coin extérieur. Épilez en formant une arche délicate et attirante, dont le point culminant se trouve à l'intersection d'une ligne qui part du coin de la narine sur la joue et qui passe par le centre de la pupille. Vos sourcils seront plus jolis si vous étendez le trait un peu au-delà de chaque coin des yeux. L'espace entre les deux ne devrait pas être plus grand que la largeur de l'œil. Regardez les mannequins dans votre magazine préféré et imitez-les.
4 Utilisez une véritable pince à épiler pour sourcils. Si vous le faites avec des tenailles, vous risquez de vous mettre à pleurer et d'enlever des poils sous le sourcil, et non pas au-dessus.
5 Tirez la peau fermement au niveau des tempes et commencez à épi-

ler à partir du milieu. Avancez vers l'extérieur poil par poil. Revenez au milieu et réitérez l'opération vers le nez. Travaillez chaque sourcil petit à petit et en alternance. Ainsi, vous obtiendrez un résultat équilibré, plutôt qu'un gros trait d'un côté et une ligne de l'autre.

6 Enfin, frottez la partie dénudée de votre arcade sourcilière avec un coton imbibé d'une solution astringente à base d'hamamélis, par exemple.

❀ *La plus vieille pince à épiler que l'on ait retrouvée*
date du IIIe millénaire avant Jésus-Christ. ❀

Comment
Bien se tenir en société

Quand il était petit, mon ami Antonio était obligé de manger ses spaghettis avec son *Dizionario Enciclopedico Italiano* sur le sommet du crâne. Maintenant, il a des manières impeccables, un maintien très élégant et il pince très rarement les fesses des filles.

Il y a quelques années, le maintien était une chose très importante dans les beaux quartiers de l'Ouest parisien, surtout pour les jeunes filles. Une industrie entière en dépendait et si on avait dû vous ramasser morte dans la rue, vous auriez eu tout intérêt à avoir votre collier de perles autour du cou. C'était l'époque où les pensionnats en Suisse et les écoles de bonnes manières pour jeunes issues de NAP ou d'ANP (non pas l'Agence pour l'emploi, mais bien Auteuil-Neuilly-Passy) formaient des débutantes en devenir. Les années 1990 ont été une décennie bénie pour celles qui n'avaient pas eu la chance d'être nées avec une cuillère en argent dans la bouche, mais qui souhaitaient quand même réussir grâce à la politesse, à l'étiquette, à la posture adéquate… Au temps des leçons d'élocution, dans les salons illuminés du XVIe arrondissement, au lieu d'utiliser un dictionnaire italien, on faisait parader les jeunes filles bien apprêtées devant leurs pairs avec un volume de *l'Encyclopedia Universalis* sur la tête.

L'ALLURE

Il est vital d'avoir une bonne posture. Vous balancer avec un chapeau de pluie multicolore sur la tête, le vieux manteau de votre grand-mère sur le dos et un pochon à la main ne vous donnera sûrement pas fière allure, et ne comptez pas impressionner un duc en traînant des pieds et en fixant vos chaussures.

La chose essentielle est de se tenir droite : les épaules en arrière, le ventre et les fesses rentrés, le dos et le cou droits mais pas rigides. Les oreilles, les épaules, les hanches, les genoux et les chevilles doivent être alignés tels les éléments d'une même colonne. Un fil à plomb est censé pouvoir passer entre vos chevilles. Voir p. 91 les conseils pour porter des chaussures à talons hauts, cela devrait vous aider à vous tenir droite.

LA CONDUITE

1   Ne mangez pas les coudes sur la table. Eh oui, votre mère avait raison !

2   Quand vous mangez de la soupe, penchez le bol et faites venir la cuillère vers vous et non l'inverse.

3   Ayez confiance en vous et regardez les gens droit dans les yeux quand vous vous adressez à eux.

4   Ne pointez pas du doigt, non pas parce que c'est impoli mais parce que c'est typiquement masculin. Utilisez toute votre main et inclinez la tête dans la direction que vous voulez indiquez. Faites comme les Miss Météo.

5   Voici une recommandation qui date de 1845 et qui est toujours valable : *ne vous grattez jamais la tête, ne vous curez pas les dents, ne vous nettoyez pas les ongles ou – pire encore – ne vous curez pas le nez quand il y a du monde ; toutes ces choses sont dégoûtantes. Crachez le moins possible – et jamais par terre.* Cette dernière indication est bien plus essentielle que toutes les autres réunies : s'il y a une règle d'or, c'est bien celle-là.

❀ *Rot se dit aussi « renvoi, éructation »*
et ne doit pas être confondu avec le rôt cuit au four. ❀

Comment
Se raser les jambes correctement

*L*a mode actuelle des bras et des aisselles lisses a vraiment démarré en Amérique (bien sûr) en mai 1915, à la parution d'un numéro du *Harper's Bazaar* qui présentait un mannequin en robe de soirée sans manches, les dessous de bras immaculés. À partir des années 1920, les fabricants de rasoirs lançaient des campagnes publicitaires pour persuader les garçonnes que les femmes hirsutes n'étaient pas féminines, et au fil des ans, portant des jupes de plus en plus courtes et de plus en plus suggestives, elles devinrent accros au rasoir. Pendant la Seconde Guerre mondiale, les restrictions en matière de Nylon poussèrent les jeunes femmes à se raser les jambes, elles pouvaient ainsi dessiner plus facilement une couture au crayon à paupière.

Dans des temps reculés, apercevoir le bas d'une femme était un véritable outrage aux bonnes mœurs ; de nos jours, il n'y a plus de limites et les manies de stars d'épiler tout ce qui bouge ont lancé la mode du « brésilien » ou de « l'intégral » en-dessous de la ceinture.

Mais restons-en à nos bonnes vieilles jambes pour le moment. Voici quelques trucs pour rendre l'expérience du rasage plus agréable, même si je ne peux pas vous promettre qu'un homme vous enlèvera à bord de sa Ferrari pour vous emmener dîner aux chandelles à la seconde où vous aurez terminé. En fait, cela me rappelle cette chanson lugubre de Dean Carter *Did I shave my leg for this ?* qui se demande bien si ça valait le coup de se raser les jambes. Bon, passons, on peut toujours garder espoir, voici les règles de survie.

1   Utilisez un bon rasoir. (Achetez des marques.)
2   Exfoliez avant de raser : l'élimination des peaux mortes permet d'empêcher les poils incarnés et embellit par la même occasion vos gambettes.
3   Laissez tremper vos jambes pendant 3 minutes avant de vous raser : l'eau ramollit le poil.
4   Utilisez un vrai gel (ou une mousse) de rasage – aussi bien ceux

pour hommes que pour femmes. Le savon n'est pas assez lubrifiant, mais l'après-shampoing peut tout à fait faire l'affaire.

5 Rincez le rasoir après chaque passage.

6 Changez souvent de rasoir.

7 Remontez, en partant des chevilles vers le haut, pour un rasage de près, à moins que vos jambes ne soient irritées par le rasage, dans ce cas, rasez dans le sens du poil.

8 Rasez-vous lentement, pas la peine de se précipiter.

9 Faites attention à vos chevilles, il est très facile de se couper. Pensez à l'antiseptique !

10 Mettez toujours de la crème hydratante après le rasage.

❀ *La membrane interosseuse sépare les muscles
antérieurs et postérieurs de la jambe.* ❀

Comment
Se faire un brésilien chez soi

Le brésilien tient son nom de son pays d'origine, c'est une épilation du maillot particulièrement dépouillée, variante exotique du « ticket de métro ». Le brésilien diffère du maillot classique (proche du buisson) du fait qu'il ne reste pratiquement plus de poils sur le pubis et l'entre-fesses, juste une petite bande, telle une allée de glycines au seuil de votre entrée. Il est important de ne pas confondre le brésilien et l'épilation totale, aussi appelée intégrale ou intime, voire « épilation du chiwawa » qui suppose l'extermination radicale du moindre poil.

Les Arabes, les Turques, les Perses mais aussi les Albanaises et les Méditerranéennes s'épilent comme des malades depuis des siècles, et aujourd'hui, il existe même des versions pour homme que l'on pourrait appeler le « boysilien ». Nos ancêtres se servaient de préparations dépilatoires à base de sucre, mais, ici, vous utiliserez de la cire.

On trouve des kits à base de cire chaude ou froide partout dans le commerce. Pour ce qui est de la cire froide, il faut appliquer sur la cire une bandelette de mousseline – ou de coton – et la retirer d'un coup sec.

Avec la cire chaude, pas besoin de bandelettes. Elle durcit en refroidissant et il suffit alors de tirer dessus. Les bandelettes de cire froide sont parfois collantes et peuvent laisser des résidus, ce qui n'est pas le cas de la cire chaude. Celle-ci est plus douce et moins douloureuse, car elle agrippe le poil sans adhérer à la peau.

La première fois que vous ferez un brésilien, prenez un ou deux antalgiques une demi-heure avant. Cela facilitera un peu les choses. Quelques adeptes du brésilien évoquent parfois des syndrômes post-traumatiques comme « la gratoune du brésilien », mais en réalité cette opération est sans danger. Souvenez-vous toutefois qu'il ne faut jamais remettre de la cire sur une zone déjà épilée, là, ça fait mal.

Voici comment obtenir un maillot parfait dans l'intimité de votre demeure – et bien sûr, à un prix dérisoire par rapport à ceux pratiqués dans les instituts. Commencez par le bas en remontant vers le haut, sans oublier de laisser une petite bande de poils comme on vous l'a déjà dit. Vous serez obligée de vous mettre dans des tas de positions bizarres pour venir à bout de tous vos poils, mais ne vous laissez pas tenter par le chatterton. Le résultat ne serait pas probant.

Allez les filles, bon courage, et en avant, marche !

CE QU'IL VOUS FAUT
* *Tout d'abord, un kit d'épilation pour le maillot (cire chaude recommandée)*
* *Un four à micro-ondes*
* *Quelques spatules en bois ou en plastique (pas celles que vous utilisez en cuisine, des spatules plus petites).*

INSTRUCTIONS
1   Prenez une douche, égalisez la toison aux ciseaux. Vous devrez laisser 5 mm de poils pour que la cire accroche bien.

2   Faites chauffer la cire au micro-ondes en suivant les instructions. Mélangez jusqu'à obtention d'une pâte épaisse à la consistance du miel, mais faites attention à ce qu'elle ne soit pas trop chaude, vous risqueriez de vous brûler. Testez la température avec un doigt avant de vous en mettre sur le maillot.

3   Avec une spatule, appliquez une couche épaisse de cire dans le sens de la pousse du poil et laissez refroidir 30 secondes à peu près, jusqu'à ce qu'elle soit suffisamment malléable – suivez les instructions sur la boîte.

4   Maintenant, voici venu le moment de vérité : tirez la peau, décollez un petit peu le début de la bande et enlevez la cire d'un mouvement sec dans le sens inverse de la pousse, vous arracherez ainsi les poils à la racine. Oh là, rien que d'y penser j'en ai les larmes aux yeux !

5   Tout de suite après, appuyez fermement avec vos doigts ou avec votre paume sur la zone épilée, afin de retirer les éventuelles particules de cire restées collées et de calmer la douleur.

6   Enfin, retirez tous les poils récalcitrants à la pince à épiler.

7   Quand vous avez terminé, appliquez une lotion apaisante.

L'épilation dure une petite demi-heure et laisse jusqu'à deux semaines de liberté avant la repousse, ce qui vous permettra de porter un mini-kini sans vous demander si vous devez emporter un peigne à la plage. En ce sens, l'épilation à la cire vaut mieux qu'un rasage, lequel vous ferait vous gratter comme un écureuil dans les deux heures qui suivent.

❀ *En terme de superficie et de démographie, le Brésil arrive en 5ᵉ position.* ❀

Comment
Perdre trois kilos en trois heures

Peut-être devez-vous vous rendre à la pesée hebdomadaire de votre club anti-gras ou bien vous a-t-on organisé un rendez-vous galant avec un inconnu pour ce soir et vous devez *absolument* rentrer dans votre jean : dans vos meilleurs jours, déjà, vous devez vous allonger pour vous glisser à l'intérieur – avec l'aide, toutefois, de deux copines qui se tiennent prêtes à remonter la fermeture Éclair avec des tenailles. Si c'est le cas, voici la solution.

Premier niveau

* *Le sauna (idéal pour un ou deux kilos)*
* *Les diurétiques (tisanes de pissenlit ou d'ortie)*
* *Faites-vous couper les cheveux court.*
* *Mettez des vêtements légers : pas de ceinture (cela va de soi), des sandales, une robe diaphane.*

Deuxième niveau

* *Enlevez vos lunettes.*
* *Portez des tongs en plastique pas chères à la place de grosses sandales à semelles compensées.*
* *Ôtez tous vos bijoux, même les petites boucles d'oreilles, les piercings et votre alliance.*
* *Faites-vous couper les cheveux très court.*
* *Donnez votre sang (une prise peut peser son poids !) Refusez la boisson chaude et les petits gâteaux.*
* *Remplacez vos grandes culottes par des strings, des slips sans fond ou des hauts de Bikini au crochet.*
* *Enlevez votre soutien-gorge.*

Dernier niveau (mesures à prendre pour les quelques grammes restants)

* *Coupez ou rongez-vous les ongles de pied et de main à ras.*
* *Épilez vos sourcils.*
* *Rasez-vous les jambes.*
* *Faites-vous faire une épilation brésilienne (voir p. 135).*
* *Sortez en string (ou sortez sans culotte) et pieds nus.*
* *Enlevez votre maquillage.*
* *Mouchez-vous.*
* *Arrachez-vous les croûtes.*
* *Lavez-vous les oreilles.*

* *Rasez tout ce qui peut vous rester de poils.*
* *Lisez une histoire triste et pleurez bien fort.*
* *Rasez-vous la tête.*
* *Exfoliez-vous. Deux fois.*
* *Percez-vous les boutons.*
* *Poncez la corne de vos pieds.*
* *Crachez.*
* *Expirez votre dernier souffle d'air avant de vous peser – quelques minuscules gouttes de vapeur d'eau pourraient bien faire pencher la balance à votre avantage.*

Au-delà, faites vous amputer d'une jambe.

❀ *Weight Watchers est une filiale de l'entreprise*
agro alimentaire du ketchup Heinz. ❀

Comment
Se faire une petite robe noire avec un sac poubelle

*L*a petite robe noire (PRN) fut inventée par Coco Chanel en 1926 et est restée très populaire depuis plus de 80 ans. Un jour qu'un journaliste l'interrogeait sur sa création, mademoiselle Chanel expliqua : « Faire une robe de Schéhérazade, c'est facile. Faire une petite robe noire, c'est plus délicat. » Ça me rappelle le genre de citation des sujets du bac, suivie d'un « discutez » qui vous laisse pantois et abasourdi face à la complète vacuité du propos. Je pense que même B.-H. L. s'arracherait les cheveux à essayer d'en tirer quelque chose.

La PRN vous siéra toujours et conviendra en toute occasion ou toute soirée, du cocktail au casino. Tout le monde peut la porter, sans discrimination sociale de style, de taille, et comme tous les classiques, son secret c'est sa simplicité. Elle peut être sérieuse, chic et sexy, et enterrera toutes vos robes branchées sans jamais se démoder. Vous pouvez même ajouter des bijoux, du collier de perles au collier en plastique en passant par la verroterie, ce sera toujours « superbe ! ». Pour en fabriquer une dans un sac poubelle en cas d'urgence, suivez simplement les étapes suivantes.

CE QU'IL VOUS FAUT
* *2 sacs poubelle*
* *Du Scotch*
* *Des ciseaux aiguisés*
* *Du chatterton*

INSTRUCTIONS

1 Retournez le sac poubelle et découpez un trou au milieu, assez grand pour laisser passer la tête.

2 Sur le devant, découpez avec art un col arrondi ou en V. Coupez d'un geste sûr et fluide pour obtenir une ligne bien nette, et non pas un aspect complètement déchiqueté.

3 Faites des trous pour les bras de chaque côté afin d'obtenir une robe chasuble tout ce qu'il y a de plus classique. Les trous doivent être suffisamment grands pour laisser passer vos bras et éviter de couper la circulation sanguine, ce qui les rendrait froids et blancs. Pour la ménagère très occupée, les sacs poubelle avec des anses sont un don du ciel, car elles peuvent faire office de bretelles. Il ne vous reste plus qu'à couper le fond pour les jambes. Mais prenez garde aux sacs qui se ferment avec une ficelle en plastique, élément aussi peu décoratif qu'utile.

4 Décorez l'encolure avec une bandelette d'une quinzaine de centimètres découpée dans un autre sac poubelle. Faites des petits nœuds à chaque épaule.
À noter : plus c'est simple, mieux c'est. En matière de nœuds, prenez comme modèle Jackie Kennedy plutôt que Margaret Thatcher.

5 Marquez la robe à la taille avec une ceinture, faite à partir de deux bandes découpées dans deux sacs poubelle dans le sens de la longueur et collées ensemble avec du Scotch. Ce sera plus facile à faire avec la robe sur vous. Ne vous prenez pas pour un tailleur en essayant d'utiliser de la craie. Cela ne marche pas sur un sac poubelle en plastique.

6   La robe doit descendre jusqu'au genoux. Il y a deux façons de donner à l'ourlet un aspect classe :

*   une fente sur le côté ou derrière ;
*   avec une forme asymétrique, plus courte devant que derrière, ou
plus haute d'un côté que de l'autre.

Si vous voulez ressembler à Liz Hurley (une des ex-petites amies de
Hugh Grant), découpez un trou pour la tête comme indiqué précédemment, ensuite incisez le sac de haut en bas. (Utilisez une paire de ciseaux
ou un couteau aiguisé. Ne faites pas un travail de cochon.) Enfilez la
robe, et assemblez les deux parties fermement de chaque côté en utilisant des bandes de chatterton qui pourraient apporter une touche de
couleur (si possible assortie à votre sac à main ou à votre rouge à lèvre).
On verra apparaître votre peau – donc faites en sorte qu'ils cachent bien
les parties que vous ne voulez pas exposer.

*   Ne mettez pas de collant, ou alors couleur chair.
*   Mettez des boucles d'oreille classiques, ou alors un collier discret
en argent ou en or ou quelques perles. La petite robe noire se chargera de faire ressortir vos accessoires.
*   Ne pas repasser.

❀ *Le véritable prénom de Coco Chanel était Gabrielle.* ❀

V

La mécanique
des filles

*Les compétences essentielles
pour les brico-girls branchées*

Comment
Faire un demi-tour
au frein à main

*L*e demi-tour au frein à main est une technique utilisée pour réduire l'angle de la courbe de votre voiture quand vous prenez un virage serré ou pour faire un revirement rapide à 180° si vous souhaitez changer subitement de direction : somme toute, un petit demi-tour rapide, sans que vous n'ayez besoin de prendre les précautions d'usage, comme regarder s'il n'y a personne sur la route, ou mettre son clignotant, par exemple. Ce n'est pas difficile, mais cela requiert de l'entraînement pour le réaliser correctement et en toute sécurité. On y arrive en levant le frein à main qui bloque les roues arrières, ce qui provoque un déséquilibre volontaire du véhicule. Dès que la voiture est dans la bonne direction, on relâche le frein à main et on accélère.

C'est un *must* pour impressionner les hommes et intimider les belles-mères récalcitrantes. Allez mettre votre casque de protection, et c'est parti !

INSTRUCTIONS

1   Trouvez un endroit spacieux et dégagé de tout obstacle.

2   Roulez à environ 50 km/h en première ou en seconde.

3   Relâchez l'accélérateur, appuyez sur l'embrayage et tournez rapidement et à fond le volant vers la gauche avec votre main gauche (vous pouvez tourner à droite en faisant l'inverse).

4   Dès que le tournant est entamé, serrez le frein avec votre main droite, tout en gardant le doigt sur le bouton pendant la manœuvre. Les roues arrière vont se bloquer, ce qui fera déraper l'arrière de la voiture vers la droite dans le cas présent. Vous sentirez vraiment la force centrifuge au moment du dérapage.

5   Pendant que vous tournez, relâchez le volant petit à petit.

6   Si vous souhaitez réduire l'ampleur de la rotation, utilisez la pédale de frein. Cela empêchera aussi la voiture de se déporter vers l'arrière. Si vous n'arrivez pas à redresser le véhicule, et que

vous continuez à faire des tours sur vous-même, cela s'appelle « faire un tête-à-queue ».

7   Quand vous êtes dans la bonne direction, relâchez le frein à main et *vroummmmmmmmm !*, vous voilà repartie dans le bon sens. Si seulement chacune d'entre nous avait la chance de réussir un demi-tour au frein à main au moins une fois dans sa vie...

CONSEILS IMPORTANTS

*   Faire un demi-tour au frein à main est plus facile à faire avec une traction avant, même si ça marche avec tous les types de voiture.
*   Avec une traction arrière manuelle, vous devez aussi débrayer pour éviter de caler.
*   Ne tentez pas de faire vos demi-tours au frein à main sur des routes publiques. Entraînez-vous sur des terrains d'aviation désaffectés ou des tarmacs bien lisses.
*   S'il vient de pleuvoir ou de neiger, c'est encore mieux.
*   Les demi-tours au frein à main à répétition useront vos pneus et vos mains : une bonne crème hydratante est essentielle.

❀ *Vous mettrez plus de temps à freiner si vous êtes en train d'écouter un bon morceau de musique.* ❀

Comment
Réussir un créneau

Comme le soulignait l'auteur américain E .B. White : « Tout dans la vie est ailleurs, il suffit d'y aller en voiture. » Alors, à moins que vous ne souhaitiez que quelqu'un d'autre se gare à votre place, vous feriez bien d'apprendre à le faire. Quand mon oncle Marcel m'apprenait à conduire, il me disait : « On se sait pas vraiment jurer correctement tant qu'on n'a pas appris à faire un créneau. » Pourquoi est-ce si compliqué ? C'est peut-être dû au fait que l'on doive reculer ? Je me souviens du jour où ma mère est rentrée dans un bus couvert de ballons, alors qu'elle faisait un créneau. Quand mon père, énervé, lui a demandé comment elle avait bien pu, dans un parking désert, entrer en collision avec ce mastodonte, elle a eu cette réponse mémorable : « Je l'avais pas vu. » Allons, voici tout ce qu'il faut savoir pour celles qui estiment que le créneau c'est comme aller à reculons en marchant sur des œufs.

INSTRUCTIONS

Quand vous vous garez, il faut vous souvenir de deux petites choses : ne vous approchez pas trop de la voiture qui se trouve à votre droite et ne montez pas sur le trottoir. Mais essayez de vous approcher suffisamment pour ne pas vous retrouver trop loin du trottoir. Utilisez toujours votre rétroviseur et mettez vos clignotants pour prévenir les autres véhicules, tout en faisant vous-même attention à la circulation. Sachez qu'il n'est pas interdit de vous arrêter à tout moment pendant la manœuvre.

1 Immobilisez votre voiture parallèlement à une voiture garée, derrière laquelle se trouve une place libre. Un de mes amis, qui a obtenu son permis, considère qu'il ne fera de créneau que si l'espace libre entre les deux voitures mesure au moins une fois et demie la longueur de sa propre voiture. C'est un très bon conseil et je le suis à la lettre. Plus il y a de place, plus c'est facile. Dans tous les cas, vous devez vous placer au moins à 1 m sur le côté de la voiture garée à votre droite.

2 Passez la marche arrière et regardez partout autour de vous, et sur-

tout dans le rétroviseur arrière, pour voir si vous pouvez reculer en toute sécurité. Reculez tout droit très doucement et vérifiez, dans le rétroviseur latéral côté conducteur, dans le rétroviseur arrière et par-dessus votre épaule si vous voyez apparaître la voiture stationnée.

3   Dès que vous la voyez et que le champ est libre, tournez le volant à fond vers la droite. Le devant de la voiture sera ainsi déporté vers le côté passager et la voiture se retrouvera alors en diagonale.

4   Si c'est toujours possible et sans danger, continuez à reculer jusqu'à ce que votre voiture se trouve à côté du pare-chocs de l'autre voiture. À ce moment-là, tournez le volant vers la gauche, l'avant de votre voiture s'en ira alors vers la droite, dans le trottoir. Faites très attention de ne pas aller arracher le côté de la voiture stationnée. Si vous entendez un bruit à vous faire exploser les tympans ou le son métallique que fait une craie sur un tableau, vous pouvez estimer que vous êtes un peu trop près de l'autre véhicule.

5   Maintenant, vous devriez être suffisamment proche du trottoir et de la voiture garée – l'adrénaline commence à monter furieusement, et vous soufflez et vous haletez. Continuez à reculer dans cette position tout en tournant le volant vers la droite, petit à petit, afin d'éviter de virer trop brutalement et de rester coincée. Vérifiez que vous gardez vos distances par rapport à la voiture et le trottoir. Si ça résiste, c'est que vous touchez le trottoir, bon c'est peut-être aussi un arbre, une poubelle en plastique ou une boîte à lettres. Vous ne réussirez pas comme ça, alors enclenchez la première vitesse, avancez un peu et recommencez.

6   Maintenant, vous devriez être parallèle et suffisamment proche du trottoir – mais pas trop près. Si vous devez rectifier votre position, vous pouvez avancer ou reculer pour y arriver (c'est la partie facile).

À chaque instant, vous devez garder à l'esprit que d'autres véhicules peuvent débouler de tous côtés. Virer brutalement en pleine circulation n'est pas une bonne idée. Tout comme reculer dans des bus recouverts de ballons de baudruche.

❀ *Une ligne jaune continue le long du trottoir signifie*
« arrêt et stationnement interdits ». ❀

Comment

Échapper à un essaim d'abeilles en furie

INSTRUCTIONS

* Les abeilles n'attaquent que quand elles se sentent menacées – faites donc attention à votre comportement si vous vous trouvez près d'un nid ou d'une ruche. En revanche, une fois qu'elles ont piqué, elles dégagent une phéromone qui excite les autres petites abeilles laborieuses et en bonne santé, elles forment alors un bataillon de défense prêt à piquer. La première chose à faire est de s'échapper. Enlevez vos talons hauts et autres chaussures inadaptées et courez aussi vite que possible. Le plus sûr est probablement de se réfugier à l'intérieur d'un bâtiment. Mais n'oubliez pas de fermer la porte derrière vous. Une abeille ordinaire ou domestique cessera sûrement de vous pourchasser au bout de 50 m – soit à peu près la moitié d'un terrain de football – mais les abeilles africaines parcourront trois fois cette distance, soit une fois et demie la taille du même terrain de foot.

* Les abeilles se dirigeront systématiquement vers votre tête, alors pendant votre fuite, utilisez tout ce que vous aurez sous la main pour vous couvrir le chef (pas de la confiture évidemment, je pensais plutôt à quelque chose comme une couverture ou une veste).

* Se précipiter dans un buisson est une bonne manière de ralentir un essaim d'abeilles, d'ailleurs le vent peut également les gêner. Vous pouvez toujours essayer de mettre un souffleur de feuilles en route et les faire fuir ainsi, mais dans ce genre de situation on est généralement plutôt préoccupée à courir et à crier. D'ailleurs si vous devez crier, gardez la bouche fermée. Être piquée sur ou dans la bouche peut provoquer un gonflement qui risquerait de vous étouffer.

* *Avertissement important* : ne sautez jamais à l'eau, parce que même si les abeilles sont de piètres nageuses, elles sont de très bonnes rôdeuses et elles seront probablement là à vous attendre quand vous sortirez la tête pour reprendre de l'air.

*　Si vous êtes piquée, ôtez le dard le plus rapidement possible en frottant dessus vos ongles ou une carte de crédit. Contrairement aux guêpes, les abeilles commettent un suicide quand elles piquent ; le dard s'arrache de l'abeille avec le muscle, qui continue de pomper hors de l'abeille pour déverser le poison pendant au moins 10 minutes. De toute façon, vous ne risquez pas d'être exposée à un grand danger, même si vous êtes piquée par plusieurs d'entre elles, à moins d'être allergique au venin d'abeille (auquel cas vous risquez d'avoir un choc anaphylactique : un traumatisme qui, bloquant rapidement le passage de l'air, peut engendrer la mort et qui).

*　De la glace, des antihistaminiques, une lotion apaisante devraient soulager une piqûre si vous n'êtes pas allergique. Dans la plupart des cas, la douleur devrait disparaître au bout de deux heures, même si le gonflement ne sera visible que le lendemain. Je vous recommande aussi de prendre un bon verre de vin et d'aller vous asseoir.

❀　*On a retrouvé de la gelée royale le long des sarcophages des pharaons.*　❀

Comment
Forcer un concombre

Notre aimable concombre (*Cucumis sativus*) appartient à la famille rampante subtropicale des cucurbitacées qui comprend aussi les melons. On cultive les concombres depuis plus de 3 000 ans et l'on en trouve plus de 100 variétés, du simple cornichon aux monstres zeppeliniens. Mon oncle Victor en faisait pousser dans sa serre, orientée plein sud dans son manoir à Saint-Malo. Ses petits sandwichs au concombre étaient un vrai délice. Il les faisait à trois étages.

Forçage et terreau

Le « forçage » est une technique de culture qui vise à faire pousser les plantes plus vite grâce à la chaleur artificielle ; et avec un peu d'amour vous réussirez à « forcer » vos concombres sous une verrière. Les concombres cultivés sous verrières, dans des serres ou en chassis peuvent atteindre une taille de 45 cm en moins de trois mois si vous les gardez bien au chaud, et si vous les arrosez et les nourrissez régulièrement. (Les chassis sont des carrés de terre encadrés de planches et surmontés d'une vitre, chauffés par le fumier en décomposition.)

Semailles, germination, plantation

Semez vos plants à la fin du mois de février ou au début du mois de mars, en mettant chaque graine côte à côte. Enfoncez les graines dans 12 mm de terreau, dans un godet contenant du compost. Faites pousser vos plants sous verre et gardez-les bien au chaud (entre 21 ° et 26 °C). Ils germeront au bout de quatre ou cinq jours. Dans une serre chauffée, plantez-les à la fin du mois de mars – un plant par pot, deux s'il s'agit de sacs de plantation. Dans une serre non chauffée ou en chassis, plantez-les fin mai. Après les avoir plantés arrosez-les, car le terreau doit rester humide ; mettez de l'engrais si nécessaire. Ne les laissez pas se dessécher.

Un amour inconditionné

1   Maintenez vos concombres à une température de 15 °C, en plein soleil si possible. Le terreau doit être riche en matière organique et humide, mais surtout pas inondé ; arrosez régulièrement, en petite quantité. L'air doit être humide et bien ventilé (n'oubliez pas, c'est une plante des tropiques). Vous pouvez obtenir ce résultat en humidifiant le sol de la serre. Ne vaporisez pas les plantes.

2   Attachez-les en haut d'un fil de fer, d'un tuteur ou d'un treillis. Coupez le bout de la tige principale quand elle a atteint le sommet du tuteur. Coupez également l'extrémité des pousses latérales qui sont à une distance de deux feuilles derrière la fleur femelle. Les fleurs femelles produisent le fruit et sont reconnaissables aux bébés concombres qui traînent derrière elles.

3   Ramassez toutes les fleurs mâles (boulot pas très palpitant !) que vous reconnaîtrez à ce qu'ils n'ont pas de fruit, mais seulement une tige. Les concombres fertilisés ont un goût amer.

4   Enlevez les pousses qui n'ont pas de fleurs quand elles atteignent une hauteur de 60 cm.

5 Quand vos concombres commencent à grossir, nourrissez-les avec un bon engrais à tomates pendant deux semaines.

LA RÉCOLTE

Tant que vous récolterez vos concombres avant qu'ils ne soient trop mûrs et trop jaunes, vos plants en produiront des quantités : jusqu'à 25 par plant. Vous pouvez les ramasser à la taille que vous voulez, une fois qu'ils ont l'air moins ronds et que les bouts sont moins joufflus. S'ils commencent à jaunir, ils sont trop avancés et ils seront alors trop secs et trop amers. Ne les arrachez pas, mais coupez-les. Les repiquages fréquents encouragent la prolifération des fleurs et donnent davantage de fruits. Les fleurs de concombre sentent particulièrement le concombre.

❀ *Le concombre le plus gros du monde pèse environ 30 kg.* ❀

Comment
Faire du compost en tas

*B*on, bien, avant de commencer, savez-vous au moins de quoi on parle ? Qu'est-ce que le compost ? Le mot vient du latin *composita* et signifie « ensemble composé de plusieurs éléments », ce qui suppose qu'un tas de brindilles surmonté d'un vieux canapé et d'un amas d'herbe coupée duquel coule une eau boueuse et suintante, ce n'est pas vraiment du compost. Un bon équilibre de matières organiques est nécessaire pour obtenir un bon engrais pour vos rhubarbes. Le meilleur compost est fait de matière végétale (disons du foin) introduite d'un côté dans le générateur de compost (disons un cheval), et que l'on récupère à l'autre extrémité dudit générateur un peu plus tard. C'est aussi la manière la plus rapide.

Pour faire du compost en tas, vous devez apporter de l'air à des bactéries aérobies (aérobie : qui aime l'air) et aux champignons, mais il faut aussi de l'eau et du nitrogène pour qu'ils puissent casser la cellulose des plantes. Plus il y aura de nitrogène dans votre compost, plus rapide sera la décomposition et plus la chaleur, qui, d'ailleurs, extermine les mauvaises herbes augmentera.

* *L'air* : entre dans les interstices du tas de compost.
* *L'eau* : un peu de pluie ou une dose régulière d'eau de vaisselle quand il fait chaud suffiront.
* *Le nitrogène* : il provient du fumier, de l'urine, du guano et du sang.
* *Le carbone* : la cellulose des plantes (disons des brindilles, des feuilles de choux et des billets de 5 €).

La bactérie dont vous avez besoin se trouve déjà dans votre jardin, mais si vous mettez du fumier, vous en rajouterez.

LE COMPOST ÉCOLO À L'ANCIENNE

Un des composts les plus chic, c'est celui obtenu avec de la paille imbibée d'urine.

1   Attachez des fétus de paille sèche en bottes et faites-les tenir debout dans le jardin comme des poubelles.
2   Chaque fois que l'envie se fait pressante, urinez simplement sur le tas. Cette technique convient mieux aux hommes, elle les démangera moins. La gravité et l'action de capillarité permettront de répartir le nitrogène et l'eau parmi le carbone des fétus, alors que l'air et le temps, aidés des insectes du jardin, activeront la décomposition de la cellulose des plantes. Vous verrez sortir, au petit matin, la fumée due à la réaction chimique. C'est sans odeur et vos invités adoreront.

LE COMPOST TRADITIONNEL

1   Étalez plusieurs rangées de briques en laissant des espaces réguliers.
2   Ajoutez des bouts de bois ou des petites branches perpendiculairement aux briques, pour faciliter le passage de l'air.
3   Clouez quatre palettes de bois ou demandez à un homme de le faire. Les palettes de transport sont parfaites puisqu'elles ont déjà des trous partout. Prévoyez un côté accessible, afin de faciliter son ouverture pour retirer le compost en temps voulu.
4   Commencez le compost en parsemant 25 cm de matière végétale. N'incorporez pas de bois, cela met trop de temps à pourrir. Vous

devez trouver un équilibre entre le dur et le mou (épluchures, fruits, herbe coupée, votre dernière feuille d'impôt, des bouts d'écorce) ; à cela, ajoutez une bonne dose de matière riche en nitrogène (5 cm) – du fumier de préférence.

5   Arrosez régulièrement par temps sec.

6   Faites des couches pendant toute la saison, en veillant à bien équilibrer les sources de matières organiques. Ne jetez pas de viande, d'œufs (les coquilles lavées peuvent faire l'affaire), votre belle-mère ni aucune matière animale qui attirerait les renards et autres bêtes nuisibles.

7   À la fin de la saison, laissez passer l'hiver.

8   En février ou en mars, ouvrez la porte de votre compost et déterrez les couches les plus enfouies. Répartissez-le sur vos haricots, vos framboises, vos pieds d'alouette et vos marguerites.

❀ *Le premier jardin à la française conçu par*
Le Nôtre l'a été pour Fouquet à Vaux-le-Vicomte. ❀

Comment
Vérifier que des perles sont vraies

Les vraies perles sont classées en deux catégories : les « perles naturelles » et les « perles de culture ». Les perles naturelles se forment à partir d'un petit corps étranger qui s'enfouit au cœur d'une huître. Le mollusque sécrète un mélange de substances cristallines et organiques appelé « nacre » qui se dépose en couches successives autour de cet envahisseur, créant ainsi une perle. Une perle de culture est aussi une perle naturelle, à ce détail près que le corps étranger a été délibérément introduit afin de provoquer la formation de la perle. De nos jours, plus de 95 % des perles produites dans le monde sont des perles de culture.

Quant aux fausses perles, on les fabrique en enveloppant une base naturelle ou en plastique avec de la peinture contenant des morceaux d'écailles d'ablette ou du plastique nacré. Même ces babioles plastifiées peuvent vous faire tourner la tête si la lumière n'est pas assez forte ; or, si vous voulez impressionner un duc ou vérifier la valeur du collier qu'un jeune homme vous a offert, vous feriez mieux de les tester. Les bonnes copies sont difficiles à repérer de nos jours, mais vous pouvez toujours essayer ce qui va suivre.

* *Le test dentaire* : frottez délicatement la perle contre la partie acérée de vos dents de devant. Les perles sont faites principalement de carbonate de calcium ($CaCO_3$) et à la surface des vraies perles, vous sentirez un aspect grumeleux et sablonneux, alors que sur des fausses, vous aurez l'impression que vos dents glissent. C'est la façon la plus simple de tester les perles, mais c'est une solution plutôt rudimentaire, alors ne comptez pas trop dessus si vous débarquez fraîchement dans le monde des mâcheuse de perles.

* *Le test de magnification* : examinez la surface de la perle avec une loupe. Les vraies perles ont une surface douce et finement granuleuse, alors que celles des imitations ont un grain plus grossier.

* *Le test du trou d'enfilage* : examinez le trou à la loupe. Les bords du trou d'une vraie perle doivent être acérés et tranchants, ils peuvent même être ébréchés. Le trou d'une imitation sera mou et irrégulier.

* *Le test du poids* : faites rebondir les perles délicatement dans votre main. Si elles sont lourdes et denses, elles sont vraies, les fausses perles seront légères et peu solides – à moins qu'elles ne soient en verre.

* *Le test des imperfections* : regardez attentivement la surface pour voir les défauts. Les vraies perles présenteront un tas d'irrégularités naturelles. Si vos perles sont parfaites et impeccables, méfiez-vous, elles ont l'air trop vraies pour l'être vraiment.

Noms de perles

Le prénom Marguerite vient du mot « perle », comme ses dérivés : Margaret, Peggy, Marjorie, Margot, Maggie, Gretchen, Greta, Gretel et Rita. Il signifie « pureté, humilité, innocence et douceur ». Bien sûr, le prénom anglais Pearl veut dire « perle ». Il est grand temps que je prenne mes cachets.

❋ Hänsel et Gretel *(1893) est un opéra de Engelbert Humperdinck.* ❋

Savoir
bluffer un artisan

La plupart des femmes que je connais se sentent comme un poisson hors de l'eau quand elles doivent donner des instructions à un artisan. Le problème est double : d'abord, le professionnel connaît son affaire et vous non, et ensuite c'est un homme, et vous non. Vous êtes donc dans la situation « de la femme qui doit parler à un homme de choses techniques auxquelles elle ne comprend pas grand chose ».

Hier, je me suis disputé avec mon frère à propos du fonctionnement des cartes de météo que l'on voit derrière les présentateurs à la télé. Il soutenait que les présentateurs devaient choisir la couleur de leurs vêtements avec soin, s'ils ne voulaient pas « disparaître ». J'ai alors dit qu'ils les choisissaient plutôt en fonction de la couleur de leurs yeux. Il m'a répondu que discuter avec moi, c'était comme essayer de plier un numéro spécial du *Monde* dans un courant d'air.

La chose à retenir, en fait, c'est que les hommes et les femmes ne parlent pas la même langue. Pour une femme, 2 heures du matin est l'heure idéale pour discuter de la tournure que prend une relation sentimentale. Pour un homme, 2 heures du matin, c'est l'heure de dormir. Et quand vous souhaitez vous épancher devant un bon verre de vin, les femmes vous offrent une oreille attentive, alors que les hommes vous offrent une solution. Donc, quand un mécanicien vous contredit brusquement au sujet de votre embrayage, il ne fait sûrement pas exprès d'être désagréable. Pareillement, si vous demandez à votre carreleur de disposer les carreaux de manière harmonieuse, il va probablement prendre l'air du parfait idiot du village. En gardant cela à l'esprit, voici quelques conseils pour donner des instructions à un artisan.

* Malgré le titre de ce chapitre, ne bluffez pas. C'est la clé de la réussite dans ce genre de relation. Si vous ne savez pas, demandez.
* Soyez claire à propos de ce que vous voulez et vérifiez ensuite que cela a été exécuté. N'oubliez pas, c'est votre argent.
* N'administrez pas de coups sur tous les murs de la maison que vous

allez acheter. Cela ne vous apportera rien de plus et vous fera passer pour une enquiquineuse.

* Ne donnez pas de coups de pied dans les pneus de la voiture que vous allez acheter, pour les mêmes raisons.

* Si vous êtes obligée de garer un 4x4 dans une toute petite place de parking – alors que vous venez d'avoir votre permis – sortez d'abord du véhicule et allez demander de l'aide au concessionnaire.

* Si vous voulez que vos carreaux soient placés d'une certaine manière, restez là et dirigez les opérations. Votre carreleur est très capable de les appliquer correctement, mais il n'est sûrement pas mosaïste byzantin.

* Votre couvreur n'accueillera pas avec entrain vos suggestions de dernière minute sur les jolis motifs qu'il pourrait exécuter au niveau de la sortie de toit du conduit de cheminée.

* Contrebalancez votre ignorance technique par votre gentillesse et votre charme. Vous pourrez faire ainsi de sacrées économies.

❧ *Le pneu a été inventé en 1888 par John Boyd Dunlop.* ❧

Comment
Changer un pneu
sans se casser un ongle

Je me souviens qu'un matin d'orage je traversais le Finistère pour me rendre à un mariage à Morlaix. Les yeux plissés, j'essayais de voir la route au travers des essuie-glaces qui bruissaient furieusement et alors qu'un éclair venait de tomber sur la lande, j'ai heurté un dos d'âne que je n'avais pas vu. On se serait cru en plein cauchemar romanesque. C'est alors que le volant est devenu tout bizarre entre mes mains.

Je me suis arrêtée près d'un champ de choux-fleurs et d'artichauts, et j'ai sorti la tête par la portière. J'étais à plat. Bien sûr, je portais une magnifique PRR (petite robe rouge), neuve et pas donnée – et voilà que je devais changer un pneu en plein orage. Je vais passer sous silence le reste de cette matinée, ponctuée, j'ai honte de l'avouer, par un discours blasphématoire extravagant à glacer d'effroi le plus vil brigand de grand chemin. Son sang n'en aurait fait qu'un tour.

Au cas où vous vous retrouveriez à votre tour dans la « situation du pneu crevé », voici quelques conseils pour vous en tirer avec des ongles impeccables. Espérons seulement que vous n'ayez jamais à le faire sous la pluie.

CE QU'IL VOUS FAUT

* *Une voiture (évidemment)*
* *Une clé à pipe. Généralement elle est en forme de croix, avec des embouts aux extrémités, qui servent à dévisser les écrous de la roue.*
* *Un cric*
* *Une couverture*
* *Des lingettes désinfectantes*
* *Des gants (essentiel)*

INSTRUCTIONS

1   Dès que vous sentez que vous avez crevé, garez-vous dans un endroit sûr, aussi lentement que possible. Si vous êtes sur l'auto-route, évitez de changer la roue sur la bande d'arrêt d'urgence. Téléphonez plutôt à un garagiste qui viendra vous aider. Sur une route départementale, trouvez un bas-côté. Même là, faites atten-tion à la circulation. J'ai déjà failli être percutée par un morceau d'échafaudage qui s'était échappé d'un camion.

2   Une fois arrêtée sur une surface plane, éteignez le moteur et passez la marche arrière. Serrez le frein à main et allumez les warnings.

3   Maintenant, enlevez les bagages les plus lourds et les corps en décomposition qui se trouvent dans votre coffre.

4   Enlevez vos chaussures si elles sont jolies et fragiles. De toute façon, vous n'auriez jamais dû conduire avec ça aux pieds.

5   Appliquez un peu de vaseline sur vos mains et enfilez les gants. Ils peuvent être en laine, en cuir ou dans n'importe quelle autre matière. Je garde toujours une paire de gants de jardin en cuir dans

mon coffre, ainsi que des gants de ménage en caoutchouc à ma taille. Essayez de protéger votre robe en enfilant votre manteau à l'envers, le dos par devant.

6 Sortez la roue de secours. C'est là le moment de vérité, car il est possible que vous constatiez qu'il n'y a pas de roue de secours (A) ou bien que la roue de secours est à plat (B). Enragée, vous vous mettez à sauter dans tous les sens en hurlant. Il n'y a pas grand-chose d'autre à faire. Si, par chance, vous trouvez la roue de secours en état, essayez déjà de la sortir à bout de bras – c'est extrêmement lourd.

7 Sortez les outils. Pas de cric ? Pas de clé à pipe ? Hurlez donc à la mort toutes les insultes de la terre, tout en vous faisant mentalement un petit pense-bête en vue d'une future discussion entre quatre-z-yeux avec votre homme.

8 Consultez les instructions dans le manuel de la voiture. Localisez l'endroit le plus proche de la roue à changer afin de soulever correctement la voiture. Ne placez pas le cric ailleurs, sinon la voiture risquerait de s'écrouler, endommageant la carrosserie et vous arrachant le pied au passage.

9 Si les écrous sont recouverts, ôtez le cache avec la clé à pipe.

10 Desserrez les écrous d'un demi-tour. Soyez consciente qu'au garage les écrous sont souvent resserrés à la machine. S'ils sont très serrés, mettez le pied sur la clé pour les dévisser. Si cela ne marche pas, faites des pieds et des mains, débrouillez-vous.

11 Soulevez la voiture avec le cric. Quand la carrosserie est en l'air – mais avant que la roue ne se décolle du sol – poussez la roue de secours sous la voiture, elle servirait de coussin de sécurité au cas où le cric lâcherait. Cela arrive souvent, même sur une surface plane, *ne vous mettez donc jamais sous une voiture soulevée par un cric.*

12 Continuez à soulever la voiture et dès que la roue ne touche plus le sol, dévissez les écrous, deux à deux en diagonale. C'est là que j'utilise mes gants de ménage en

caoutchouc, sinon je ne sens pas ce que je fais. Mettez les écrous dans votre sac à main ou votre chapeau avant qu'ils ne roulent hors de portée. Enveloppez-les dans un vieux morceau de papier ou un vieux mouchoir pour qu'ils ne tachent pas vos affaires. Essuyez tout régulièrement avec un vieux torchon, cela vous permettra de rester propre.

13   Enlevez la roue. Trois petits mots, si simples, pourtant. C'est un satané boulot à faire soi-même, parce que la roue est sacrément lourde, et dégoûtante aussi. C'était déjà assez difficile comme ça de retirer la roue de secours du coffre, là c'est pire. Quand elle est retirée, posez-la près de la roue de secours, sous la voiture.

14   Maintenant, débrouillez-vous pour mettre la roue de secours à sa place. Encore plus de râles, de ronchonnements et d'injures dans votre barbe. O.K., la roue est-elle à l'endroit ? Non ? Retirez-la et recommencez. (C'est affreux, n'est-ce pas ?) Replacez les écrous, deux par deux en diagonale et revissez-les à la main.

15   Abaissez le cric jusqu'à ce que la nouvelle roue frôle le sol. Resserrez un peu plus les écrous avec la clé.

16   Tirez le pneu à plat du dessous et continuez à faire redescendre la voiture. Enlevez le cric et resserrez les écrous à fond, vous pouvez toujours sauter à pieds joints sur la clé si ça vous chante. Rangez maintenant le pneu crevé dans le coffre : vous devez encore soulever la roue, vous pincer méchamment les doigts et jurer comme un charretier. Rangez les outils poisseux, remettez les caches en plastique sur les écrous ainsi que l'enjoliveur.

17   Jetez les gants dans le coffre et enlevez la vaseline de vos mains avec des lingettes désinfectantes. Tout devrait être parfait et sans ongle cassé. D'accord, votre coiffure ne ressemble plus à rien, votre robe, n'en parlons pas, et vous êtes pleine de cambouis. Mais vos ongles sont intacts.

18   Faites changer le pneu dès que possible.

❋ *Giovanni Battista Pirelli fonda Pirelli & Co à Milan, en 1872.* ❋

Comment
Faire sortir une araignée de votre baignoire

L'année dernière, par un beau jour ensoleillé de mars, quand les corbeaux commençaient à croasser dans les magnolias, j'ai reçu un mail – jadis c'eût été une lettre – de quelqu'un qui s'appelle ma.dujardin. C'est un nom que j'ai immédiatement reconnu comme celui d'une ancienne camarade de classe dont je n'avais plus entendu parler depuis une éternité – au moins 20 ans. Le père de cette Marie avait commencé comme larbin dans le petit magasin d'un serrurier et était monté en grade au point de transformer la boutique en une multinationale spécialisée dans la sécurité, qui vaut maintenant son pesant d'or et dont il est le président. C'était l'époque où les gens ne changeaient pas continuellement de boulot, d'école, de maison, de pays, de mari et de coupe de cheveux. Une époque où commencer au bas de l'échelle pour gravir tous les échelons était la meilleure façon de faire.

Bon, enfin je me rappelais de Marie comme d'une beauté svelte, pétillante, mince et élancée, qui voulait devenir actrice. Nous étions convenues de nous retrouver à la gare du Nord, et quelle surprise ! C'était maintenant une femme énorme, bien loin de la sylphide de mon souvenir. Ses horribles orteils palmés étaient emmaillotés dans des chaussons en feutre, ses jambes boudinées et jaunâtres telles des saucisses en disaient long sur une vie gâchée par la maladie et les défaites. Elle me salua d'un « comment vas-tu yod poil ». C'est probablement l'expression la plus dénuée de sens et la plus insupportable que je connaisse. Elle avait changé.

La seule raison que j'aie de vous raconter tous ces détails sur Marie, c'est qu'elle était à l'époque une des rares filles capables de se débarrasser sans vergogne des énormes araignées marron, horribles, aux pattes velues, qui rôdaient dans les douches de l'internat. Voici quelques méthodes.

* *Utiliser la violence* : servez-vous d'une raquette de tennis, d'une serviette ou de tout autre objet (sauf peut-être une bouteille en verre) pour filer un coup ou écraser cette chose définitivement.

* *Demander à un homme* : si un beau gars se trouve dans les parages, demandez-lui de s'en charger pour vous. Le problème, c'est que les hommes semblent avoir autant les chocottes que les femmes. Vous pouvez tenter votre chance, mais rien n'est gagné. Il vaut mieux considérer les méthodes suivantes.

* *Les gadgets* : il existe des attrape-araignées dans le commerce. Mais n'allez pas jeter les captives dans un lavabo, elles se déssècheraient et remonteraient à la surface en un rien de temps.

* *Les sprays* : utilisez des insecticides en aérosols. Si vous n'en avez pas, servez-vous de votre laque qui bloquera leurs pattes et ainsi elles ne pourront pas escalader la chaîne.

* *Le gant de toilette* : écrasez la bête. Si vous avez peur de vous approcher, jetez-lui le gant de toilette à la figure pour l'assommer et finissez-la au gant de crin ou au luffa.

❀ *Le luffa, ou loofah est un concombre exotique séché, et non pas une sorte d'éponge.* ❀

Comment
Gérer un parapluie
pris dans le vent

Tenir un parapluie dans le vent est aussi dangereux de nos jours qu'au XIXᵉ siècle, même si l'instrument actuel est différent. Quand j'étais petite, les parapluies étaient de jolis objets très agréables à utiliser ; bon d'accord, contrairement à ceux d'aujourd'hui, vous ne pouviez pas compter sur un petit signal de rappel quand vous les oubliiez dans le train. Mon grand-père achetait les siens chez un fournisseur près du Louvre, ils étaient élégants et pointus, avec une poignée jaune qui ressemblait aux doigts noueux d'un sorcier plein d'arthrite. L'équivalent moderne est un article pliable en plastique qui ne résiste pas à plus de deux orages.

Ouvrir un parapluie quand il y a du vent exige de grandes qualités. Si vous ne faites pas attention, vous risquez d'éborgner quelqu'un avec ces petits bidules ronds qui se trouvent aux extrémités des baleines. Effrayés, les gens s'écartent souvent en faisant des bonds, ils rentrent parfois dans d'autres passants ou sautent dans la rue, ce qui provoque accrochages et accidents. Mais vous ne pourrez vous inquiéter à leur sujet, parce que vous, vous aurez les mains pleines, vous vous battrez contre une sorte de croix, hybride entre le cygne noir et le cerf-volant. Voici quelques trucs.

Instructions

1   Tout d'abord, ouvrez toujours le parapluie le vent face à vous. Si le vent souffle dans votre dos, il s'engouffrera dans le parapluie et le retournera en faisant un grand wouffff ! Non seulement c'est un mauvais début, mais en plus vous aurez vraiment l'air ridicule.

2   Quand il est ouvert, maintenez le parapluie face au vent. En cas de grand vent, vous devrez le pousser en avant comme un bouclier, son axe « parapluiaire » proche de l'horizontal. Vous serez alors totalement aveugle et vous rentrerez dans les gens avec votre bout pointu (si en effet il est pointu). Le pire, c'est quand deux personnes aveuglées par leurs pépins réciproques se rencontrent alors qu'elles marchent face à face. Tirons le rideau sur cette scène.

3   Un changement soudain du sens du vent pourra vous surprendre. Une dame que je connais fut un jour soulevée et balancée contre un mur, alors qu'elle s'accrochait désespérément à ce qui était devenu, en quelque sorte, un parachute ascensionnel. Si le vent vous tourne brusquement le dos, jetez simplement votre parapluie dans le caniveau. *Mieux vaut prévenir que guérir.*

4 Après une averse, ne restez jamais là avec votre parapluie ouvert et dégoulinant. Un jour, j'ai vu un comique balancer des balles de ping-pong et des pelotes de laine sur le pépin ouvert d'une dame à un arrêt de bus, pour ensuite y jeter une allumette enflammée. En voyant la fumée, elle a secoué le parapluie dans tous les sens et a ainsi alimenté suffisamment le feu pour en incendier la toile. C'était un sacré numéro, je peux vous le dire.

5 Si tout ce que je viens de vous raconter vous paraît fastidieux, allez vous acheter un de ces chapeaux de pluie transparents, repliables, que l'on attache sous le cou avec une petite ficelle. Ça vous vieillira, mais ce sera plus facile.

❁ *Il existe environ 80 espèces de baleines dans le monde.* ❁

Comment
Rencontrer la nouvelle copine de votre ex

Je me souviens avoir assisté au mariage d'un des mes ex-jules et m'être retrouvée assise à la table de quelques-unes des ses anciennes petites amies. Je dis « quelques-unes », mais en fait nous étions 11 et nous occupions, à nous seules, deux grandes tables. Nous étions sacrément animées, nous riions comme des folles, essentiellement excitées par les petites histoires que nous échangions sur, comment vous dire, les petites manies de ce charmant jeune homme. Oui, c'est ça. Nous étions un peu désolées pour la mariée ce jour-là, en partie à cause du nombre important d'ex à qui elle avait dû être présentée, et surtout parce que nous savions toutes ce à quoi la pauvre fille devait s'attendre.

Rencontrer la nouvelle conquête de votre ex est une chose particulièrement bizarre et une occasion souvent tendue. Sera-t-elle plus jolie, plus intelligente, d'une meilleure lignée, plus charmante, plus sexy – avec des formes beaucoup plus généreuses ? Aura-t-elle les trois choses les plus notoirement importantes chez une fille : la naissance, l'intelligence et la beauté ? En gros, est-elle à la fois une princesse nordique, top model et neurochirurgien ? Secrètement, bien sûr, vous espérez qu'elle n'ait pas d'esprit, qu'elle soit mal dégrossie, avec des mouches qui tournent autour de sa bouche édentée et qu'elle porte un anorak avec une jupe-culotte. Malheureusement, c'est généralement une fille sympa avec beaucoup de charme et d'intelligence. On n'en attendait d'ailleurs pas moins. Après tout, votre ex a bon goût, c'est pour cela qu'il vous avait choisie. Tout cela ne vous empêche pas de vous comparer continuellement, en votre défaveur bien sûr. De toute façon, c'est le moment d'envisager le pire. Préparez-vous à cette éventualité en espérant de meilleurs jours et prenez ce qui vient. Voici quelques conseils.

* Commencez toujours avec grâce et élégance (gardez vos munitions, juste au cas où).
* Quand vous la rencontrez, faites en sorte que cela soit sur votre terrain. Si cela est possible, soyez accompagnée par votre nouveau conjoint (ou louez les services d'un *escort-boy*).
* C'est parfois mieux si votre nouveau chéri ne sait pas que cet homme est votre ex. La subtilité, ici, est de faire en sorte que votre ancienne flamme et sa nouvelle copine se sentent insignifiants quand vous les présenterez à votre homme, nonchalamment, en les accablant de quelques louanges tout en écorchant le nom de la nouvelle et en oubliant quelques détails dans la foulée.
* N'ayez jamais l'air trop apprêtée, mais faites en sorte d'avoir les cheveux en place, d'être jolie et de paraître plus grande que vous ne l'êtes. (Voyez le chapitre *Comment descendre un escalier avec des talons aiguilles* p. 91)

Si vous éprouvez du ressentiment :

* Venez avec un sac en plastique crasseux (transparent) contenant d'horribles clichés téléchargés sur des sites pornographiques, représentant de vieilles grand-mères et des animaux, ajoutez quelques sous-vêtements pouilleux, une perruque bon marché, un uniforme de scout, quelques mouchoirs sales et un vieux magazine. Et lancez-lui : « Au fait, tu as laissé quelques affaires chez moi. »

* Ensuite, envoyez vos amis très gays le saluer d'un « mais où étais-tu donc passée, vilaine fille, on t'a cherchée toute la nuit ! »

* Si la première rencontre se révèle particulièrement pénible, arrangez-vous pour que la deuxième se passe à l'arrière d'un avion, quelques secondes avant son premier saut en parachute. Munissez-vous d'une paire de ciseaux.

❈ *Le mot « anorak » est d'origine inuit.* ❈

Comment
Faire ses bagages pour les vacances sans partir avec plus de cinq grosses valises

Avez-vous déjà remarqué que les hommes et les femmes sont différents ? C'est ce que je pense aussi. Mon frère Tom me soutient que s'il devait partir pour rejoindre une secte dans l'Himalaya récusant les orgies continuelles, le cannibalisme et l'euthanasie *accidentelle*, la première chose que je lui demanderais, comme la plupart des femmes, serait : « Ah bon, tu y vas avec qui ? ». Il a tort, car s'il devait vraiment envisager de rejoindre une secte, ma première question serait certainement : « Tu n'emmènes *que ça comme bagages* ? » Un jour, les autorités douanières de Minneapolis l'ont interrogé en long, en large et en travers, car ils ne voulaient pas croire que sa petite sacoche en bandoulière pouvait contenir *tout ce dont il avait besoin* pour un séjour de trois mois aux États-Unis. Chaque fois qu'il part en vacances, il soutient – comme la plupart des hommes – qu'un pantalon et trois ou quatre T-shirts suffisent pour deux semaines, et qu'en cas d'urgence, il peut réussir à survivre *avec juste une seule tenue*, grâce à sa technique « douche-radiateur » (ne me demandez pas de quoi il s'agit). Contrairement à lui, j'aime à préparer suffisamment de valises pour prévoir toutes les éventualités, et comme la plupart des femmes, je me souviens de tous les ensembles que j'ai portés pendant les vacances des deux dernières décennies. Mon frère, lui, ne se souvient de ce qu'il portait la veille qu'après avoir jeté un œil sur le tapis près de son lit. De toute façon, les compagnies aériennes surtaxent de plus en plus les excédents de bagages, voici donc quelques méthodes pour vous éviter de payer un supplément.

* Prenez deux fois plus d'argent que prévu et emmenez deux fois moins d'affaires. Achetez tout ce dont vous avez besoin sur place.
* Souvenez-vous, moins vous en emportez, plus vous en ramenez. Pensez à tous ces magasins géniaux.
* N'emportez pas des litres de shampoing, de démêlant, de parfum et que sais-je encore. Il est rare qu'il n'y ait pas sur place un endroit qui vende des produits cosmétiques.
* Arrivée à destination, achetez les cadeaux pour vos hôtes. Des mugs de toute sorte, des T-shirts et des choses diverses peuvent être label-lisés à la dernière minute si vous ajoutez des détails comme « Made in Paris » avec un feutre de couleur indélébile.
* N'allez pas faire de la randonnée, ni du ski ni un trek dans la jungle ou au pôle Nord, parce que vous aurez toujours besoin d'un tas de matériel encombrant. À la place, fixez votre choix sur une station balnéaire ensoleillée où vous ne mettrez que des Bikini et des tongs. Vous voyez ce que je veux dire.
* Les camping-cars sont en quelque sorte des valises sur roues. À moins que vous ne soyez baba cool, évitez ceux avec des fleurs et des arcs-en-ciel peints sur la carrosserie. Vous aurez l'air stupide quand vous essaierez de vous en extraire avec vos talons aiguille et votre collier de perle. Ce genre de véhicule ne convient pas non plus pour un séjour à Venise.
* Proposez à votre chéri de mettre ses affaires avec les vôtres, et au dernier moment oubliez de le faire. Utilisez la place ainsi libérée pour votre propre barda.
* Rapetissez vos vêtements sous vide avec un de ces sacs spéciaux dont on aspire l'air. Vous pouvez toujours essayer avec des sacs poubelle…

❀ *Le savon d'Alep s'utilise pour la peau, les cheveux et le linge.* ❀

Comment
Lire une carte au cours d'un trajet en voiture

Il existe un stéréotype tenace selon lequel les hommes savent mieux lire une carte que les femmes – eh bien, en fait c'est vrai. Nous, les femmes, nous avons tendance à utiliser des repères pour naviguer, alors que les hommes préfèrent utiliser les bons vieux points cardinaux – nord, sud, est et ouest – pour se diriger. Ils ont d'ailleurs aussi tendance à penser en termes d'unités de distance.

Une femme typique décrira un trajet de cette manière : « Va jusqu'au nouveau salon de coiffure où travaille Valérie, mais si, tu sais, c'est cette femme avec le drôle de chien, ensuite tourne à gauche à côté de la fontaine du Souvenir – on se demande bien pourquoi ils ne nettoient jamais les immondices que les gens y balancent sans cesse ; tu verras alors un gros container en métal, soit pour de l'eau soit pour du gaz, de toute façon c'est un truc qui se trouve près de l'endroit où la mère de Christèle, qui a un pied-bot, a eu son accident ; ensuite, passe devant l'endroit où les lierres ont poussé comme des malades l'an dernier et fais le tour d'un grand rond-point, sors là au moment où tu verras un joli petit hôtel avec des petites tables de jardin sur la pelouse, la maison de Grand-mère se trouve juste à la fin de l'impasse, à côté d'une maison avec un grand escalier en granit rose et un gnome qui montre ses fesses. » Les hommes, eux, auront généralement tendance à dire quelque chose du genre : « Va au bout de la rue, tourne à gauche. Après 4 minutes il y a un virage à 48° qui te conduira vers le nord sur 700 m. L'impasse des Bleuets est la deuxième sortie à droite, à 11 heures sur le rond-point. »

Il est intéressant de noter que, d'après une étude sérieuse, les gays emploient aussi bien les techniques de navigation des femmes que celles des hommes, alors que les lesbiennes, elles, lisent les cartes comme toutes les autres. C'est à dire… avec le talent que l'on prête à la gent féminine. Quant à moi, je préfère positionner la carte dans la direction que je prends, en la faisant tourner à mesure que je me déplace, ce qui me paraît tout à fait sensé (un peu compliqué dans un ascenseur, il est vrai). En tout cas, voici quelques conseils pour vous aider la prochaine fois que vous devrez guider le conducteur de la voiture.

* *Pensez comme un homme* : soyez directe et gentille. Donnez des chiffres, des heures et des points cardinaux.
* *Apprenez les symboles* : c'est un peu embêtant si le chauffeur et les passagers se rendent compte que la navigatrice suit gentiment la Seine depuis une demi-heure, alors qu'elle pensait que c'était l'autoroute A1.
* *Utilisez une carte à jour* : toutes les tentatives de navigation peuvent tomber à l'eau en raison d'une nouvelle restructuration routière.
* *Les raccourcis* : ceux-là sont destinés aux gens qui connaissent déjà la route. Sinon, ils ont tendance à rallonger le trajet d'à peu près 20 %.
* *Le livre des Lignes Ley* : ces anciens tracés, supposés être des lignes de force ne vous mèneront pas plus à destination que si vous vous mettiez à la divination aquatique. Les cartes d'état-major de l'IGN sont sûrement très ennuyeuses mais elles ont le mérite d'être claires.
* *La navigation par satellite* : pourquoi ne pas vous faciliter la vie (et celle des autres) en investissant dans l'achat d'un GPS ? Vous pourrez ainsi admirer le paysage ou piquer un somme.

❀ *À Paris, les distances sont mesurées à partir du parvis de Notre-Dame.* ❀

Comment
Rejointoyer un mur

Quand j'étais petite, ma mère me rappelait de dire merci et au revoir, de toujours prendre la plus petite part de gâteau et de ne jamais tirer la langue aux passants. Elle me disait aussi que ce n'était pas poli de montrer du doigt. Bien sûr, elle ne me parlait jamais de refaire les joints des murs en brique d'un bâtiment, acte malpoli s'il en est, quand il est réalisé par des gros maçons dont on voit dépasser la raie des fesses.

Vous envisagez de réhabiliter votre loft et vous voulez le faire faire par des professionnels, soit, mais rien ne vous empêche de rejointoyer un mur vous-même. N'allez pas croire que votre *contribution* égalera les efforts de Michel-Ange, votre première tentative pourra même avoir l'air bancal. Entraînez-vous donc sur un mur, un peu à l'écart, au fond du jardin ou sur celui d'un voisin que vous détestez, avant de vous attaquer à la façade du château de Chantilly.

Jointoyer les murs est un exercice qui vaut aussi bien pour redonner un coup de jeune à un bâtiment décrépi que pour le protéger des intempéries. Par exemple, si vous avez remarqué des infiltrations d'eau dans votre boudoir, et que les jointures s'effritent à certains endroits, il sera toujours temps de sortir votre truelle.

Allons, voici comment rejointoyer un mur.

Fig. B

Fig. A

CE QU'IL VOUS FAUT

* *Un marteau et un burin*
* *Un arrosoir*
* *Du sable et du ciment*
* *Un ciseau à déjointer*
* *Une auge (sans les vaches)*

INSTRUCTIONS

1   Utilisez le burin pour ôter le vieux mortier, enlevez au moins 2,5 cm d'épaisseur. Vous verrez, c'est super drôle, mais il vaut mieux mettre des gants de protection. Je sais qu'ils vous donneront l'air ridicule, mais vous ne pouvez pas vous en passer, sinon, attention aux ampoules !

2   Nettoyez les interstices avec une brosse, ensuite humidifiez les joints – l'humidité permettra au mortier de mieux adhérer. Un arrosoir pourra faire l'affaire mais vous devrez peut-être vous tenir debout sur une chaise ou un escabeau, car dans le bâtiment, la gravité empêche l'eau de monter !

3   Préparez le mortier dans l'auge. C'est un simple mélange de sable et de ciment. Faites des expériences pour obtenir différentes combinaisons.

4   Vous pouvez teinter le mortier dans différentes couleurs pour le faire correspondre aux joints existants. Cela peut être sympa, mais pour l'amour de Dieu, faites des essais auparavant, pour éviter de produire accidentellement des atrocités monstrueuses.

5   Vous devez utiliser votre mortier dans les deux heures avant qu'il ne durcisse. Cette réaction chimique ne se produit pas s'il fait trop froid : quand l'eau gèle, vous vous retrouvez avec une gadoue décomposée qui s'effrite.

6   Formez des tas allongés de mortier avec la truelle, à l'intérieur de l'auge (Fig. A).

7   Avec une truelle pointue (ou une pelle à gâteau en cas d'urgence), prenez un peu de mortier de l'un de vos petits tas, remplissez le joint évidé et humide (Fig. B). Les débutantes en mettront partout, protégez votre sol, car le mortier va durcir par terre.

8   Le jointement peut être fini de plusieurs manières. Ce qu'on appelle
      « le fini patiné » créera de petites projections à partir du joint, comme
      une petite gouttière sur un toit, ce qui permettra à l'eau de s'écouler.
      Vous pouvez obtenir cet effet en faisant glisser la truelle sur le côté.
      Si vous souhaitez un joint concave, faites passer un morceau de tuyau
      le long du mortier humide. Ou vous pouvez aussi le frotter à ras, ce
      qui convient particulièrement si les joints sont serrés.

9   N'essayez pas de vous atteler à de grands projets comme la rénova-
      tion du Louvre ou de la grande pyramide de Khéops, avant de vous
      être bien entraînée.

❀ *Le Louvre est riche d'environ 300 000 pièces,*
dont 35 000 seulement sont exposées. ❀

Comprendre
Les règles du hors-jeu

*A*u football, les règles du hors-jeu sont encore très mal assimilées.
Même les mecs ne savent pas trop ce qu'il en est quand vous
les taclez sur le sujet (vous pourrez noter que j'ai réussi un jeu de mot
footballistique digne de Jean-Michel Larqué). De toute façon, je suis
allée fouiller dans les tréfonds de la Bibliothèque François-Mitterrand,
à la recherche du fin mot de ce mystère et j'ai finalement réalisé qu'il n'y
a pratiquement rien d'écrit sur le sujet.

Pour vérifier, j'ai montré mes notes à quelques hommes que je connais,
comme mon oncle Gérard et mon oncle Marcel. Mon oncle Gérard m'a
répondu que ce qui l'intéressait au foot, c'était surtout l'« esthétique »,
alors qu'oncle Marcel s'est empêtré dans une explication si sibylline
qu'elle n'a fait que révéler son ignorance en la matière.

Cependant, maintenant que j'ai étudié cette affaire sous toutes les
coutures, je me sens suffisamment compétente pour affirmer que je sais
de quoi je parle – un peu comme ces spécialistes de la spécialité, qui vous
expliquent comment utiliser votre aspirateur.

La règle du hors-jeu a été introduite pour empêcher les joueurs de traîner dans la surface des adversaires, à attendre que le ballon atterrisse sous leurs pieds. La quintessence de cette règle réside dans le fait que les attaquants ne doivent pas faire passer le ballon à un coéquipier qui se trouverait plus près de la ligne de but adverse que les adversaires eux-mêmes – excepté le goal.

Joueur hors-jeu

TROIS SUBTILITÉS

1   Vous n'êtes pas hors-jeu si vous vous trouvez à la même hauteur que l'avant-dernier adversaire.

2   Vous ne pouvez pas être hors-jeu si vous êtes dans votre propre moitié de terrain.

3   Vous n'êtes pas hors-jeu quand vous recevez le ballon directement sur un corner, sur une rentrée de touche ou sur un coup de pied du goal.

Et voilà, emballé c'est pesé. La prochaine fois que vous vous disputerez à ce sujet, vous pourrez ressortir ces arguments d'experte. Mais n'attendez pas un homme vous remercie pour ces explications.

❀ *« Je n'ai jamais vu Pelé jouer en vrai, puisque visiblement je n'étais pas né. »*
David Beckham ❀

VI

Hue, dada !

Super sports, hobbies et autres passe-temps pour les filles

J'essaie de me concentrer sur ma concentration.
MARTINA NAVRATILOVA

Comment
Faire la roue

J'étais une grande acrobate dans ma jeunesse et j'ai toujours adoré faire la roue. Je me souviens l'avoir fait une fois dans un bar pour fêter mon bac, et j'ai accidentellement arraché la cigarette qu'un vieil homme avec un chapeau avait à la bouche. Il m'a lancé un regard qui m'a fait regretter d'être née. De fait, l'intérieur n'est peut-être pas le meilleur endroit pour faire la roue et les instructions que vous trouverez ici ne sont valables qu'en extérieur. Vous devrez porter un jean. Non seulement les jupes volantes gâcheraient tout effet esthétique – et vous aveugleraient en vous recouvrant le visage – mais on pourrait en plus vous poursuivre pour attentat à la pudeur.

INSTRUCTIONS
1   Videz vos poches de votre gloss, vos chewing-gums, etc.
2   Soulevez les bras à 10 heures et 2 heures, comme si vous vouliez applaudir dans un concert.
3   Avancez légèrement la jambe gauche, pliez un peu le genou.
4   Vous pouvez faire la roue à gauche (main gauche d'abord) ou à droite (main droite d'abord), c'est vous qui décidez.
5   Disons que vous partez par la gauche, pliez la hanche pour atteindre le sol avec votre main gauche et balancez votre jambe droite dans les airs, bien au-dessus de votre tête.
6   Faites suivre la main droite rapidement. Alors qu'elle touche le sol, votre jambe gauche devrait déjà être en l'air. La vitesse et l'inertie apportent à la roue sa stabilité, donc plus vous serez lente, plus vous serez instable. Un bon jeté de jambes est nécessaire pour vous lancer.
7   Au milieu de la roue, vous vous trouverez peut-être à quatre pattes mais en équilibre sur vos mains. Si vous avez déjà essayé de faire le poirier, vous aurez constaté qu'il est très difficile de se maintenir en l'air avec les jambes pointées vers le ciel. Mais c'est plus

facile quand on fait la roue. Avec un peu d'entraînement, un peu de vitesse, et *assez d'espace*, vos jambes devraient s'envoler.

8 Atterrissez d'abord avec la jambe droite, puis la gauche, et terminez dans la position initiale, mais cette fois avec la jambe droite devant.

Position de départ
et de fin

9 Bien faire la roue demande de la vitesse et du rythme. C'est comme les ailes des moulins à vent de Don Quichotte : pensez main, main, pied, pied, tout au long du mouvement, déplacez-vous sur une ligne droite comme si vous faisiez la roue sur un mur. Essayez de maintenir votre corps bien droit. La plupart des débutantes font pencher leur roue, mais avec de l'entraînement tout rentre dans l'ordre.

10 Pas la peine de vous précipiter, mais ne soyez pas hésitante non plus : vous devez vraiment *vous lancer.*

❀ *La galaxie de la Roue du Chariot se trouve*
à 500 millions d'années lumière de la Terre. ❀

Le curling pour débutantes

S i vous êtes déjà allée battre la campagne anglaise avec un gentleman au cœur de l'hiver, vous avez dû croiser de drôles de personnages complètement cassés en deux, un balai à la main. Vous vous êtes alors dit que ces Anglais poussent vraiment les limites du civisme jusqu'au ridicule. On aime la propreté, mais quand même pas au point d'organiser tous les week-ends des rassemblements de quartier pour balayer les patinoires. Enfin, tout ça pour vous dire que seul un amant anglais pourra vous initier aux joies du *curling*, un vieux sport très clean. Très utile les nuits d'insomnie, où la seule chose qui reste à la télévision est une retransmission des Jeux olympiques d'hiver.

On commença à y jouer en Écosse au XVIe siècle, époque où les Highlanders en kilt, qui n'avaient rien d'autre à faire, lançaient des cailloux à travers les lochs gelés.

Aujourd'hui, ce sport d'équipe se joue à deux contre deux, à l'intérieur d'un stade, et on se sert d'une pierre polie de 19,96 kg (c'est bien le *poids*) en granit ainsi que de drôles de manches à balai pour jouer sur la glace. Le champ (*la piste*) est marqué par des tracés sur la glace, la surface mesure 42,07 m de longueur et une largeur allant de 4,30 m à 4,75 m. La surface est d'abord préparée, on arrose la glace avec de fines gouttelettes d'eau. En effet, en gelant, ces gouttes deviendront des obstacles (*pebbles*) qui feront dévier la pierre de son trajet.

Le but du jeu est de faire glisser la pierre jusqu'à ce qu'elle s'arrête d'elle-même au bout de la piste, aussi près que possible du centre de la « maison » (un cercle de 3,5 mm de diamètre, voir l'illustration). L'équipe adverse essaie ensuite de tirer sur la pierre de la première équipe, afin d'occuper la « maison » avec sa propre pierre – c'est une sorte de pétanque sur glace, en somme. Les pierres doivent arriver entre la *hogline* (ligne du cochon où vous commencez la partie) et la ligne de fond (derrière les cercles), et entre les appuie-pieds et les lignes médianes (sur les côtés). Les équipes jouent alternativement jusqu'à ce que chacune ait lancé huit pierres, deux par joueur. C'est ainsi que l'on calcule les points. Jusque-là, ça va ?

LES ÉQUIPES

Les noms des joueurs dépendent de l'ordre dans lequel ils ont lancé la pierre. Le *lead* (le meneur) joue généralement en premier, suivi du *second* (deuxième), du *third* (troisième) et enfin du *skip* (capitaine) qui est, comme son nom l'indique, le capitaine de l'équipe. Mais les choses ne se passent pas toujours ainsi, c'est ce qui rend le jeu compliqué.

* Le *lead* : le meneur, lance les deux premières pierres de son équipe et balaie pour les autres.
* Le *second* : le deuxième jette la troisième et la quatrième pierre et balaie aussi pour les autres joueurs.
* Le *third* : le troisième est également adjoint ou suppléant. Il lance la cinquième et la sixième pierre de l'équipe, et généralement, il balaie pour le meneur et le deuxième. Il joue avant le capitaine et tient son balai en guise de cible, que le capitaine doit viser. Le troisième est aussi chargé de comptabiliser les points de son équipe.
* Le *skip* : le capitaine de l'équipe lance les deux dernières pierres, ce qui peut être parfois décisif. Il doit, en fait, être le meilleur joueur de l'équipe. Il tient le balai en indiquant la direction à prendre par les autres joueurs, mais il balaie rarement. Typique !

Bon, pour récapituler : le *lead* lance la première et la deuxième pierre, le *second* la troisième et la quatrième, le *third* la cinquième et la sixième et le *skip* la dernière. J'espère que c'est clair.

L'ÉQUIPEMENT

* *Les pierres* : des articles particuliers que vous ne trouverez pas à la Fnac. Utilisez un fer à repasser en cas d'urgence.
* *Les balais* : le poil de cochon est plus agréable, mais les matières synthétiques sont préférables, parce qu'elles n'imprègnent pas la glace.
* *Les chaussures* : une chaussure « glissante » à gauche et une chaussure « agrippante » à droite. *Franchement*, je n'invente rien.
* *La tenue* : habillez-vous chaudement, ne mettez pas votre Bikini.

LE JEU

Le match de curling est toujours précédé d'une poignée de main et des salutations d'usage : « Bon curling ! » Tout à fait fair-play, n'est-ce pas ?

1   Tenez-vous debout, la pierre dans la main droite, le poids du corps sur le pied gauche (semelle glissante) et la jambe droite en arrière. Avec le balai tendu vers la gauche, ce qui vous aide à garder l'équilibre, lancez la pierre en la faisant glisser à partir des appuie-pieds, aussi appelés *hacks*.

2   Visez le balai tenu par le *skip*, et quand vous lâchez la pierre faites-la légèrement tourner, ce qui lui donnera une trajectoire courbe. Ce n'est pas pour cette raison que le jeu s'appelle le *curling*[1], le mot vient d'un terme écossais qui signifie « gronder », ce qui vous donne une idée !

3   D'après les indications du *skip*, toutes celles qui ne font rien doivent suivre la pierre sur la glace avec leur balai, pour la faire avancer plus vite, en frottant devant la pierre comme des demeurées. Cela permet de réduire la friction et de la faire aller plus vite, plus loin et plus droit (une sorte d'aquaplaning, si vous voulez).

---

[1] *To curl* veut dire « faire tourner » en anglais (N.d.T).

4   Quand les 16 coups ont été joués, les *thirds*, qui ont compté les points, décident qui gagne et de combien. Chaque pierre qui bat l'adversaire obtient un « bout ». Et cela se termine par un « marteau ». Une partie normale compte huit à dix bouts.

5   On accepte différents bouts : on peut pousser, plier la pierre entre autres, la liste est trop longue. Je me demande bien où ils trouvent le temps de jouer à ça.

En fait, vous pourriez aussi bien siroter un verre devant un vieux film de Doris Day.

❀ *Vous pouvez faire au moins 3,5 km pendant un match à huit* bouts. ❀

Comment
Faire un jeté du bras au cricket

La retentissante Rachel Hayhoe Fint, ancienne capitaine de l'équipe de cricket féminine d'Angleterre, déclara un jour : « Je n'ai rien contre les joueurs de cricket, certains peuvent être assez sympa. » Elle a continué en décrivant le coach de cricket professionnel comme un « homme qui essaie de lui faire serrer les jambes, alors que d'autres hommes ont tenté toute sa vie de les lui écarter ». Cela prouve, à mon avis, que cette femme est la première dame du monde.

Il n'y a pas, soyons franches, beaucoup de cricketteuses qui ont du succès en Angleterre. Mais si on va par-là, il faut aussi admettre que les hommes ont un peu perdu la main au vu de récents résultats lamentables. J'ai donc pensé qu'un rappel des règles élémentaires des techniques du jeté de bras serait utile pour nos lectrices – il va de soi qu'il faut se servir d'une vraie balle de cricket. On ne peut réussir qu'un certain nombre de jetés du bras, et une balle de tennis donnera seulement un air faiblard à toute cette affaire.

Quand j'ai montré ce chapitre à mon frère Tom, il m'a dit : « Il ne s'agit pas de "jeter" » mais de "lancer" ! » J'ai dû lui expliquer que la plupart des filles auraient assez de mal à comprendre l'action de « jeter » et qu'il ne fallait pas les décourager en les aveuglant avec des termes scientifiques. D'où le titre du chapitre. Comme souvent dans ce livre, les indications sont destinées à des droitières. Si vous êtes gauchère, vous n'avez qu'à les inverser. En tous cas, voici ce qu'il en est.

CE QU'IL VOUS FAUT
* *Une vraie bonne balle de cricket*
* *Des vêtements blancs, même le pantalon*
* *Quelques bouts de bois (les stumps sont des piquets verticaux cylindriques)*
* *Quelqu'un vers qui jeter la balle*

INSTRUCTIONS

1   Placez-vous de côté, en face de votre cible (la femme en face avec une batte de cricket qui se trouve entre les bouts de bois), votre côté gauche doit faire face à la direction dans laquelle vous allez lancer la balle. (Ou du moins dans la direction où vous *espérez* lancer la balle.) J'omets volontairement le *runs* (point marqué par l'équipe à la batte). Allez, soyons réalistes.

2   Tenez la balle dans votre main droite. C'est la partie la plus facile.

3   Frottez-la contre votre pantalon. C'est surtout pour se donner un air de pro, même si d'après mon frère le frottement de la balle va affecter sa trajectoire dans l'espace – mais ne vous posez pas trop de questions pour le moment.

4   Mettez la balle près du côté droit de votre mâchoire, sans trop vous presser. C'est une position préparatoire.

5   Utilisez votre bras gauche étendu pour viser votre cible (le plus souvent il s'agit des bouts de bois ou de la batte).

6   Penchez-vous en arrière sur la jambe droite et laissez tomber votre bras droit vers votre postérieur.

7   Maintenant, déplacez le poids de votre corps en avant sur la jambe gauche, en étirant le bras droit vers le haut, des fesses vers les oreilles, comme le mouvement des ailes d'un moulin.

8   Vos épaules vont se tourner – la gauche vers l'arrière, la droite vers l'avant, et quand votre main droite sera à 12 heures, vous devrez casser votre poignet vers l'avant en relâchant la balle.

9   Avancez votre main tout en l'abaissant dans l'enchaînement.

10 Allez boire une tasse de thé.

Au début de votre entraînement, vous constaterez que votre balle va où elle n'est pas censée aller. La femme à la batte supposée recevoir vos lancers peut vouloir porter un casque, des protections ou une « boîte à cricketteurs » ou ce que Rachel Hayhoe Flint appellait « le cache-homme ».

❋ *Le cricket est le deuxième sport préféré dans le monde (après le football).* ❋

Comment
Descendre d'un télésiège

*A*u cas-où vous auriez oublié à quoi ressemble un télésiège, c'est une sorte de banc qui repose sur une sorte d'arceau attaché à une sorte de bidule qui glisse doucement en l'air, ce genre de chose, quoi. Sa fonction est de vous emmener, sans effort de votre part, en haut des pistes – le ski alpin étant un passe-temps ingrat. Monter sur un de ces gros machins est déjà pénible, mais alors en descendre peut constituer une entreprise particulièrement stressante – surtout la première fois. Si vous ne sautez pas à temps pour vous extraire de cette machine, elle peut vous ramener tout en bas de la montagne ; ne rigolez pas, c'est déjà arrivé, je l'ai vu de mes yeux. Allons, prenez votre courage à deux mains et accrochez-vous à votre élastique ; voici comment faire.

Instructions

1   Afin de vous préparer au débarquement, mettez votre bonnet, vos gants et vos lunettes, rangez ensuite tout ce qui peut traîner dans vos poches : baume à lèvres, porte-monnaie, lunettes de vue, flasque de schnaps.

2   Saisissez vos bâtons de ski (un dans chaque main), mais n'enfilez pas les bracelets.

3   Choisissez toujours une place près du bord si vous le pouvez et évitez de vous asseoir près d'un snow-boarder ; il pourrait se prendre les pieds dans vos skis.

4   Placez vos bâtons sous votre jambe extérieure. Soyez polie et pointez les piques vers le coin du siège – à l'écart de la personne qui est assise à côté de vous. Si vous êtes assise entre deux skieurs, serrez-les bien entre vos jambes (les bâtons) et maintenez les bouts à la verticale, vos mains à la hauteur de votre poitrine afin qu'ils ne traînent pas dans un tas de neige en haut de la remontée mécanique.

5   Dirigez les pointes de vos skis délicatement vers le haut pour qu'ils ne se prennent pas dans la neige quand vous vous rapprocherez de l'endroit où vous devrez descendre. Si vous ne le faites pas, vous risquez de vous étaler brusquement et sans autre forme de cérémonie, en tombant comme un tas de queues de billard. Très embarrassant. C'est comme si vous portiez un écriteau dans le dos précisant : « Je n'ai vraiment aucune idée de ce que je fais là. »

6   À l'approche de la zone de débarquement, vérifiez si vous ne voyez pas des choses traîner, comme des sacs, des saints-bernards et autres éléments du télésiège. Ne soyez pas toute coincée et terrifiée ; ne redressez pas vos jambes, ou vous les briserez net comme des baguettes à l'arrivée. Relâchez-les et préparez-vous à une petite poussée délicate.

7   Quand votre siège a dépassé le tertre, levez-vous et poussez doucement. Ne poussez pas trop fort, car le siège va tourner et est à même de se balancer dans n'importe quel sens, difficile à prévoir.

8   Soyez avertie que c'est le moment que des gens choisiront pour marcher sur vos skis, donc restez en alerte ou vous risquez de tomber une fois de plus.

9   Ne vous arrêtez pas devant les remontées. Glissez vers une zone de sécurité, de la manière la moins précipitée et la moins humiliante possible.

10   Réjouissez-vous de cette délivrance et avalez un peu de schnaps.

❋ *Un flocon de 40 cm de large est tombé dans le Montana en janvier 1887.* ❋

Le monde du cheval I
Comment distinguer les parties d'un cheval

Quand on doit identifier les parties d'un cheval, je suppose que l'on arrive toutes à reconnaître la tête, les oreilles, les sabots et la queue. Mais comment s'appelle cette partie le long de la crinière ? Et où se trouve le garrot ? Et qu'est-ce que le grasset ? Eh bien, jetons un œil au « schéma chevalin » ci-dessous qui fera de vous une experte en la matière.

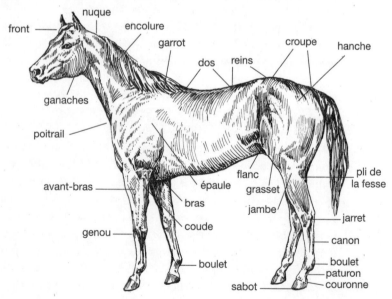

❋ *Les chevaux camarguais naissent noirs et deviennent blancs à l'âge adulte.* ❋

Le monde du cheval II
Comment panser un cheval

*P*etites, nous avons toutes eu notre période « cheval ». Moi, j'avais des posters de poneys accrochés aux murs de ma chambre, mais je les ai enlevés quand j'ai commencé à m'intéresser davantage aux garçons d'écurie, après m'être fait traîner par les cheveux par un hongre tout en dents. J'en connais, des filles, qui ne sont jamais sorties de cette phase « cheval ».

Panser un cheval est cependant une activité que vous pouvez faire, même si vous ne tenez pas en selle plus de 10 secondes. C'est un bon exercice d'isométrie et de spiritualité, pour le cheval et pour vous-même. Voici un guide pour retenir l'essentiel.

CE QU'IL VOUS FAUT
* *Une étrille : une brosse ovale avec des dents en plastique*
* *Un bouchon : une brosse à poil dur*
* *Une brosse de lustrage : une brosse à poil doux*
* *Une brosse à crinière en plastique (c'est la brosse qui est en plastique, pas la crinière, les chevaux ne portent pas de perruque)*
* *Une serviette ou un torchon*

INSTRUCTIONS
1 Tout d'abord, attachez bien votre cheval, ensuite pansez-le en partant de l'échine vers la queue, occupez-vous alternativement des flancs à tribord (droit) et à bâbord (gauche).
2 Commencez avec l'étrille en faisant des mouvements circulaires pour décoller et remonter à la surface la poussière et la saleté qui se sont incrustées dans les poils. Ce faisant, l'étrille activera le sébum naturel, donnant ainsi un aspect lustré à la robe de votre cheval. Faites attention toutefois aux parties osseuses – le dos et les épaules en particulier, et n'utilisez pas l'étrille sur les pattes. Ne brossez pas non plus sa tête ; c'est beaucoup trop dur et vous risqueriez de le blesser au niveau des yeux.

3   Quand vous en avez terminé avec l'étrille, utilisez le bouchon pour enlever la poussière que vous avez soulevée, elle s'échappera alors en petits nuages. C'est un peu comme passer le balai, par petits coups.

4   Quand vous avez bien pansé et épousseté votre cheval avec le bouchon, lissez son poil avec la brosse de lustrage et ôtez les dernières traces de boue et de poussière. Le passage de la brosse à lustrer est assez différent de celui du bouchon. Caressez-le de haut en bas dans le sens du poil. Cela devrait produire un brillant éclatant.

5   Maintenant, passez délicatement le peigne dans la crinière du cheval. Comme la queue, la crinière peut être très délicate, il est donc préférable d'utiliser une brosse en plastique. Si vous voulez tresser la crinière, reportez-vous au chapitre ci-contre pour des instructions complètes.

6   Utilisez le bouchon pour la queue. Faites cependant attention, car les crins de la queue peuvent se casser facilement. Ne brossez pas trop vigoureusement et n'utilisez pas de peigne.

7   Enfin, utilisez une simple serviette ou un torchon pour essuyer la robe du cheval. Cela lui donnera un lustre chatoyant. Mon oncle Gérard terminait toujours avec une lotion pour faire ressortir la brillance du poil. Mais il l'astiquait tellement que ça devenait dangereux de monter à cheval : il glissait sans cesse de sa monture comme un pingouin sur sa banquise.

❈ *La crinière la plus longue que l'on connaisse mesurait 5 m de long.*
Elle avait poussé sur une jument appelée Maude. ❈

Le monde du cheval III
Comment tresser la crinière d'un cheval

Le boulet est la partie de la patte d'un équidé qui se situe entre l'ergot et le sabot. Mais, quand une de mes amies, lors d'une compétition équestre, a parlé du « genou » du cheval, elle s'est vu reprendre par une dame qui lui a demandé pourquoi elle s'était trompée. Mon amie a alors répliqué : « L'ignorance, Madame, l'ignorance. » Une réponse spirituelle et honnête à la fois. Au fait, si comme moi, vous pensiez que l'ergot était une sorte de champignon, eh bien il est temps d'aller consulter l'excellent « schéma chevalin », p. 184, où vous découvrirez toutes les appellations du corps équin.

Pour faire de belles tresses, vous aurez besoin d'une crinière pas trop emmêlée et d'un cheval qui se tienne tranquille. Cela peut devenir une affaire délicate et c'est donc une bonne idée que de porter un Barbour. Si vous n'en avez pas, prenez une bonne vieille robe de chambre matelassée, ainsi vous pourrez avoir vos ciseaux et vos fils à portée de mains dans les poches pendant que vous travaillerez. Si votre cheval a la bougeotte, vous pouvez calmer les choses en passant des aiguilles séparées pour chaque tresse et en les attachant vers l'avant. Faites attention de ne pas casser les crins.

Ce qu'il vous faut
* *Un peigne en plastique pour crinière*
* *Une brosse (un outil spécial canasson)*
* *Une paire de ciseaux à bouts ronds*
* *Des aiguilles à repriser émoussées avec un grand chas*
* *Des fils de coton de la même couleur que la crinière*
* *Un sac d'élastiques*

Instructions
1 Tout d'abord, suivez les instructions de pansage p. 185.
2 À l'aide de vos doigts et d'un peigne à crinière, séparez les crins de la crinière en parties de même taille et attachez-les avec des élastiques.

3 En commençant par le front (voir le schéma du cheval) mouillez chaque partie de cheveux avec la brosse et aplatissez-les. Ces articles ressemblent aux brosses à récurer des nos grands-mères pour frotter les drapeaux, on les trouve maintenant chez les distributeurs d'article pour équidés.

4 Enfilez 50 cm de fil dans le chas de l'aiguille, faites un noeud afin qu'il ne s'échappe pas, ne se perde pas dans la crinière ou ne tombe pas par terre.

5 Commencez par tresser à partir des oreilles (je suppose que vous savez faire des tresses, sinon reportez-vous à la p. 123), faites passer le fil en le serrant bien dans la tresse au fur et à mesure (Fig. A).

6 Allez jusqu'au bout, puis attachez la tresse avec un élastique que vous fixerez par un noeud de demi-clef (bon, allez, vous n'avez qu'à demander à un marin ou aller faire des recherches sur Internet ou je ne sais pas moi, *je ne peux pas tout faire non plus*).

7 Passez l'aiguille à la base de la crinière en repliant la tresse à moitié, et ce deux fois.

8 Repassez l'aiguille à travers la tresse et par la base et cousez la tresse en repassant encore deux fois le fil.

9 Finissez la tresse par la frange qui se trouve sur le front du cheval (Fig. B).

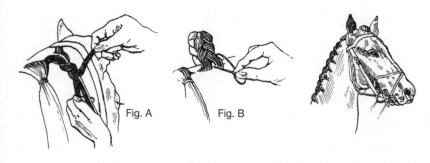

Fig. A   Fig. B

❋ *Louis Henri de Bourbon, prince de Condé, qui croyait à la métempsychose et pensait se réincarner en cheval, se fit construire à Chantilly des écuries dignes de son rang.* ❋

Comment
Faire un jardin en bouteille

Si vous habitez dans un appartement ou si vous avez peu de temps à consacrer à un grand jardin, pourquoi ne pas commencer par un jardin nain dans une bouteille ou dans une dame-jeanne ? Le jardin en bouteille est un monde qui se suffit à lui-même et que vous pouvez cultiver ouvert ou fermé. Contrairement aux variantes ouvertes, le jardin en bouteille scellée retient l'humidité, et requiert généralement davantage de temps et d'attention. Le jardin ouvert est moins exigeant, et souvent ses plantations pousseront, sortiront de la bouteille et pendront élégamment à l'extérieur.

Ouvert ou fermé, le jardin en bouteille peut devenir un passe-temps captivant et apportera un grand soulagement face aux aléas de la vie moderne. Vous devenez alors la reine du monde miniature et il n'y a rien de tel que de s'asseoir, par une belle soirée d'été, et contempler le développement de votre biosphère.

CE QU'IL VOUS FAUT

* *Une bouteille décorative en verre avec un goulot suffisamment large pour laisser passer votre main.*
* *Du terreau ordinaire pour plantes vertes*
* *Un gravier fin ou autre article similaire (demandez conseil au gentil monsieur de la jardinerie).*
* *Quelques plantes miniatures : toute plante décorative fera l'affaire, mais elle ne doit pas trop pousser et doit pouvoir supporter un environnement humide.*
* *Pour les ambitieuses, quelques outils de jardin longs et fins (vous devrez peut-être improviser).*

LE JARDIN OUVERT

Un jardin en bouteille ouverte, contenant des plantes d'intérieur et quelques petits animaux comme des vers de terre, conviendra à celles qui apprécient l'architecture des petits espaces sans le luxe de l'infini temporel.

INSTRUCTIONS

1   Recouvrez le fond de votre bouteille de 5 cm de gravier pour le drainage.

2   De manière régulière, mettez 5 à 7 cm de terreau par-dessus.

3   Introduisez vos plantes naines dans la terre, en les espaçant régulièrement. Même dans une grande bouteille, quatre ou cinq plantes suffisent. Mettez les plus grandes dans le fond ou au milieu, et les petites devant ou sur les côtés.

4   Recouvrez le terreau d'une légère couche de gravier. Cela agit comme un paillis et prévient l'assèchement, tout en donnant un bel aspect aux plantations.

5   Mettez votre bouteille dans un endroit lumineux et arrosez régulièrement. Soyez prudente, toutefois et n'allez pas inonder la terre. L'équivalent d'un grand verre trois fois par semaine devrait suffire selon la température ambiante et la saison.

6   Replantez votre jardin en bouteille deux fois par an pour éradiquer les maladies et faciliter la pousse de vos mini-plantes. Sortez-les délicatement et placez-les dans des petits pots avec de l'engrais. Nettoyez bien la bouteille et réassortissez vos plantes à de nouveaux spécimens. Arrangez la surface gravillonneuse.

Il n'est pas nécessaire de nourrir les plantes de votre jardin en bouteille ; il y a suffisamment de nutriments dans le terreau pour qu'elles vivent bien dans leur récipient.

LE JARDIN FERMÉ

Le jardin fermé convient mieux si vous avez davantage de temps à lui consacrer et que vous vous sentez prête à créer ce qui est, en fait, un écosystème en vase clos. Vous devrez utiliser des plants adéquats et prendre le temps de trouver des animaux qui leur permettront de survivre.

INSTRUCTIONS

La méthode est un peu la même que celle du jardin ouvert. Votre environnement clos nécessite un sol humide, quelques plantes et quelques isopodes terrestres (des vers, des cloportes et d'autres petites créatures segmentées).

Vos plantes doivent être petites et doivent résister à de hauts niveaux d'humidité – les racines pourries sont le problème le plus courant des jardins fermés – elles doivent aussi pousser lentement.

Votre jardin fermé se sentira mieux s'il est situé dans une brise légère, loin de la lumière directe – n'allez pas faire griller Albert le ver et sa copine Cléo la cloporte sous la verrière.

❀ *En japonais,* bonsaï *signifie « plantation sur un plat ».* ❀

Comment
Faire un ange des neiges

*L*es changements climatiques sont vraiment une plaie. Maintenant, on voit des palmiers pousser sur l'Everest, des requins nager en Islande et les écoliers faire des bonshommes de neige avec un peu de pluie.

Mais parfois, enfin de temps en temps, il se remet à neiger. Un seul centimètre de neige peut obliger les écoles et les usines à fermer, stopper les trains et paralyser la moitié nord du pays. Alors, dès qu'il se met à neiger, il est grand temps de vous parer et d'enfiler votre attirail le plus chaud pour faire l'ange des neiges. Comment ça, vous n'avez jamais fait l'ange des neiges ? Enfilez vos mitaines tout de suite et rendez-vous dehors.

On s'allonge sur le dos et on balaie la neige avec les bras et les jambes pour dessiner sur le sol la silhouette et les ailes de ces petits êtres célestes.

INSTRUCTIONS
1   Habillez-vous chaudement, bonnet et gants inclus.
2   Sortez et trouvez un endroit immaculé gelé ou recouvert de poudreuse. La neige fondue ne convient pas vraiment.
3   Laissez-vous tomber doucement en arrière et allongez-vous, les bras sur les côtés. (Vous aurez au préalable vérifié qu'il n'y a ni caillou pointu ni piquet de tente dissimulés sous la neige).
4   Maintenant, faites glisser vos bras vers le haut afin qu'ils touchent

vos oreilles. Ensuite faites-les glisser vers le bas afin qu'ils touchent de nouveau vos flancs. Répétez ce mouvement plusieurs fois ; vous êtes en train de faire les ailes.

5   Ensuite, faites glisser vos jambes aussi loin que possible sur les côtés, et ramenez-les. Vous êtes, là, en train de fabriquer la tenue de l'ange.

6   Voici la partie la plus délicate : relevez-vous sans détruire votre œuvre. Des traces de bottes ou des empreintes de mains un peu partout sur votre fabuleuse représentation de l'ange risquent de gâcher l'esthétisme de votre création. Un bon moyen pour se lever proprement est de tendre les bras en l'air et de demander à un ami de vous soulever.

7   Admirez votre œuvre. Vous ne trouvez pas que cela ressemble à un ange ?

8   Prenez-le en photo avec votre téléphone portable et envoyez-le à tout le monde.

9   Rentrez à la maison pour siroter un verre de vin chaud avec des petits gâteaux.

❀ *Les anges sont présents dans le christianisme, l'islam, le judaïsme et le zoroastrisme.* ❀

Soins animaliers
Comment purger un chat

Quand j'ai commencé à m'intéresser à cette question, j'étais persuadée qu'il était possible de donner un cachet purgatif à un chat sans avoir à traîner la pauvre créature décharnée chez le vétérinaire dans une de ces « magnifiques » caisses de transport en plastique. Au moment où je commençais à rédiger ce livre, je pensais justement accorder un chapitre sur les caisses pour chat, puis je suis tombée sur de vieux documents dans mes archives qui révélaient, en des termes crus, les terribles difficultés que l'on peut rencontrer pour administrer un cachet à son chat. La qualité obsédante de ces instructions me paraissait beaucoup plus vraie que les indications plates sur ma boîte de Purgachat, je les ai donc écrites pour vous, sous le titre ci-dessous qui s'applique *dans la vraie vie*. Que Dieu ait pitié de votre âme.

COMMENT DONNER UN CACHET À UN CHAT DANS UN MONDE IDÉAL
1 Maintenez fermement la tête de votre chat et ouvrez-lui la gueule.
2 Mettez le cachet dans le fond de sa gorge.
3 Maintenez sa gueule fermée et massez-lui la gorge jusqu'à ce qu'il avale le cachet.

SI LE CHAT RECRACHE LE CACHET
1 Planquez le cachet dans un bout de fromage.
2 Donnez au chat le cachet dans du poisson fumé pour dissimuler son horrible goût.
3 Badigeonnez-le de bolognaise ou de sauce à la viande (le cachet, pas le chat).
4 Si le chat lèche la sauce sans manger le cachet, émiettez-le et parsemez-le sur sa nourriture.

COMMENT DONNER UN CACHET À UN CHAT DANS LE MONDE RÉEL
1 Tenez votre chat délicatement recroquevillé sous votre bras gauche,

mettez votre index et votre pouce droit de chaque côté de sa gueule et appuyez gentiment sur ses babines. Mettez le cachet dans la gueule et laissez le chat avaler.

2 Allez récupérer le cachet tombé sous la télé et le chat planqué derrière le canapé. Recommencez l'étape 1.

3 Ramenez le chat du salon et jetez le cachet souillé. Déballez un nouveau cachet de son joli emballage en alu. Tenez le chat sous le bras gauche en maintenant ses pattes arrière fermement de la main gauche. Forcez l'ouverture de la gueule et enfoncez le cachet dans la gorge avec l'index droit. Gardez la gueule fermée en comptant jusqu'à dix.

4 Badigeonnez les morsures avec une crème apaisante, récupérez le cachet sous l'étagère et le chat sous l'armoire. Appelez votre homme qui est dans le jardin. Agenouillez-vous sur le sol, le chat coincé fermement entre vos cuisses. Attrapez les pattes avant et arrière, tout en ignorant les grognements étranges de votre chat. Demandez à votre homme de saisir la tête fermement d'une main et d'enfoncer une règle dans la gueule du chat. Faites rouler le cachet sur la règle dans la gueule et massez la gorge du chat comme quand vous faites du foie gras avec vos oies.

5 Arrachez le chat de vos rideaux en soie, reprenez un autre cachet et rangez vos vases de Chine et autres figurines héritées de votre belle-famille dans une corbeille à papier. Passez vos bras à vif sous l'eau froide.

6 Enveloppez le chat dans une grande serviette de bain, en laissant juste dépasser la tête. Demandez à votre homme de se coucher sur le chat et mettez le cachet sur l'extrémité d'une paille. Obligez le chat à ouvrir la gueule avec un stylo et soufflez dans la paille pour que le cachet pénètre à l'intérieur de la gorge.

7 Vérifiez l'étiquette pour voir si les cachets sont nocifs pour les humains. Faites des gargarismes avec du whisky pour enlever le mauvais goût, tout en épongeant le sang de votre tapis.

8 Retirez le chat de derrière la machine à laver, mettez-le dans un placard et fermez la porte sur le cou du chat, laissez sa tête sortie.

Ouvrez-lui la gueule de force avec une grande cuillère. Introduisez le cachet dans la gorge à l'aide d'un élastique.

9 Appliquez un sac de glace sur la marque en forme d'élastique sur votre joue, et retrouvez le cachet.

10 Appelez les pompiers pour faire descendre le chat de la cime du peuplier.

11 Attachez les pattes avant et les pattes arrière avec de la ficelle, comme un cochon de lait. Ligotez-le aux pieds de la table. Enfilez des gants de jardinier et un casque de moto intégral. Enfoncez le cachet dans sa gueule, suivi de deux gros morceaux de steak. Tenez la tête à la verticale, versez un litre d'eau dans la gueule du chat pour le faire avaler.

12 Ouvrez une bouteille de vodka des familles. Badigeonnez les plaies avec la moitié et buvez le reste.

Pour donner un cachet à un chien : enveloppez le cachet dans un bout de viande.

❋ *Les morsures de chats sont plus rares que les morsures de chiens,*
mais elles propagent plus d'infections. ❋

Comment
Jouer à la marelle

Je me souviens de cette fille à l'école qui s'appelait Gabrielle Oppenheimer, je sais ce n'est pas un nom facile à porter. Parmi nous toutes, c'était celle qui présentait une exposition mammaire des plus importantes et des plus magnifiques pour son âge. À cause des ses initiales (*enfin je pense*), tout le monde la surnommait « G.O. » (*gentille organisatrice*).

En tout cas, le temps passa – comme on dit dans les livres – et elle devint interprète pour le Parlement européen. Puis, un jour, elle percuta un homme dans des escaliers à Strasbourg et elle commença sa carrière d'actrice et metteur en scène dans – comment dire ? – des films *exotiques*.

Elle mériterait un livre à elle toute seule, cette Gabrielle. Le fait est, cependant, qu'elle avait une mémoire incroyable et qu'elle connaissait par cœur un tas de comptines. Quand on jouait à la corde ou à la marelle, elle nous battait toutes.

Moi, je connaissais surtout cette délicieuse comptine de l'ami Pierrot, dont bien plus tard à la fac j'ai compris toutes les subtilités graveleuses. Ah, vraiment, les découvertes de la psychanalyse ! Je vous laisse la relire. Gabrielle, elle, chantait souvent une autre chanson quand elle allait lancer le caillou.

> *Le jeu de la Marelle*
> *Va de la terre jusqu'au ciel,*
> *Entre la chance et le puits*
> *Tu reviens et c'est fini.*
> *Petite, petite fille,*
> *Tu es là pour t'amuser,*
> *Lance bien la pierre,*
> *Prends garde où tu mets tes pieds !*

Aujourd'hui, on sait où elle a mis les pieds, enfin tout ça pour en arriver aux règles de la marelle.

LE JEU

Connu à travers le monde, le jeu de la marelle a été inventé par les Romains sur le Forum, quand les soldats devaient courir, en grande tenue, 30 m dans des parcours d'entraînement en forme de marelle. Le terme marelle vient de l'ancien français *merel, mereau* qui signifie « palet, jeton, petit caillou ». Évidemment. Chez nos amis les Anglais, ça se dit « hopscotch » de hop (sauter) et du français *escocher* qui veut dire « couper ». Les Allemands ne sont pas en reste, ils appellent ça *Tempelhupfen* et *Hinklebaan* dans les régions plus au sud. Ça nous fait une belle jambe !

Chaque joueuse a son propre caillou, ou palet, qui détermine sa position tout au long du jeu. L'idée est de lancer son caillou dans un tableau dessiné sur le sol à la craie, tout en sautant avec les deux pieds ou à cloche-pied. Vous ne devez pas toucher les lignes, ni avec vos pieds, ni avec votre caillou, ni avec vos mains si vous perdez l'équilibre. Le jeu est en réalité un mélange d'échecs, de Twister et de sumo. La gagnante est celle qui a réussi à finir le parcours avant les autres.

LES RÈGLES

1   Dessinez la marelle et le nombre de cases nécessaires – huit plus la Terre et le ciel – avec un morceau de craie. Mon école se trouvait sur une falaise calcaire et on trouvait des morceaux de craie partout par terre. On les utilisait comme jetons et aussi pour dessiner la marelle.

2   Faites plouf-plouf pour décider qui commence.

3   Chaque joueuse se place sur la Terre à tout de rôle pour lancer son caillou dans la première case. En supposant que vous êtes la première à jouer, et si vous avez bien atteint l'intérieur de la case, vous pouvez vous mettre à sautiller. Bon, arrêtons-nous pour quelques explications. La position change selon les cases. Vous devez être en équilibre sur un pied dans les cases simples (cases 1, 2, 3, et 6) mais vous devez poser un pied dans chaque case quand il y en a deux (cases 4-5 et 7-8). Quand vous arrivez au bout, sur les cases 7 et 8 (un pied dans chaque case, je vous le rappelle), vous devez vous retourner et revenir en sens inverse pour ramasser votre caillou sans poser le pied. Si le caillou est dans la case 1, votre pied doit être dans la case 2. Sautez à nouveau par-dessus la case qui contenait votre caillou et rejoignez la Terre. Si vous réussissez, vous pouvez alors tenter d'atteindre la case 2 avec votre caillou et ainsi de suite. Si vous échouez parce que vous avez lancé le caillou hors de la case visée ou sur la ligne, que vous êtes déséquilibrée, que vous avez raté une case ou que vous avez oublié de ramasser votre caillou, vous devez passer votre tour. Une des règles veut que s'il y a un caillou dans un rectangle, on le dépasse. Les choses peuvent devenir intéressantes s'il y a plus de trois joueuses.

Je me demande bien ce que fait Gabrielle ces temps-ci.

❀ *La craie se forme sous l'eau à partir d'organismes marins.* ❀

Comment
Jouer aux osselets

Quand mon frère n'était encore qu'un petit garçon et moi une petite fille, il jouait au bilboquet et moi aux osselets. C'était comme ça et pas autrement. Ma copine Lucie était une vraie pro des osselets et pouvait jouer pendant des heures. Maintenant, elle est prof chez les étudiants qui font dentaire et continue à jouer mieux que jamais, grâce à tous les dentiers en polyuréthane qu'elle possède.

Le jeu des osselets est un jeu aussi vieux que le bilboquet. À l'origine appelé l'« astragaloi », il a donné naissance au dé. Les osselets étaient faits à partir des os du carpe de l'agneau jusqu'à très récemment. C'est à dire, avant *La Petite Maison dans la prairie* et l'arrivée du DVD.

L'ÉQUIPEMENT

Il vous faudra cinq osselets, dont un peut être identifié par une couleur différente.

Aujourd'hui, on ne joue plus avec de vrais osselets, mais avec des copies en métal ou en plastique, plus petites, et donc plus faciles à manipuler, mais dont le poids (trop léger pour le plastique) et la surface trop lisse empêchent de réaliser des figures compliquées. Le terrain de jeu est souvent le bitume d'une cour de récréation, mais on peut aussi jouer sur le parquet ou toute autre surface. Les limites ne sont pas très clairement définies, sauf que les joueurs se tiennent à une distance à peu près égale à la longueur du bras.

LE JEU SIMPLE

Après avoir fait plouf-plouf pour décider qui commence, on répartit les osselets sur le sol. Les adversaires jouent ensuite, chacun leur tour. Le but consiste à lancer en l'air un osselet et à en ramasser un autre – parmi ceux posés par terre – et de rattraper l'osselet lancé avant qu'il ne touche le sol. C'est comme cela que l'on joue d'habitude, mais je vous vois déjà secouer la tête parce que ce n'est pas comme cela qu'on vous l'a appris. En effet, comme beaucoup d'autres jeux d'adresse, il existe de nombreuses variantes régionales, et même dans la même ville on peut trouver 10 à 15 manières différentes de jouer : ainsi on peut changer le nombre de lancers, le choix de la main qui jette les osselets, le nombre d'osselets que l'on va ramasser, etc. On peut aussi prévoir des gages pour les ratés comme quand vous ramassez le mauvais osselet. On peut alors passer son tour.

En général, on augmente la difficulté au fur et à mesure. Au deuxième tour, il faut ramasser deux osselets, puis trois, quatre, etc. Cela se complique si on lance en l'air tous les osselets déjà récoltés pour récolter le suivant. Une autre manière de jouer est de lancer un osselet en l'air, et de le rattraper sur le dos de la main, puis de le relancer en l'air depuis cette position pour le rattraper dans la paume. On peut glisser tous les osselets à la racine des doigts, puis les ramener dans la paume à l'aide du pouce. La fille qui réussit à tous les attraper est l'heureuse gagnante.

JACKS

Il existe une variante anglo-saxonne du jeu des osselets, appelée *jacks* : on y joue avec des osselets et une balle. Il faut se munir d'une balle (marron en général) et d'un jeu de cinq à quinze osselets ressemblant à des petites croix multidimensionnelles en métal avec des petits bouts arrondis.

1   Étalez les osselets (les *jacks*) par terre.

2   Lancez la balle avec la main droite.

3   Avec la même main, ramassez un osselet en laissant la balle rebondir une fois.

4   Laissez la balle retomber dans votre main droite, celle qui contient un osselet.

5   Faites passer l'osselet dans la main gauche, en gardant la balle dans la main droite.

6   Maintenant, recommencez avec un nouvel osselet et continuez ainsi jusqu'à ce que vous les ayez tous ramassés. Vous pouvez faire la même chose avec deux osselets dans la main à chaque fois.

À noter : après avoir joué avec un seul osselet, il ne restera pas autant d'osselets par terre que dans votre main. Toutefois, ramassez-les de la même manière au dernier rebond de la balle.

7   Si vous n'arrivez pas à attraper les osselets et, ou le nombre correct d'osselets, ou que la balle rebondit plus d'une fois et roule sous les meubles ou que vous commettez une faute, vous perdez votre tour et c'est à votre adversaire de jouer. Si elle rate, c'est à nouveau votre tour et vous reprenez là où vous en étiez.

ERREURS TYPIQUES

*   Rater la balle
*   Faire tomber les osselets ou la balle
*   Ramasser trop ou pas assez d'osselets
*   Toucher les autres osselets
*   Attraper la balle trop tôt ou trop tard
*   Utiliser les deux mains ou utiliser la mauvaise main

De grâce, ne jouez pas avec des osselets en plastique, ils sont si légers que l'on n'arrive pas à les saisir. D'habitude, on les trouve avec une horrible balle mollasse. Ces *jacks* d'un autre âge dignes de la première poubelle venue conviennent seulement pour les dilettantes, les amateurs et les joueuses du dimanche.

*❋ Le prénom Jack vient de Jankin,
un diminutif médiéval de John (en hébreu). ❋*

Comment
Lire dans des feuilles de thé

*L*e sachet de thé est un miracle moderne de sens pratique, mais il sonne aussi la fin de la tasséomancie – ou art de lire dans les feuilles de thé. Cependant, on peut encore trouver certains praticiens : amour, santé, travail et argent sont les domaines vitaux sur lesquels ils concentrent le plus souvent leur attention. Mais la lecture des feuilles de thé est un divertissement à la portée de toute fille capable de regarder le fond d'une tasse de thé – que cela soit pour le fun ou pour l'argent. Vous devez utiliser du vrai thé en vrac, vous ne pourrez pas tirer le maximum de vos prédictions avec du thé ensaché. Voici les bases.

Instructions

Prenez une tasse contenant un reste de thé et, avec une cuillère, mélangez vigoureusement trois fois dans le sens des aiguilles d'une montre, en laissant ainsi les feuilles de thé remonter et coller aux parois de la tasse. Quand elles se sont enfin déposées, jetez un œil pénétrant à l'intérieur. Ça peut aider, si vous portez de grandes boucles d'oreille.

Les feuilles doivent s'être déposées en « paquets » sur les parois intérieures de la tasse. Les formes ainsi obtenues seront les symboles que vous lirez. Vous devrez commencer par les représentations les plus simples. Les formes suivantes sont traditionnellement associées à des présages particuliers.

* Triangle : signe de bon karma
* Cercle : succès annoncé
* Carré : indique qu'il faut faire attention

C'est un peu comme les panneaux de signalisation du *Code de la route*.

Vous verrez sûrement des lettres – qui font référence aux noms de vos amis et de vos relations – des nombres (en lien avec le temps) et, fréquemment, des visages humains – qui rient ou grimacent. La plupart des formes n'auront l'air de rien au début, mais plus vous les regarderez, plus elles prendront un aspect expressif : un arbre, un cheval, un serpent, Michel Drucker. Les symboles en hauteur près du bord sont importants, ce sont des présages qui indiquent des changements de vie. Les symboles sur les côtés de la tasse sont significatifs, mais pas bouleversants. Les formes au fond de la tasse indiquent des changements. Vous trouverez ici les plus courantes, ainsi qu'un guide d'interprétation.

Ancre : repos, stabilité, constance
Araignée : succès au travail
Autruche : voyage

Canard : rentrée d'argent
Cercle : en haut, une demande en mariage ; si cassé, une rupture

Champignon : en haut, un déménagement à la campagne
Chou : jalousie ; si moucheté, jalousie au travail
Cigare : nouveaux amis
Ciseaux : accès de colère, malentendus familiaux
Cloches : nouvelles inattendues, bonnes si près du haut
Corbeau : mauvaises nouvelles
Corne : abondance
Dé à coudre : déménagement
Éléphant : sagesse et force
Éventail : histoire d'amour
Flèche : courrier annonçant de mauvaises nouvelles en amour
Fourchette : flatterie trompeuse
Gland : en haut, succès ; en bas, bonne santé

Guêpe : amours distantes
Harpe : amour
Homme : près de l'anse, un visiteur surprise
Insecte : petits soucis
Kangourou : harmonie domestique
Lampe : en haut, un banquet ; en bas, secrets révélés
Parapluie : contrariétés
Parasol : un nouvel amant
Pieuvre : danger
Plat : problèmes domestiques
Tête de cheval : un amoureux
Vase : un ami a besoin d'aide
Xylophone : j'ai inventé celle-là. Personne n'a jamais vu de xylophone dans les feuilles de thé
Zèbre : aventures à l'étranger

Parfois, il est difficile de distinguer une pieuvre (danger) d'une araignée (succès au travail) ou un corbeau (mauvaises nouvelles) d'un canard (rentrées d'argent). Désolée, mais débrouillez-vous.

LA NOTION DU TEMPS

La tasse de thé de votre cliente est un peu comme une horloge. Son anse, tenue à 9 heures, représente « maintenant », l'heure et l'endroit de la lecture, tous les quarts d'heures indiquant des périodes de trois mois. Par exemple, toutes les formes se trouvant à midi présentent des événements qui auront lieu dans trois mois, toute forme à 3 heures aura lieu dans six mois, et des traces à 6 heures présentent des faits qui arriveront à votre cliente dans neuf mois. En tournant dans le sens des aiguilles d'une montre, vous pouvez prévoir des événements qui se produiront dans l'année, et en subdivisant en quarts, vous pouvez faire des prévisions sur des périodes plus courtes que trois mois. Mais tout ce qui est en dessous d'un mois reste très délicat.

Comment ? La divination, ce n'est pas votre tasse de thé ?

❋ *Un mazagran est une tasse sans anse.* ❋

Comment
Faire du ski nautique

Durant l'été 1922, qui fut assurément *la* vague sportive du XXe siècle, le jeune Ralph Samuelson, âgé de 18 ans et natif de Lake City, dans le Minnesota, estima qu'il n'y avait aucune raison pour que les principes du ski alpin ne puissent s'appliquer à l'eau.

C'est donc le 28 juin, avec deux barils sous ses pieds et tiré sur le Mississippi par son frère Ben, que Ralph Samuelson échoua avec brio à sa tentative de ski nautique ; il fut, en fait, dragué sur plusieurs mètres avant de plonger de manière impressionnante sous la surface de l'eau.

Cependant, comme tous les obsessionnels, il n'abandonna pas et remplaça les barils par de vrais skis. Là, entraîné par un bateau, lui-même propulsé par le moteur surpuissant d'un tracteur, il commença à renifler le doux air du succès, tout en gardant miraculeusement le nez hors de l'eau.

Dans les jours qui suivirent, Ralph investit dans la courroie de cuir et affina sa technique en se penchant en avant, alors qu'il filait à toute allure et que ses skis remontaient légèrement et allègrement. À partir de là, il était évident que sa nouvelle technique allait décoller, et aujourd'hui, le ski nautique est devenu le sport glamour que l'on connaît, apprécié des élégantes et sveltes jeunes femmes et des hommes en tenue moulante, qui glissent avec grâce sur la surface plane de lieux comme le lac de Genève.

LA SÉCURITÉ AVANT TOUT

Souvenez-vous, *il faut être trois pour skier* : un qui conduit le bateau, un qui skie (vous) et un autre qui est là exclusivement pour vous regarder ; *ça, c'est très important*. Le gars qui conduit le bateau est chargé de votre sécurité, alors ayez une longue discussion avec lui avant de commencer, pour établir quelques règles. Planifiez le trajet du bateau et vérifiez que tout le monde sait ce qu'il doit faire. Quant à la surface de l'eau, mieux vaut qu'elle soit plane. Les vagues sont vos ennemies.

Autres éléments de base en matière de sécurité : n'y allez pas si vous ne savez pas nager, commencez vos premières tentatives avec un pro, ne le faites pas dans des piscines publiques etc. Vous améliorerez aussi votre sécurité si vous utilisez un équipement approprié. Cela ne vaut pas le coup d'attacher deux planches à repasser à vos pieds, en espérant que tout ira pour le mieux.

LES 10 MEILLEURS CONSEILS

1　Portez un gilet de sauvetage adapté au ski nautique, e t attachez bien les sangles, qui pourraient vous claquer à la figure s'il y a du vent.
2　Enlevez vos bijoux.
3　Utilisez une corde d'au moins 22,50 m de long.
4　N'entourez jamais la corde autour de vous.
5　Ne vous approchez pas de l'hélice. Jamais.
6　Faites en sorte que celui qui vous regarde voie vos signaux et qu'il prévienne le conducteur si vous tombez.
7　Révisez les signaux avant de vous jeter à l'eau.
8　Connaissez le coin. Votre conducteur devrait savoir éviter les creux et les Caddies qui flottent, mais soyez, vous aussi, consciente des dangers potentiels.
9　Faites attention à ce que font les autres bateaux et gardez bien vos distances.
10　Euh… ne faites pas de ski nautique la nuit, ni en état d'ébriété.

HUIT SIGNAUX DE SÉCURITÉ

1　Pouce levé : accélère.
2　Pouce baissé : ralentis.
3　Main à plat : arrête-toi.
4　Gorge tranchée : je vais lâcher la corde.
5　Doigt pointé à gauche, doigt pointé à droite : tourne le bateau dans

la direction indiquée.

6   Tapoter la tête : je veux revenir au bateau.

7   Un cercle formé avec le pouce et l'index : O.K. ou signal compris.

8   Mains serrées au-dessus de la tête : je vais bien (après une chute).

COMMENCER

Il n'y a rien de bien compliqué dans cette affaire, mais cela nécessite un peu d'entraînement et l'aide d'un bon instructeur.

1   Allez dans l'eau et écartez-vous bien du bateau avant qu'il ne démarre.

2   Faites un signe quand vous êtes prête à partir.

3   Alors que le bateau avance, la ligne va se tendre. Quand vous lèverez le pouce, le bateau avancera tout droit avec suffisamment de force pour vous soulever hors de l'eau. Penchez-vous en arrière et quand vous êtes debout, faites un signe à la vigie pour que le conducteur adapte sa vitesse à vos exigences. Ensuite, accrochez-vous et ressentez bien les choses. Vous tomberez souvent, mais ne vous inquiétez pas.

4   Quand vous tomberez, n'oubliez pas de faire le signe « je vais bien » dès que vous pourrez le fair en toute sécurité, afin de prévenir l'équipage que vous n'êtes pas blessée, ainsi ils viendront vous repêcher et vous pourrez recommencer.

5   Après une chute, maintenez un ski hors de l'eau en attendant que l'on vienne vous chercher. Cela vous permettra d'être vue par les autres bateaux.

6   Le bateau reviendra vers vous et vous encerclera lentement, soit pour vous redonner la corde, soit pour vous faire monter à bord si vous en avez assez.

7   Attendez l'arrêt du moteur avant de monter à bord.

UN DERNIER AVERTISSEMENT

Les forces d'attraction (voir la théorie de gravitation universelle de Newton) qui sont en branle quand vous pratiquez le ski nautique sont plutôt vigoureuses. Vous devez y penser au moment de choisir votre maillot de bain. Il doit être serré, robuste, et très moulant au niveau des fesses. Ce n'est pas de la vanité mais de l'autoprotection. Ma très chère amie Marianne m'a dit – et son histoire a été confirmée par les expériences de ma très bonne amie Hélène – qu'elle porte toujours une combinaison quand elle fait du ski nautique. Ce changement d'attirail s'est produit après l'expérience fâcheuse d'une chute quand elle faisait du ski nautique aux Maldives. Elle m'a raconté qu'elle avait été tirée sur plusieurs mètres à vive allure – sens devant derrière – et que la force de l'eau était telle qu'elle avait subi une vigoureuse irrigation du colon, ins-tantanée et absolument pas souhaitée. Avec des amies comme celles-là, qui a besoin d'une poire à lavement ?

❀ *Le lac de Genève est le deuxième lac d'eau douce en Europe centrale.* ❀

Comment
Devenir une parfaite
pom-pom girl

Quand elle était à la fac, ma belle-sœur américaine était pom-pom girl. Elle m'a raconté que c'était un sport plutôt ardu. Il fallait que toutes les filles sautent de haut en bas en même temps, tout en gardant leur sourire de pom-pom girl et entonnant un chant de joie :

Nous devons, nous devons
Avoir les plus gros tétons
Les plus gros, les plus beaux
Plus nos T-shirts seront moulants
Plus les gars seront dans le vent.

Ces vers de mirliton sont, pour moi, typiquement américains avec leur côté rentre-dedans, mais je ne suis pas sûre qu'ils auraient plu à Simone de Beauvoir.

Mon oncle Marcel, quant à lui, a été affecté par l'émotion qui s'en dégage et depuis, il chante cette comptine au café, en ajoutant le geste à la parole, un coussin dans chaque main. L'amusement acerbe de ses collègues se reflète dans leurs plaisanteries fines quand ils l'acclament, alors qu'il fait ses mouvements de haut en bas dans la petite salle du fond.

Être une pom-pom girl requiert de nombreux talents, et non des moindres : de l'endurance, des connaissances en aérobic et une grande résistance cardiovasculaire. De plus, cela demande une voix forte et retentissante qui couvrira bien l'assistance, sans oublier une bonne paire de jambes. La liste ci-dessous vous donnera d'autres informations essentielles.

1   Étalez une bonne couche d'autobronzant sur votre corps avant d'enfiler votre culotte Dim ou autre Petit Bateau dévergondée. Sans ça, les projecteurs risquent d'aplatir vos couleurs.

2   Il est préférable d'avoir des cheveux bouclés qui sautillent. Pensez à Olivia Newton-John dans les années 1970 et allez-vous chercher un fer à friser.

3   Un bon rouge à lèvres vermillon qui fait ressortir les lèvres est un *must* avec, bien sûr, un bon gros crayon à sourcils noir et un mascara épais. Vous vous battez contre la lumière, n'oubliez pas.

4   Je n'ai pas la place, ici, pour expliquer les mouvements en détail – suivez juste les autres filles. Beaucoup de mouvements s'inspirent des sauts que l'on apprend dans les écoles de danse, et sont destinés à accentuer votre féminité de manière à être remarquée par l'assistance. Je ne souhaite pas être plus explicite.

5   Buvez beaucoup d'eau.

6   Souriez quand vous avez chaud, que vous êtes fatiguée et que vous voulez rentrer chez vous.

Comment faire vos pompons

1   Coupez, dans du carton, deux cercles d'à peu près 30 cm, faites un trou au milieu.

2   Mettez-les l'un sur l'autre et entourez-les de manière régulière avec du ruban, en passant ce dernier à travers le trou. Attachez l'extré-

mité d'un ruban à l'extrémité d'un autre jusqu'à ce que vous obteniez une épaisseur suffisante.

3   Faites passer la lame d'une paire de ciseaux très aiguisée entre les deux bouts de carton (à travers le ruban), coupez sur toute la circonférence (Fig. A).

4   Attachez fermement avec un morceau de Scotch au milieu, entre les deux anneaux de carton (Fig. B).

5   Entaillez les morceaux de carton et enlevez-les en secouant les franges des pompons terminés.

6   Ajoutez une poignée.

Fig. A

Fig. B

❀ *Les pom-pom girls ont débuté à l'université de Princeton dans les années 1880.* ❀

Comment
Faire croire que l'on s'y connaît en musique classique

Quand j'étais à l'école, plusieurs profs de musique ont réussi à nous transmettre un peu d'histoire, un chouïa de théorie et beaucoup d'exercices, tout en nous amusant. Je me souviens en particulier de M. Georges. C'était un petit Breton avec des cheveux blancs, des doigts bouffis et un costume en tweed. Il avait traîné un piano à travers les monts d'Arrée et il prétendait que c'était cet exploit qui avait provoqué sa crise cardiaque, et non son paquet quotidien de Gitanes maïs. Avec M. Georges, vous pouviez chantonner un air et il créait immédiatement une mélodie au piano dans le style de votre choix, de Brahms au boogie-woogie. C'était un *vrai* musicien qui n'avait pas besoin de faire semblant de s'y connaître. Mais si vous, vous n'êtes pas très calée en musique, vous aurez l'air tout de même particulièrement forte si vous réussissez à régurgiter, sans y toucher, quelques-uns de ces faits essentiels.

Quelques faits et dates utiles pour faire croire que l'on s'y connaît en musique

* *Le Moyen Âge* : 600-1500. Les moines médiévaux ont développé le *plaint-chant*, un chant liturgique sans instruments – pas encore de guitares électriques à l'époque et, dans toutes les églises, on doit chanter les chants grégoriens imposés par le pape Grégoire. C'est autour des années 800 que l'on a commencé à écrire la musique. Hildegard de Bingen, nonne mystique et musicienne allemande, a écrit de nombreuses *symphoniae*, inspirées du chant grégorien et destinées à être chantées par ses sœurs au couvent.

* *Haut Moyen Âge et Renaissance* : 1300-1600. L'âge du désaccord avec les harmonies polyphoniques rauques. Les lyres, les chalémies, les sacqueboutes, les rebecs, les cromornes, les trompettes

marines de 2 m de long et autres instruments hallucinants accompagnaient un certain nombre de pattes de poulets que l'on jetait par-dessus son épaule. Le plus drôle de ces instruments est certainement le serpent : un mélange de gros boudin associé à un aspirateur et à un saxophone. Il a été inventé en 1590 par Edmé Guillaume, à Auxerre. On crée, à l'époque, beaucoup de musique d'église et Giovanni Palestrina en est le principal chef de file. Il existe également beaucoup de compositrices, comme la super Lucrèce Orsina Vizzana. Le premier opéra – *Daphné* – fut composé par Jacopo Peri en 1597.

* *Le baroque* : années 1600. La musique s'arrondit et se complexifie. En France, le Roi-Soleil, Louis XIV, n'a d'oreilles que pour Lully, qui est prêt à tout pour garder sa place de favori. Malheureusement pour Lully, se taper sur le pied avec son bâton de direction pendant qu'il donnait le rythme l'envoya dans la tombe à 41 ans ! Mais ce sont deux allemands, Bach et Händel, qui mènent la scène internationale. Ensuite, Herr Händel devient un sujet britannique, emménage au 25 Upper Brook Street et s'appelle dès lors *Mister* Händel, voisin de Jimi Hendrix, résidant au 23.

* *L'âge classique* : 1750-1820. Les premières symphonies voient le jour. Ainsi que des noms à coucher dehors comme Florian Léopold Gassmann, August Carl Ditters von Dittersdorf et l'exotique Anna Amalia, duchesse de Saxe-Weimar-Eisenach et Fanny Krumpholtz Pittar. Il en sort un sacré paquet de morceaux profondément ennuyeux. Une époque de vague creuse, même si on trouve de vraies pépites comme ces chauds lapins de Mozart, Schubert, Haydn et Beethoven. On trouve des femmes, j'en suis fort aise, comme Maria Anna Walburga Ignatia « Nannerl » Mozart : la verbeuse sœur de Wolfi.

* *L'ère romantique* : 1820-1910. Époque du lyrisme et du drame personnel. Franz Schubert, Ludwig Spohr, Franz Liszt et Frédéric Chopin sont les précurseurs du romantisme, alors que Tchaïkovski appartient à l'école tardive. On trouve aussi Mahler, *Richard* Strauss (pas Johann Strauss, le roi de la valse) et il y a pas mal

de femmes encore, comme la superbe Constance Faunt Le Roy Runcie (aucun lien avec le petit Lord). Les premiers clichés de compositeurs voient le jour, tout comme Engelbert Humperdinck (1854-1921) : pas le crooner qui ressemble à Tom Jones, mais celui avec un grand front et une bacchante magnifique. Excellent !

* *L'époque moderne* : de 1900 à nos jours. Époque de l'ambiance, de l'atmosphère, de la prise de conscience de soi, et d'un brin d'embrouilles dans l'industrie musicale. Voici quelques compositeurs rangés dans un ordre aléatoire : Berg, Bartók, Britten, Boulez, Ives, Debussy, Stravinsky, Ravel, Prokofiev et j'en passe. Et ça continue, avec des femmes dont une de mes préférées est Meredith Monk, une sainte femme. Elle a déclaré : « Je travaille entre les lignes. » Mon préféré dans cette école des portes grinçantes et du verre brisé est Erik Satie. Il a vraiment quelque chose. Allez l'écouter.

❀ *Jean-Sébastien Bach a eu 20 enfants dont 10 sont morts en bas âge.* ❀

Comment
Prévoir la météo comme votre grand-mère savait le faire

Vous vous souvenez d'Alain Gillot-Pétré, qui présentait la météo à la télé ? Il était célèbre pour pas mal de choses comme ses tenues voyantes, son catogan et ses prévisions très scientifiques, mais teintées d'un humour décoiffant.

Les présentateurs météo ont souvent du mal avec leurs prévisions, même avec l'aide d'ordinateurs, et je pense que nous devrions retourner aux bonnes vieilles méthodes de la météo déclamée en vers. « Noël au balcon, Pâques aux tisons. » « En avril, ne te découvre pas d'un fil ; en mai, fais ce qu'il te plaît. »

Ma grand-mère, quant à elle, faisait pendre du varech sur sa porte en guise de « prédicateur météo ». Elle me disait qu'elle faisait confiance à son système pour obtenir ses prévisions et elle savait que si le varech était sec, il ferait beau et que s'il était mouillé… il avait plu. J'ai très vite compris qu'elle était cinglée, mais je l'aimais bien à cause de ses gros bras, de son petit cardigan rose et des boîtes de chocolats qu'elle apportait à la maison à chacune de ses visites. Elle avait aussi d'autres sortes de « prédicateurs météo » chez elle, et voici comment fabriquer celui que je préfère.

MISS L'AUTRUCHE, LA MISS MÉTÉO QUI FAIT LA PLUIE ET LE BEAU TEMPS
Mettez une pomme de pin dans un four chaud, enlevez-la quand elle est suffisamment sèche et que ses écailles s'ouvrent en grand. À ce stade, elle sera très sensible aux variations d'humidité atmosphérique : quand l'air est sec, et qu'il est censé faire beau, les écailles s'ouvriront largement. Si le temps est instable, les écailles se seront en partie refermées. Si la pluie se fait sentir, la pomme de pin sera totalement refermée.

CE QU'IL VOUS FAUT
* *Une pomme de pin*
* *5 cm^2 de carton*
* *Un morceau de bristol*
* *Du fil électrique, souple mais solide*
* *Des pinces*
* *De la Super Glue ou de la Plasticine*
* *Un canif bien aiguisé*
* *De la gouache*

INSTRUCTIONS
1 Commencez par assembler trois morceaux de fil électrique en les enroulant sur eux-mêmes, ouvrez une de leurs extrémités pour former les pieds. Répétez l'opération pour avoir autant de pieds que vous voudrez.
2 Collez maintenant les pieds sur un morceau de carton et laissez sécher. Cela vous laissera assez de temps pour vous faire les ongles *et* prendre un café.
3 Fixez les pieds au corps avec des bouts de Plasticine (plus rapide) ou de la Super Glue (plus solide). Laissez sécher.

4   Découpez le cou et la tête de Miss l'Autruche dans une feuille de
bristol et, une fois que vous l'avez décorée avec un joli bec souriant
et des yeux, enfoncez le cou dans une entaille à la base du cône.
Faites l'entaille avec un couteau aiguisé, prenez garde à vos doigts.

Miss l'Autruche est un super cadeau pour les enfants et elle est aussi
efficace que Gillot-Pétré.

❧ *Le varech est une algue marine.* ❧

Comment
Identifier les fleurs sauvages

Au poète impeccable,
au parfait magicien ès lettres françaises,
à mon très cher et très vénéré
maître et ami
Théophile Gautier,
avec les sentiments
de la plus profonde humilité
je dédie
ces fleurs maladives.

C'est ainsi que Baudelaire dédia ses *Fleurs du mal* à l'auteur du bal-
let intitulé *Pâquerette*. Pourtant, toutes les fleurs sauvages ne sont pas
maladives, vous n'avez qu'à jeter un œil sur les illustrations. Les petites
notes botaniques qui suivent devraient vous aider à identifier quelques-uns de ces spécimens intéressants.

1   La jacinthe des bois est typique de nos forêts. Je sais que les roses
sont merveilleuses, mais cette fleur-là, quintessence bucolique,
explose au printemps, formant des tapis bleutés dans nos sous-
bois ombragés et nos clairières.

2   Le coquelicot est inratable, avec sa collerette rouge et ses poils aux pattes. Quand j'étais petite, les coquelicots se faisaient rares et étaient épars, de nos jours, ils poussent comme du chiendent le long des routes, dans les champs. L'année dernière, alors que je traversais la campagne normande, j'ai remarqué un carré rouge au loin, c'était un champ de blé envahi de coquelicots. On en fait de l'héroïne, n'est-ce pas ?

3   La linaire pourpre est une fleur estivale qui pousse dans les champs ensoleillés ou au pied des murs. C'est ce genre de fleurs que ma grand-mère arrachait en jurant : « Saleté de mauvaise herbe ! » Mais j'aime cette fleur pour son non-conformisme et son attitude je-m'en-foutiste. C'est une vraie fleur d'anarchiste.

4   Contrairement aux coquelicots et aux linaires, la primevère sauvage, aussi connue sous le nom de « coucou », est de plus en plus rare. C'est une fleur jaune délicate avec des feuilles qui ressemblent à des feuilles de salade. C'est une des premières fleurs du printemps, d'où son nom.

5   Poussant entre mai et décembre, la marguerite des prés, également appelée « œil-de-bœuf », est une plante qui pousse superbement dans les champs. Elle est vigoureuse, et ses grandes fleurs et ses feuilles dentelées lui donneront un air magnifique dans un vase posé sur la table de la cuisine.

6   Si vous ne pouvez pas identifier les boutons d'or sans aide extérieure, il n'y a alors aucun espoir pour vous dans le monde de la taxinomie botanique. Qu'est-ce à dire ? C'est une petite fleur jaune avec des pétales brillants qui permettent de voir si vous aimez le beurre. Scientifiquement prouvé !

7   Les arums sont des plantes qui apprécient tout particulièrement l'ombre. Ils poussent en avril et en mai. Les fruits verts qui poussent sur la tige deviennent rouge foncé après la floraison.

8   Des gribouillis pourpres et des taches roses et blanches sont caractéristiques des pétales de l'orchis de Fuchs. Cette autre plante estivale a du répondant, alors n'allez pas raconter n'importe quoi !

9   Le perce-neige ressemble en fait un peu à une jacinthe des bois.

Mais on ne peut pas se tromper, à cause de ses longues feuilles élancées. Il pousse tôt. C'est tout.

10   Le bleuet des champs est une sorte de sac à graines, malheureusement il est en voie de disparition. Chez nous, c'est le symbole de l'armistice de la Première Guerre mondiale. C'est une fleur d'un bleu pétant, toute ronde avec des petites feuilles gris-vert qui poussent sur les tiges. Le bleuet des champs pousse en été, sur les terrains vagues. J'espère que vous aurez l'occasion d'en voir.

11   L'iris des marais est un iris jaune. Il aime pousser au bord des étangs et des rivières. C'est une très belle fleur, saisissante. Grande, élégante et un peu comme un flamant rose à qui l'on aurait associé le panache d'une guêpe. Elle commence à fleurir au printemps et continue jusqu'à la fin de l'été.

12   Le chèvrefeuille ou camérisier est un enchevêtrement grimpant de petites fleurs qui sentent merveilleusement bon, surtout aux narines des phalènes. Indéniablement, c'est une plante estivale intello qui s'intéresse à la philosophie et aux théories musicales. Vous le verrez souvent pousser sur les barrières, même si j'en ai eu un qui poussait sur ma clôture et qui avait l'air tout bizarre et biscornu. Je lui ai coupé la tête.

❀ *Iris, Rose et Jacinthe sont des prénoms courants pour les petites filles, ce qui n'est pas le cas d'Œil-de-bœuf.* ❀

12. Chèvrefeuille

5. Marguerite des prés

2. Coquelicot

4. Primevère

3. Linaire pourpre

1. Jacinthe des bois

6. Bouton d'or

8. Orchis de Fuchs

11. Iris des marais

10. Bleuet des champs

7. Arum

9. Perce-neige

Comment
Faire un Jack-o'-Lantern avec une citrouille pour Halloween

L e 31 octobre – jour de Halloween – n'est-il pas un jour délicieux ? La veille de la Toussaint, on trouve maintenant jusque chez nous ces petits garnements déguisés en créatures terrifiantes qui frappent à votre porte pour vous menacer : « Farces ou friandises ? » Sacré dilemme, un choix entre deux options, toutes deux désagréables.

Cette tradition est peut-être l'alliance centenaire de Halloween et de la Mischief Night (le 4 novembre), une nuit de débauche et de licence pour les sujets de Sa Majesté Elisabeth II, qui jouent des vilains tours à leurs voisins : ils changent les enseignes des magasins, ils enduisent les portes de chaux ou arrachent les portails de leurs gonds. Bizarrement, ça ne fait pas sortir nos Anglais de leurs gonds. Vous allez me dire que c'est peu de choses à côté des crasses que leurs mêmes voisins leur font tout au long du restant de l'année…

Enfin, en France, le symbole de ces festivités automnales récemment importées reste par-dessus tout la citrouille de Halloween. Voici comment fabriquer une *Jack-o'-Lantern*.

Ce qu'il vous faut
* *Une citrouille de bonne taille*
* *Un marqueur*
* *Un couteau aiguisé (attention aux doigts)*
* *Quelques bougies chauffe-plat*

INSTRUCTIONS
1 Trouvez-vous une bonne grosse citrouille. Elle viendra probablement de Saint-Mayme de Pereyrol, ce petit village de Dordogne célèbre pour sa foire à la citrouille.
2 Dessinez un visage sur la peau.
3 Découpez un couvercle dans le haut de la citrouille pour enlever les

pépins. Je préfère les coupes circulaires et nettes. D'autres préfèrent les zigzags.

4   Allez chercher les pépins et la membrane à main nue. C'est un procédé ancestral peu ragoûtant, mais que vos neveux et nièces adoreront. Ne jetez pas les pépins. Séparez-les plutôt de la chair (destructrice d'âme) et disposez-les sur un plat allant au four. Salez et cuisez lentement, jusqu'à ce qu'ils soient craquants sous la dent. C'est délicieux, mais faites attention de ne pas les brûler – ça m'arrive tout le temps.

5   N'oublions pas qu'on la cultive également pour sa chair délicieuse, cuite à la vapeur et servie avec du beurre.

6   Coupez délicatement les formes que vous avez dessinées. Si vous voulez obtenir un visage sympa, formez des lignes arrondies vers le haut. Si vous voulez obtenir un visage méchant, faites des lignes franches qui pointent vers le bas.

7   Pour faire une citrouille « vomissante », vous pouvez découper un large trou et y mettre les pépins « encordés » en les faisant ressortir par l'orifice béant. Cette charmante composition est très suggestive et très appréciée des garçons.

8   Placez quelques bougies chauffe-plat à l'intérieur, attendez la nuit tombée pour les allumer. Vous pouvez remettre le couvercle ou non, selon que vous aimez l'odeur de la citrouille grillée ou non.

❁ *100 g de pépins de citrouille grillés contiennent 285 calories.* ❁

Comment
Faire un Bikini en macramé

Le procédé de fabrication du macramé nécessite ni aiguille, ni crochet, ni grosse machine, puisqu'il est réalisé à partir de nœuds. En ce sens, il diffère du tricot et du tissage. Les nœuds principaux du macramé sont les nœuds carrés, les nœuds plats et les nœuds doubles. Le matériau de base est le chanvre : la corde, évidemment, pas les feuilles qui ne servent à rien et ne sont bonnes qu'à être consommées.

Fut un temps, le macramé de décoration était le passe-temps préféré du marin en vareuse, quand il n'était pas en train de faire la fête, ou d'astiquer son sextant ou ses quartiers. Les marins avaient tendance à décorer le bateau avec leurs petits bidules. Ils passaient des heures penchés, complètement absorbés par leur tâche, tard le soir, à accrocher des ornements en macramé partout avant de se jeter à bout de forces, sur leurs couchettes. Enfin bon, quand votre vie ne se résume qu'au rhum, à la bernache et à l'accordéon, vous vous raccrochez à n'importe quoi, pourvu que cela occupe votre existence.

On raconte que les marins faisaient souvent des compétitions de macramé et passaient de joyeuses heures à en décorer les manches de leur couteau, les bouteilles et les bâtons servant à battre leurs femmes. Mais non, pas des bâtons pour battre leurs femmes, je viens de l'inventer. Ils complétaient leurs gages en vendant leur artisanat dans les ports à travers le monde, et occasionnellement, s'ils étaient sympas, ils donnaient une de leurs créations gratis à une petite fille. C'est ainsi que l'art du macramé a été introduit dans de nombreuses cultures aux quatre coins du globe. Tout comme la varicelle.

Faire des nœuds
Pour commencer, munissez-vous de quatre fils de corde, de ficelle ou de chanvre. En général, la règle veut que la corde mesure dix fois la longueur de la forme terminée. Les illustrations montrent les quatre fils : un noir, un gris au milieu, et deux blancs. Ces deux-là ne doivent pas bouger quand vous faites les nœuds. Ceux qui se trouvent à l'extérieur (le noir et le gris) font tout le boulot.

Le demi-nœud
1 Faites passer le fil noir à droite, par-dessus les deux cordelettes blanches du milieu.
2 Faites-le passer sous le fil gris à gauche.
3 Faites passer le fil gris de gauche sous les deux fils blancs (Fig. A) et ensuite par en haut à travers la boucle réalisée avec le fil blanc et le fil noir (Fig. B). Vous y comprenez quelque chose ?

4   Serrez le nœud en tirant légèrement sur les fils gris et noir.

5   Recommencez ce nœud encore et encore pour faire une hélice (Fig. C).

6   Allez vous chercher un petit remontant.

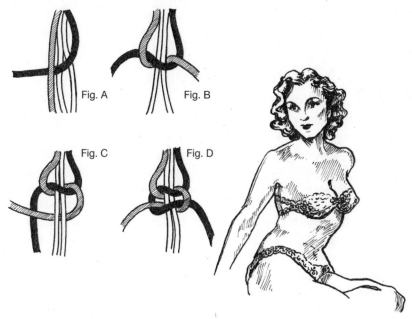

Fig. A   Fig. B

Fig. C   Fig. D

LE NŒUD CARRÉ

1   Faites un demi-nœud comme on vous l'a expliqué au-dessus.

2   Mettez le fil gris qui se trouve maintenant à droite, derrière les deux fils blancs.

3   Faites-le passer par-dessus le fil noir à gauche.

4   Enfilez le fil noir dans la boucle à droite en passant par-dessus les fils blancs et le fil gris (Fig. D).

5   Serrez le nœud en tirant doucement sur les fils noir et gris.

Il est maintenant l'heure de faire votre Bikini, allez, au boulot ! Comment ça ? Vous pensiez que j'allais vous donner des indications ?

Écoutez, ça m'a pris une page pour vous décrire deux nœuds tout simples ; vous allez devoir faire preuve d'un peu d'initiative. Ou faire ce qu'autres font, un bracelet en macramé. Facile !

❀ Itsy Bitsy Teenie Weenie Yellow Polka Dot Bikini
a aussi été un succès au Portugal. ❀

Le monde de la harpe I
Comment jouer de la harpe

Quand je jouais du violoncelle dans l'orchestre de l'école, il y avait trois filles qui mettaient plus de temps que les autres à ranger leurs instruments – elles n'avaient pas encore fini que les flûtistes et les violonistes étaient déjà rentrées chez elles : Valérie Jouin, qui jouait des timbales (je crois qu'elle travaille aux impôts aujourd'hui), Julie Martin, la contrebassiste (elle avait un gros nez) et Gaëlle Bourgault-Ducoudray (il paraît qu'elle était de la famille du compositeur). Gaëlle était une jolie blonde, et quand elle jouait elle ressemblait à un ange. Malheureusement, elle n'était pas appréciée à sa juste valeur, à cause des jurons de charretier qu'elle poussait continuellement, à cause de sa méchanceté vacharde et à cause des odeurs pestilentielles qui remontaient de ses chaussures. Mais elle avait un charme certain à la harpe. Par ses accents mélodieux, la harpe est l'instrument idéal pour les débutantes, et c'est l'un des rares instruments qui n'a pas l'air d'intéresser les hommes. Le simple fait de faire courir vos doigts sur les cordes produit un joli son, et même les airs les plus faciles comme *Au clair de la lune* (chanson paillarde) ou *Une souris verte* sont harmonieux. Ce qui n'est pas le cas pour le cor ou le violon, qui obligent parfois vos voisins à sortir avec leur fusil de chasse, alors que vous n'avez même pas eu le temps de dire Bartók.

Si vous avez déjà pianoté ou joué de l'orgue, c'est un bon début pour vous mettre à la harpe. Après tout, cet instrument n'est que l'intérieur d'un piano renversé. Sinon, vous allez devoir vous habituer à lire deux sortes de clés en même temps et à vous servir de vos deux mains pour créer les notes. Il existe un système de repères pour aider la harpiste, les cordes de *fa* sont noires ou bleues, alors que les cordes de *do* sont rouges ou orange. Cela devrait vous éviter de trop vous perdre, même si je ne me souviens pas d'avoir vu Isabelle Olivier fixer ses cordes ni les compter.

INSTRUCTIONS

1   Coupez-vous les ongles.

2   Mettez la harpe entre vos genoux et penchez-la en arrière pour qu'elle repose sur votre épaule droite.

3   Si vous regardez en direction de vos pieds, vous verrez sûrement quelques pédales (probablement sept). Si c'est le cas, vous êtes en train d'utiliser une grosse harpe de concert. Ces pédales ne sont pas des accélérateurs ni des freins, comme peuvent le penser certaines débutantes ; elles n'ont d'ailleurs même pas les fonctions des pédales du piano – qui maintiennent et renforcent les notes – mais elles permettent de jouer des altérations musicales.

4   Commencez à pincer. Le seul doigt que vous n'utilisez pas quand vous jouez de la harpe est l'auriculaire. Vous devriez connaître les règles : le pouce est numéro 1, l'index numéro 2, la majeur numéro 3 et l'annulaire est numéro 4. Vous pouvez varier les tonalités en pinçant les cordes avec la partie charnue du doigt (tonalité chaude et ronde) ou avec le bout du doigt (plus claire et plus forte), mais pas avec les ongles (que vous devez avoir coupés de toute façon : voir étape 1).

5   Essayez de jouer votre rôle à fond, comme toutes les harpistes, fermez les yeux et laissez aller vos bras de haut en bas. Penchez-vous légèrement en avant et en arrière quand vous jouez, faites des mouvements doux et élégants avec un sourire éthéré, et laissez osciller vos poignets un petit peu.

C'est tout ce qu'il faut savoir.

Bien sûr, si vous aviez pensé que vous seriez capable de jouer une sonate de Krumpholtz après avoir lu ces cinq explications, eh bien vous rêvez ! On ne s'attaque vraiment qu'aux bases, dans ce genre de bouquin.

❀ *Le vrai prénom de Harpo Marx était Adolph.* ❀

Le monde de la harpe II
Comment fabriquer une harpe éolienne

Lₐ harpe éolienne est un de ces fichus machins qui ne dit pas vraiment ce qu'il est, comme le club sandwich. Bien qu'il y ait des cordes, elles ne sont pas pincées, ce n'est donc pas une harpe. On en joue en la plaçant devant une fenêtre qui laisse passer un courant d'air à travers les cordes, c'est censé être l'instrument d'Éole, le dieu grec des courants d'air. L'illustration vous montre à quoi cela ressemble, donc si vous voulez en fabriquer une – pourquoi pas ? – voilà comment vous y prendre.

CE QU'IL VOUS FAUT

* *Une boîte à chaussures avec un couvercle*
* *Un panneau de carton ondulé*
* *Un crayon*
* *Une règle*
* *De la Super Glue*
* *Un canif aiguisé*
* *Quelques élastiques*

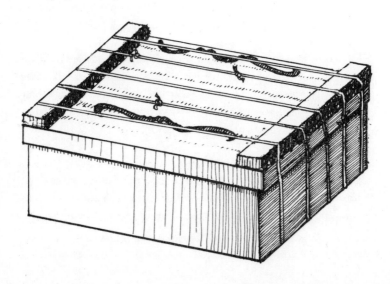

INSTRUCTIONS

1 Coupez joliment des « trous de *fa* » dans le couvercle à l'aide du canif et placez-le sur la boîte.

2 Découpez le panneau de carton en bandes de 10 cm et taillez-les à la largeur de la boîte à chaussures. Collez-les deux par deux, et faites-les tenir debout, une paire de chaque côté, au-dessus du haut de la boîte (voir illustration). Elles permettent de former des ponts.

3 Étirez quatre ou cinq élastiques à travers les ponts. Les élastiques doivent être tendus, sans pour autant déformer la boîte. Ceux qui sont longs et fins conviennent mieux. Vous pourrez toujours démultiplier la longueur de vos élastiques courts en les attachant les uns aux autres bout à bout. Faites quelques expériences. C'est mieux d'avoir quatre cordes de tension différente, mais même une harpe à une seule corde produira une jolie mélodie de notes qui varieront selon la force du vent.

4 Mettez la boîte à une fenêtre. Si c'est une porte coulissante, laissez un petit passage pour concentrer la force du vent. Vous pouvez aussi l'envelopper de coussins pour obtenir le même effet.

Maintenant, écoutez ! D'habitude, ce qui se passe, c'est qu'il ne se passe rien, et vous devez la tripoter pendant des plombes, en ajustant l'ouverture de la fenêtre, la boîte, les élastiques, etc. C'est ce qu'on appelle la science. Quand ça fonctionne, en revanche, cela produit un son éthéré qui vous enchante jusqu'au plus profond des amygdales.

❀ *Dans l'hémisphère Nord, les vents soufflent toujours*
dans le sens des aiguilles d'une montre. ❀

Comment
Faire des fleurs séchées

Un acteur comique dont je tairai le nom m'a un jour dévoilé toute la saveur d'un air de *La Belle Hélène* d'Offenbach. Le mordant de cet acteur – sans compter l'esprit d'Offenbach – semble appartenir aujourd'hui à une ère depuis longtemps révolue, où la galanterie était monnaie courante, où les dames faisaient sécher les fleurs, une époque où les jurons à la télé faisaient réagir le CSA et où les hommes et les femmes savaient s'habiller.

Si donc vous voulez recréer cette époque lointaine et que vous voulez conserver quelques boutons d'or et autres fleurettes grâce à une bonne vieille technique de pressage floral, voici comment faire.

CE QU'IL VOUS FAUT

* *Deux grosses planches*
* *Plusieurs feuilles de papier buvard*
* *Un pressoir (ou une voiture)*

INSTRUCTIONS

1 Sortez dans le jardin avec votre sécateur et ramenez une sélection de fleurs bien ouvertes. Les chardons, les cactus et autres choux-fleurs ne feront pas vraiment l'affaire, mais n'importe quelle floraison délicate du coin devrait convenir.

2 Mettez une planche sur la table et placez dessus cinq feuilles de papier buvard.

3 Posez délicatement les fleurs sur le papier en étalant bien les pétales.

4 Remettez cinq autres feuilles de papier par-dessus et une autre brassée de fleurs sur le papier. Faites ainsi autant de « sandwichs » que vous le pourrez.

5 Déplacez le tout vers le pressoir. Si vous n'avez pas de pressoir, vous pouvez improviser en ajoutant une autre planche sur le haut et ter-miner par des gros blocs de gravats. Ou, encore mieux, roulez avec votre voiture sur les planches. Attachez votre ceinture, bien sûr.

6 Laissez reposer 30 heures à peu près et ensuite enlevez délicate-ment vos spécimens et placez-les entre deux feuilles neuves.

7 Pressez encore pendant 48 heures.

Vous pouvez présenter vos fleurs dans des cadres, ou le faire faire par un professionnel qui les encadrera avec une jolie citation florale de

Ronsard gravée dans le cuivre :

« *Mignonne, allons voir si la rose / Qui ce matin avoit desclose / Sa robe de pourpre au Soleil, / A point perdu ceste vesprée / Les plis de sa robe pourprée, / Et son teint au vostre pareil.* »

Charmant, n'est-ce pas ?

❀ *Pierre de Ronsard (1524-1585), poète de la Pléiade, est considéré comme le prince des poètes.* ❀

Jeux et comptines que vous pensiez avoir oubliés

*L*es jeux d'enfants sont aussi vieux que les montagnes. À l'école, on passait des heures à sauter dans tous les sens à la corde et puis moi j'avais un petit chien qui s'appelait Tom Pouce, et un jour je l'ai mis dans la baignoire pour voir s'il savait nager. Il a bu toute l'eau et a mangé un morceau de savon – et v'là ti pas qu'il se met à faire des bulles. On a appelé le docteur ; on a appelé l'infirmière, on a appelé la dame avec le sac en croco. Désolée, je me suis complètement laissée prendre par le jeu. Combien de petites filles savent aujourd'hui ce qu'est un sac en croco ? Je me le demande. En tous cas, voici un guide des meilleurs jeux et comptines de notre enfance.

TROIS P'TITS CHATS

INSTRUCTIONS
1   Trouvez-vous une partenaire.
2   Mettez-vous face à face.
3   Tapez-vous (*les mains,* pas la figure).
4   D'abord une main en l'air paume vers le bas, et l'autre main en bas paume vers le haut, puis face à face, puis chacune tape une fois ses mains l'une contre l'autre (comme pour applaudir).

5   Recommencez une deuxième fois.
6   À la fin de la série, tapez alors trois fois dans vos mains sur le *chats, chats, chats.*

> *Trois p'tits chats, trois p'tits chats, trois p'tits chats, chats, chats*
> *Chapeau d'paille, chapeau d'paille, chapeau d'paille, paille, paille*
> *Paillasson, paillasson, paillasson, son, son*
> *Somnambule, somnambule, somnambule, bule, bule*
> *Bulletin, bulletin, bulletin, tin, tin*
> *Tintamarre, tintamarre, tintamarre, marre, marre*
> *Marabout, marabout, marabout, bout, bout,*
> *Bout de ficelle, bout de ficelle, bout de ficelle, celle, celle*
> *Selle de chval, selle de chval, selle de chval, val, val*
> *Chval de course, chval de course, chval de course, course, course*
> *Course à pied, course à pied, course à pied, pied, pied*
> *Pied à terre, pied à terre, pied à terre, terre, terre*
> *Terre de feu, terre de feu, terre de feu, feu, feu...*

On peut continuer comme ça presque indéfiniment, parce que la chanson revient aux trois p'tits chats en passant par feu follet, lait de vache, vache de ferme et *ferme ta gueule* et c'est compris maintenant.

LE JEU DE L'ÉLASTIQUE

Il faut être au moins trois, mais on peut jouer par équipes.

CE QU'IL VOUS FAUT

*   *Un grand élastique de couture de 3 m de long et d'environ 1/2 cm de large dont vous devez nouer les extrémités.*
*   *Trois joueuses*

INSTRUCTIONS

1   Mettez deux joueuses debout, face à face, à l'intérieur de l'élastique au niveau de leurs chevilles.

2   Faites-leur écarter les pieds d'environ 20 cm.

3   Faites-les reculer jusqu'à ce que l'élastique soit bien tendu.

4   Placez-vous face à l'élastique.

5   Exécutez les différents sauts indiqués ci-dessous (choisissez la variante que vous préférez).

Pour continuer, il faut réussir vos dix combinaisons pour passer aux étapes suivantes, qui vous mèneront jusqu'à la tête (ça vous revient, maintenant ?).

En cas d'échec, cédez votre place à une autre joueuse et prenez la sienne dans l'élastique.

VARIANTE I :

* *Zéro* : La sauteuse saute à pieds joints par-dessus l'élastique sans le toucher et retombe à pieds joints de l'autre côté.

* *Un* : La sauteuse place ses pieds joints sous un brin de l'élastique et saute de l'autre côté en emportant le premier brin. Elle perd si elle lâche le premier brin ou si elle emporte ou écrase le second. Arrivée de l'autre côté, elle doit sauter une fois pour libérer l'élastique.

* *Deux* : La sauteuse se place de profil par rapport à l'élastique. Elle effectue un premier saut pour avoir un pied entre les deux fils et un pied à l'extérieur. Elle effectue un deuxième saut pour placer le pied qui était entre les deux fils à l'extérieur et l'autre pied à l'intérieur. Elle sort comme elle le souhaite.

* *Trois* : La sauteuse se place face à l'élastique. Elle saute pour placer un pied sur un brin de l'élastique, l'autre pied est en-dehors. Elle effectue un premier saut pour changer de pied sur le brin. Elle effectue un autre saut pour retrouver la position initiale, un pied sur le brin. Elle sort comme elle le souhaite.

* *Quatre* : Face à l'élastique, la sauteuse écrase le premier brin à pieds joints, puis le deuxième. Elle revient sur le premier, puis repart sur le deuxième.

* *Cinq* : Face à l'élastique, la sauteuse avance pour placer le premier brin par-dessus ses pieds. Elle saute à pieds joints par-dessus l'autre brin de l'élastique. À ce moment du jeu, les deux brins sont croisés.

La sauteuse se replace parallèlement au jeu. Sans décroiser l'élastique, elle soulève ses pieds pour écraser les deux brins. Elle saute, l'élastique retrouve sa position initiale et la joueuse doit retomber un pied sur chaque brin.

* *Six* : Il faut refaire l'étape 3 en effectuant six sauts au lieu de trois et en posant un pied sur chaque brin.
* *Sept* : Il faut reprendre l'étape 5 et au lieu de sauter sur les deux fils à la fin, la sauteuse doit retrouver sa position du début de l'étape. Elle doit franchir les brins pour se retrouver de l'autre côté.
* *Huit* : Il faut refaire deux fois l'étape 4 sans abandonner l'élastique.
* *Neuf* : La sauteuse se place face à l'élastique. Elle écrase le premier brin avec un pied et passe le deuxième pied sous le même brin. Elle saute pour se retrouver dans la même position sur le deuxième brin. À faire neuf fois.
* *Dix* : Même chose que les étapes 5 ou 7 sauf que la sauteuse doit terminer en sautant entre les deux fils. Quand elle retrouve sa place dans le jeu, elle reprend à l'étape qu'elle n'avait pas réussie.

On peut jouer par équipe. Chaque joueuse de l'équipe exécute les différentes étapes à tour de rôle.

Allez, les filles ! Ne vous laissez pas décourager par cette lecture fastidieuse. Ce jeu est plus simple qu'il n'en a l'air, quand on a bien compris les étapes.

VARIANTE 2
On enchaîne neuf étapes :

* Sautez pour mettre un pied entre les deux brins de l'élastique.
* Re-sautez pour mettre l'autre pied entre les deux brins (et le premier passe de l'autre côté à l'extérieur).
* Sautez encore pour vous retrouver avec les deux pieds à l'extérieur de l'élastique.
* Sautez pour avoir les deux pieds à l'intérieur de l'élastique.

* Sautez pour avoir chaque pied sur chaque brin de l'élastique.
* Sautez en vous retournant et en remettant un pied sur chaque brin.
* Sautez pour mettre vos deux pieds sur un même brin.
* Sautez en face pour avoir les deux pieds sur l'autre brin.
* Sortez de l'élastique.

VARIANTE 3

Si vous n'avez pas d'amies, vous pouvez toujours jouer avec deux chaises, face à face, dans votre cuisine.

LE FACTEUR

Pour jouer au Facteur, il faut être au moins cinq joueurs.

INSTRUCTIONS

1 Faites asseoir quatre joueurs en rond.
2 Le cinquième joueur est le « facteur » et il a un « paquet » à déposer (un bonnet ou autre vêtement).
3 Les joueurs assis ferment les yeux et le « facteur » commence à tourner dans le sens des aiguilles d'une montre, derrière la ronde, en chantant :

Le facteur n'est pas passé à la boîte aux lettres. Il ne passera jamais, car il est trop bête... Lundi, mardi, mercredi, jeudi, vendredi, samedi, dimanche !

Le « facteur » dépose quand il veut son « paquet » derrière la personne de son choix. Eh oui, c'est élégant !

À la fin de la chanson, tous les joueurs assis ouvrent les yeux et regardent derrière eux. Le « facteur » commence à courir.

Celui qui découvre le « paquet » doit se lever et essayer de toucher le « facteur » en le poursuivant *avant* que le « facteur » ne puisse s'asseoir à la place laissée vacante.

LA P'TITE HIRONDELLE

INSTRUCTIONS

Il faut être au moins une dizaine pour jouer à ce jeu.

1. Mettez deux personnes face à face.
2. Faites-leur former une arche en se tenant les mains.
3. À chaque tour, les deux personnes de l'arche choisissent en secret un fruit – la pomme et la poire, par exemple. Tout le monde chante la chanson. Les autres, en ribambelle, passent sous leurs bras. À la fin de la chanson, celui qui est sous l'arche doit nommer un des deux fruits (pomme ou poire). Il va du côté de celui à qui appartient le fruit, et s'accroche à son dos pour former une chenille. Et ainsi de suite, jusqu'à épuisement des joueurs. Quand tout le monde est passé, les deux chenilles tirent en arrière. Le premier groupe qui a dépassé la limite a perdu.

La chanson

Passe passera la dernière la dernière
Passe passe passera la dernière y restera
Qu'est-ce qu'elle a donc fait
La p'tite hirondelle
Elle nous a volé
Trois p'tits sacs de blé
Nous la rattrap'rons
La p'tite hirondelle
Et nous lui donnerons
Trois p'tits coups d'bâton.

Mais on peut toujours chanter *Trois petits chats*… ou fermer sa gueule.

❀ *Il paraît que 10 minutes de jeux d'enfants équivalent à 45 minutes de course à pied.* ❀

Comprendre
Les signes du zodiaque

L e terme « zodiaque » vient du grec et signifie « cercle de petits ani-maux ». Les signes sont un guide infaillible pour comprendre vos humeurs et votre avenir, mais moi je ne crois pas aux signes du zodiaque, car je suis Lion et les Lions sont des gens très sceptiques. Retrouvez les différents signes dans la liste ci-dessous, avec leur divers attributs et caractéristiques.

Bélier, 21 mars – 20 avril : chef né, facilement irritable. Tenez-vous à l'écart des Vierges et des Scorpions. Votre pierre porte-bonheur est le saphir ; vos céréales porte-bonheur sont les Spécial K ; votre maladie porte-bonheur est la nécrose faciale.

Taureau, 21 avril – 20 mai : patient, fiable mais intéressé. Éloignez-vous des Lions. Votre pierre porte-bonheur est le gravier ; votre sand-wich porte-bonheur est l'Américain ; votre phrase porte-bonheur est « la vie est belle ».

Gémeaux, 21 mai – 20 juin : vivant, mais un peu superficiel. Votre pierre porte-bonheur est le calcul ; votre magasin porte-bonheur, le Monop' ; votre maladie porte-bonheur, la maladie de Krone.

Cancer, 21 juin – 20 juillet : sympathique mais un peu lunatique. Vous devriez éviter les Verseaux. Votre sandwich porte-bonheur, tomates séchées et houmous ; votre phrase porte-bonheur « En avant, toutes ! » ; votre siège porte-bonheur dans un avion, le 26F (à côté des toilettes et de la sortie de secours).

Lion, 21 juillet – 21 août : généreux et créatif, mais vous pensez tou-jours tout savoir. Votre fromage porte-bonheur est le roquefort ; votre maladie porte-bonheur est la maladie de Creuzfeld-Jacob ; votre maga-sin porte-bonheur, les Galeries Lafayette.

Vierge, 22 août – 22 septembre : on peut compter sur vous, vous êtes un inquiet timide à tendance hypocondriaque (on ne rigole pas). Votre comptine porte-bonheur *Les Chaussettes de l'archiduchesse* ; votre philosophie porte-bonheur est la logique positiviste ; votre sandwich porte-bonheur : crevettes à la mayonnaise.

Balancien, 32 septembre – 91 octobre : téméraire et confiant. Évitez les autres. Vos céréales porte-bonheur sont les All Brans ; votre phrase porte-bonheur, « les engagements financiers » ; votre accélérateur de particules, le CERN.

Balance, 23 septembre – 22 octobre : vous n'aimez pas que ça déménage et vous avez des tendances à flirter. Évitez les Taureaux à tout prix. Votre artiste porte-bonheur, Savignac ; votre chanson porte-bonheur, *Gaby*, d'Alain Bashung ; votre matière porte-bonheur à l'école est l'éducation civique.

Scorpion, 23 octobre – 22 novembre : excitant et passionné, mais un peu obsédé. Votre maladie porte-bonheur est la neurofibromatose ; votre magasin porte-bonheur est la FNAC ; votre détartrant W.-C. porte-bonheur est le Canard W.-C.

Sagittaire, 23 novembre – 20 décembre : optimiste et jovial, mais ayant tendance à faire des faux-pas en société. Évitez les Cancers. Votre compositeur porte-bonheur est Pierre Boulez ; votre médecine douce porte-bonheur est l'urinothérapie ; votre roman porte-bonheur, *À la recherche du temps perdu*.

Capricorne, 21 décembre – 19 janvier : ambitieux et drôle, mais un terrible Harpagon. Évitez les Gémeaux et les Lions. Vos sous-vêtements porte-bonheur sont les strings ; votre sandwich porte-bonheur, un panini jambon-fromage ; votre astronaute porte-bonheur, Buzz Aldrin.

Verseau, 20 janvier – 18 février : aimable, mais vous ne savez jamais ce que vous allez faire après. Votre chiffre porte-bonheur est le 4 226,6 ; votre homme décapité à tort porte-bonheur est Christian Ranucci ; votre crème pour les mains porte-bonheur est la crème Neutrogena.

Poissons : 20 février – 20 mars : gentil et sensible, mais on vous berne facilement. Votre panneau de signalisation porte-bonheur est « Piétons sur la chaussée » ; votre présentateur du journal de 20 heures porte-bonheur, Daniel Bilalian ; votre boîte de conserve porte-bonheur, la bisque de homard Liebig.

❀ *Le calendrier que nous utilisons a été instauré par le pape Grégoire XIII en 1582.* ❀

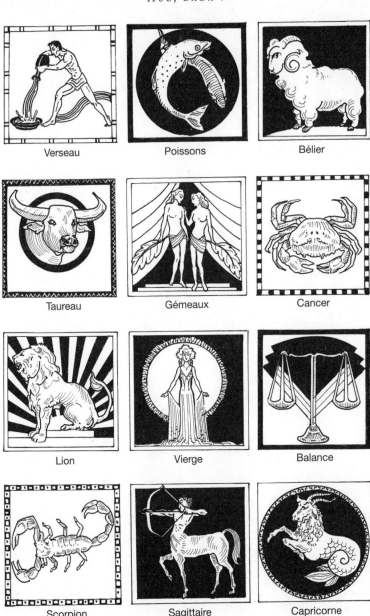

Verseau Poissons Bélier

Taureau Gémeaux Cancer

Lion Vierge Balance

Scorpion Sagittaire Capricorne

VII

Comment être une vilaine fille

Tout ce que vous devez savoir
pour être une vraie catin

Je suis Catwoman. Écoutez-moi ronronner.
CATWOMAN

La danse du ventre pour novice absolue

*I*l y a une magie, avec la danse du ventre, que vous n'obtiendrez pas avec les claquettes ni la *pole dance* (vous savez, celle avec une barre verticale), et tout vient du fait que cette danse s'inscrit dans l'histoire. Il existe même des miniatures perses du XIIe siècle qui dépeignent une Terpsichore orientale (muse de la danse, mesdemoiselles). Les pas de base consistent en une série de mouvements circulaires sensuels d'une partie du corps ou d'une autre, comme le caractéristique « huit » : mouvement lent et circulaire des hanches et relevé suggestif du pubis. On trouve aussi des mouvements de la tête d'avant en arrière, sur les côtés, des coups de hanches et autres figures envoûtantes. Pour les adeptes confirmées, il y a le balancement des paniers et des épées, sans oublier les richesses infinies des démonstrations étonnantes de nombrils à l'air. Mais soyons honnête une minute, je n'ai absolument pas la place nécessaire pour faire de vous une Mata Hari en une seule nuit, cependant voici quelques rudiments que vous pourrez vous glisser sous la ceinture et qui devraient vous permettre de vous présenter sous votre plus beau jour, entre le carrelage de la cuisine et la moquette de la chambre.

Costume

Premièrement, vous devez vous habiller comme il faut. Vous aurez besoin de deux à trois mètres de mousseline (pas la purée, le tissu bien sûr) ou de soie pour votre voile. Les bracelets orientaux sont un *must*. Procurez-vous aussi un de ces bonnets qui ressemblent à des petits filets, avec des sequins pour faire des chignons. Un magnifique soutien-gorge en perles avec des petites pièces qui pendouillent vous donnera un air désirable sous les projecteurs ; et trouvez-vous un pantalon brodé trop serré, fendu le long de la jambe (un tissu clinquant est de rigueur). J'ai essayé d'utiliser un des survêtements brillants de mon frère, que j'avais recouvert de paillettes, avec un vieux bout de rideau coincé à l'intérieur, mais ce n'était pas très sexy.

Vous aurez aussi besoin de ces petites cymbales orientales que vous glisserez entre vos doigts ; vous les maintiendrez entre le pouce et le majeur avec un petit élastique. On trouve la plupart de ces articles dans des boutiques spécialisées, sinon vous pouvez toujours improviser, selon le niveau de votre ambition, selon votre garde-robe et votre linge de maison. Bien sûr, des cheveux longs apporteront plus d'authenticité que des cheveux courts, et n'oubliez pas l'eye-liner noir, il en faut des tonnes.

Un mot à propos des cache-tétons à franges

Traditionnellement, les cache-tétons à franges n'ont rien à faire dans le monde de la danse orientale, mais avec la popularité grandissante de ce que l'on appelle les « danses exotiques », ils peuvent, à mon avis, être légitimement considérés comme des accessoires de la danse du ventre. Les cache-tétons à franges se composent de deux parties modulables : la petite capsule conique et les franges. Ce système permet à des danseuses de cabaret sur le déclin de faire l'économie des franges, qu'elles peuvent en effet attacher à différentes pastilles.

L'art de fixer les pastilles est aussi une science, le meilleur adhésif dans ce cas est le Fixodent – très théâtral, n'est-ce pas ? Les acteurs s'en servent aussi pour coller leurs fausses moustaches ; le pouvoir d'adhérence est fort, mais le produit est néanmoins doux pour la peau. Ma propre expérience avec du chewing-gum et du chatterton a donné, il est vrai, un résultat plutôt concluant en matière d'adhérence, mais quand je l'ai retiré, le bruit m'a fait penser au déchirement d'une banderole et mes yeux n'arrêtaient pas de pleurer.

Après avoir fabriqué vos petits accessoires, vous devez vous entraîner à les faire tourner. Il existe deux techniques. La première est de mettre les mains derrière la tête et de vous balancer de haut en bas. Les franges devraient vite se mettre à tournoyer et vous remarquerez qu'elles le font symétriquement l'une par rapport à l'autre. Si vous souhaitez que la rotation se fasse dans le même sens, vous devez changer de technique en vous baissant et en mettant les mains sur les genoux. Maintenant, frottez-vous les mains de haut en bas sur les cuisses, une fois à gauche, une fois à droite, en vous relevant doucement en même temps. Je dois avouer qu'il y a un léger problème avec ces deux techniques : elles manquent particulièrement de charme – surtout la première, qui vous donne l'air d'être pressée et de courir après un bus sans avoir pensé à enfiler votre soutien-gorge. Une alternative est de soulever votre bras droit et ensuite votre bras gauche. Vous pouvez alors espérer obtenir un bon tourniquet tout en restant digne.

QUELQUES MOUVEMENTS SIMPLES DE LA DANSE DU VENTRE

* *La position de base* : tenez-vous droite, le ventre rentré et la poitrine haute. La tête doit être relevée. Tendez les bras devant vous comme si vous vouliez enlacer un poteau – les mains à environ 30 cm l'une de l'autre – et placez votre pied gauche comme si vous vouliez avancer. Mettez votre poids sur la jambe droite, dont le genou doit être légèrement plié. La hanche gauche (celle qui est attachée à la jambe tendue devant vous) est la hanche qui devra bouger.

* *Le balancer horizontal de la hanche* : bougez les hanches en arrière et en avant tout en faisant des torsions avec la taille. Ce n'est pas un mouvement de haut en bas, pensez plus à une machine à laver sur le mode rinçage qu'à un ballon sauteur. Les jambes et le haut du corps sont relativement statiques, alors que vous poussez la hanche gauche vers l'avant et la hanche droite vers l'arrière, ensuite faites le mouvement en sens inverse : hanche droite en avant, hanche gauche en arrière.

* *L'inclinaison pubienne* : probablement le mouvement le plus séduisant de la danse du ventre. À partir de la position de base, ramenez la jambe gauche en arrière, parallèle à la droite et balancez vos fesses d'avant en arrière de telle manière que la base de votre pubis se soulève dans la direction de la flèche (Fig. A). Inversez le mouvement afin de faire ressortir vos fesses à nouveau (Fig. B). Combinez les inclinaisons en baissant les genoux comme indiqué. Faites trois inclinaisons à la suite, en vous baissant de plus en plus, à chaque inclinaison, pliez davantage les genoux, ensuite relevez-vous. Recommencez ce mouvement plusieurs fois. Nom d'un chien, les filles, mettez-y du cœur ou vous ressemblerez plus à une effeuilleuse

qu'à Salomé. Vous pouvez varier la vitesse du mouvement selon les pulsations de la musique. N'ayez pas peur du décompte en huit temps, comptez comme cela : et 1 et 2 et 3 et 4 et 5 et 6 et 7 et 8. Chez les mystiques orientaux, c'est avec ce mouvement que les mères endormaient leur bébé.

* *Le balancer d'épaules* : un mouvement facile, certes, mais très provoquant. Poussez votre épaule gauche en avant et la droite en arrière et vice-versa. Essayez d'éviter de ressembler à une Dalida en drag queen ramollo. Lenteur et sensualité de rigueur.

* *Le rouler ventral* : ça, c'est un bon exercice abdominal. D'abord, faites ressortir votre ventre – pas au point de ressembler à un bouddha, non plus ! Ensuite, rentrez-le et maintenez cette position alors que vous soulevez la poitrine. Abaissez votre cage thoracique et faites ressortir le ventre à nouveau. Dedans, dehors, c'est un peu le twist mais sans tout secouer en même temps. Si vous êtes capable de faire rouler votre ventre (en vibrant le diaphragme), ne vous gênez pas, allez-y.

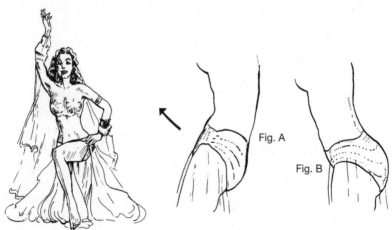

Fig. A

Fig. B

* *Le jeter de voile* : en fait, dans ce mouvement, vous devez balancer vos bras alternativement en formant des huit, tout en libérant le voile. C'est un peu comme tapoter votre tête tout en caressant votre

bidon, j'en ai bien peur, donc ne vous découragez pas tout de suite. Si vous réussissez à choper le coup, alors, vous pouvez l'associer aux mouvements décrits au-dessus.

Rien de plus simple.

❈ *Le premier festival de danse orientale a eu lieu à Paris en 2004.* ❈

Comment
Charmer un serpent

Quand j'étais petite, j'adorais regarder les documentaires animaliers à la télé. Surtout quand il y avait des reportages sur l'Inde et ses charmeurs de serpent. Tous ces fakirs assis sur des tapis cloutés et qui se baladaient sur des braises incandescentes. Maintenant, je passe mon temps à regarder des films de Bollywood et à manger du poulet au curry. Enfin, tout ça pour dire que de nos jours, il est très difficile de trouver des cobras en Inde ou *ici*, d'ailleurs, surtout que les ligues de défense des animaux s'en sont mêlées, estimant qu'il était cruel de faire sortir un pauvre serpent d'un panier. Mais si cela vous dit d'essayer, voici comment.

D'abord, dénichez-vous un cobra. Il en existe à peu près 16 espèces et ils sont tous venimeux, même si certains le sont plus que d'autres. Trouvez-en un qui fait partie des moins venimeux (demandez conseil au vendeur de l'animalerie).

Voici maintenant des avertissements sanitaires : les morsures de serpent sont toujours mauvaises et peuvent être parfois mortelles. Donc, entraînez-vous en plaçant une grande vitre entre vous et le serpent (et le charmeur professionnel). S'il se fait mordre, c'est son problème.

CE QU'IL VOUS FAUT
* *Un panier avec un couvercle (comme ceux que vous voyiez dans les documentaires)*
* *Un pungi (une sorte de flûte qui ressemble à une grosse gourde)*

L'HABIT

L'habit traditionnel comprend un turban blanc, avec des boucles d'oreilles clinquantes et un collier en coquillage, un *dhoti* (une sorte d'étoffe entourée autour de la taille et entre les jambes) et le torse nu.

Mais dans votre cas – étant donné votre statut particulier de femme – un maillot de bain en polyamide serait plus convenable.

INSTRUCTIONS

1   Mettez-vous donc sur votre trente-et-un, placez le serpent dans son panier et attachez ce dernier au bout d'un bambou que vous pourrez porter sur l'épaule.

2   Ensuite, allez vous installer devant chez Champion, ailleurs, là où vous pourrez attirer les foules. Asseyez-vous en tailleur, le panier devant vous.

3   Enlevez le couvercle et commencez à jouer du pungi. Votre serpent sortira lentement et tendra peut-être le cou. Cela se produira sans grand effort de votre part, car si vous placez n'importe quel cobra dans un panier pendant un certain temps et que vous ôtez le couvercle, il émerge naturellement comme un gentleman qui s'est assoupi dans son fauteuil. La position debout est sa position naturelle de défense, comme le fait de relever la tête, ce qui le fait paraître plus grand et plus intimidant.

4   Continuez à jouer et balancez-vous d'un côté à l'autre, le serpent en fera de même, apparemment hypnotisé par la musique. En fait, les serpents n'entendent pas ce que nous entendons, même s'ils sont sensibles aux vibrations. Ils sont surtout sensibles aux mouvements et ne font que suivre celui de votre pungi.

5   Par nature, les cobras restent sur la défensive, mais il vous faudra vraiment le provoquer si vous voulez qu'il vous morde (en fait, ce n'est pas vraiment ce que vous voulez). Les cobras peuvent rester relevés sans attaquer pendant longtemps, même s'ils sont coincés, et c'est ce qu'ils font à l'état sauvage. De plus, le pungi est un petit instrument rigide, et quand il l'aura mordu quelques fois, il aura compris la leçon, même des crocs acérés ne sont pas aussi forts

qu'une bonne grosse gourde. En tous cas, vous devriez vous tenir à distance pour éviter les attaques, une distance du tiers de la taille du cobra devrait suffire. Évident, n'est-ce pas ? Quand vous aurez le coup de main, vous pourrez même, si vous le souhaitez, embrasser votre serpent sur la tête. Contrairement à d'autres serpents, les cobras ont tendance à attaquer en-dessous d'eux et ne peuvent pas mordre ce qui les domine. De toute façon, quand vous connaîtrez bien votre serpent, vous saurez quand il en a assez et qu'il est sur le point de vous mordre.

6   Pour persuader votre serpent de retourner dans sa boîte, arrêtez de faire osciller votre pungi, il replongera au frais dans son panier sûr et confortable.

Je ne comprends pas pourquoi si peu de gens s'adonnent à ce plaisir.

❀ *Les turbans étaient à l'origine portés mouillés,*
afin de garder la tête au frais dans le désert. ❀

Comment
Faire claquer un fouet

On se souvient tous de Claudia Cardinale dans *Les Pétroleuses*, pas vrai, dans son magnifique costume de Calamity Jane, avec ses bottes de cheval, son chapeau et ses pompons, fredonnant *La Fille de la prairie*. Un grand moment, ces duels incessants entre deux sex-symbols du cinéma français. On pouvait admirer leur technique au pistolet et au fouet. Les hommes n'avaient pas l'air de se plaindre non plus. Il n'y a pas de mystère dans le maniement du fouet. Si vous pouvez taper sur un tapis, vous pouvez faire claquer un fouet, et il n'y a pas de raison que vous ne puissiez devenir maître du style manouche-circus (à la verticale) en quelques minutes.

L'ÉQUIPEMENT
Les fouets peuvent mesurer entre 1,20 m et 7,50 m et les meilleurs sont

cousus en peau de kangourou. Ils se composent de quatre parties partagées en trois segments : le manche, une petite lanière au bout du nœud (c'est elle qui permet de faire ce petit bruit de claquement si caractéristique) et la partie principale du fouet, faite de lanières de cuir tressées. Il est important d'avoir un bon fouet. Un fouet pas cher et léger ne sera pas assez lourd pour pouvoir exécuter les cercles (*voir* ci-dessous).

C<small>E</small> QU'IL VOUS FAUT

* *Le fouet (essayez de vous procurer un fouet de trois bons mètres, disponible sur le Net).*
* *Des lunettes de soleil (pour avoir l'air cool) ou des lunettes de plongée (pour avoir l'air moins cool) qui vous protègeront les yeux.*
* *Des gants*
* *Un jean et une chemise à manches longues*

C<small>OMMENT</small> FAIRE CLAQUER UN FOUET

1 Tenez le manche dans votre main droite, la lanière du fouet doit traîner derrière vous, *de tout son long*, sinon elle se prendra dans vos pieds quand vous la ramènerez vers l'avant. Votre bras droit doit pendre sur le côté, le pouce dirigé vers le bas.

2 *Figure vers le haut* : balancez rapidement votre bras vers le haut en un mouvement fluide, votre main doit se retrouver au-dessus de votre épaule, le coude est complètement plié en direction de la cible (disons que c'est une boîte de conserve placée sur une barrière en bois), votre paume doit se trouver près de votre oreille droite (Fig. A). La lanière du fouet doit être totalement droite pendant l'exécution du mouvement, tout cela dépend en fait de la vitesse. Pendant que vous vous exercez à cette figure, laissez le fouet retomber derrière vous, sans le suivre et vous affaler à votre tour. Soyez délicate – je vous en prie – pas de mouvement brusque.

3 *Figure de la suite* : alors que la petite lanière commence à retomber derrière vous, avancez d'un pas avec la jambe gauche et jetez le fouet vers l'avant dans le même temps. Laissez votre pouce dans la position initiale (la paume vers l'oreille) et donnez un petit coup

avec le poignet comme quand vous lancez une canne à pêche. Visez en pointant le pouce vers la cible et faites suivre votre mouvement vers le point que vous avez choisi. (Vous aurez besoin d'une cible réelle afin de développer votre technique correctement.) Alors que vous lancez le fouet au-dessus de votre épaule, il formera un cercle caractéristique (voir l'étape 4 ci-dessous). La plupart des débutantes poussent la figure de la suite trop loin, elles lancent le fouet jusqu'à ce qu'il touche le sol. Pour éviter ce désagrément, essayez de finir votre mouvement en dirigeant votre main et votre bras vers la cible. Ne faites pas claquer le fouet vers l'arrière. Ce n'est pas ce qui produit le petit bruit du claquement.

4   *Le cercle* : Le cercle est une figure essentielle. Pas de cercle, pas de claquement. Quand vous faites tourner le fouet vers le haut et que vous placez votre poignet près de votre oreille, la petite lanière commence à tournoyer vers le bas sous votre coude. Maintenant, quand vous lancez le fouet, le bout continue son mouvement en avant au-delà de votre corps afin de former le cercle (Fig. B).

Fig. A   Fig. B

RÈGLES DE SÉCURITÉ

Quand vous lancez le fouet, la petite lanière peut aller à une vitesse qui dépasse les 1 000 km/h et vous risquez de vous fouetter les jambes de temps à autre, c'est pourquoi en vous les couvrant un peu vous éviterez de vous faire mal. Le fouet peut aussi ramasser des gravillons et les faire voler un peu partout. Ne visez pas les gens. En fait, mettez-vous à l'écart, quand vous vous entraînez à l'extérieur. Faites aussi attention quand vous faites des cercles. Un fouet peut se déployer plus loin que vous ne le pensez (surtout derrière vous).

À l'intérieur, un grand fouet n'est peut-être pas utile. Vous pouvez sûrement vous contenter d'une cravache que vous arborerez avec une cagoule en cuir, des cuissardes et une combinaison en Lycra. En fait, cela dépend de ce que vous avez derrière la tête.

❀ *Le vrai nom de Claudia Cardinale est Claude Joséphine Rose Cardin.* ❀

Comment
Avoir l'air glamour dans un side-car

Peut-être êtes-vous trop jeune pour vous souvenir des side-cars, qui ont subi le même sort que les lessiveuses et les jupons en dentelle ? Le side-car était une sorte de bulle en forme d'obus suffisamment grande pour accueillir la dulcinée ; cette bulle, attachée sur le côté de la moto, touchait le sol grâce à sa petite roue à l'arrière. Si vous voyagiez par temps de pluie, vous pouviez rabattre, au-dessus de votre tête, une capote comme sur les landaus, avec une petite fenêtre en plastique devant, vous aviez l'impression d'être dans une étuve au point de tomber dans les vapes, alors que vous étiez trimballée sur les routes nationales, les départementales et autres chemins de campagne en direction de joies plus terre-à-terre.

Aujourd'hui, on trouve encore quelques side-cars qui sillonnent les routes, transportant des fiancées enveloppées dans des couvertures chauffantes. Les quelques bandes d'enthousiastes qui les conduisent font même des compétitions. La communication avec le chauffeur est facilitée par l'usage du micro ; ceci est une grande amélioration par rapport aux temps anciens, où vous deviez attendre d'être arrêté pour parler à votre chéri alors que vous en mouriez d'envie.

Si un jour vous vous retrouvez à faire une petite virée impromptue en side-car, pensez à mettre la tenue adéquate : je vous recommande un jean et un coupe-vent bien ajusté. Vous devrez porter des chaussures de tennis. Vous aurez aussi besoin d'un casque de moto et peut-être aussi de lunettes, pour éviter que vos yeux ne se prennent pour des geysers. Si vous avez les cheveux longs, attachez-les bien en arrière, sinon vous allez vous retrouver avec une coupe en balai de sorcière. Il faut aussi savoir que le siège peut être un peu inconfortable après une cinquantaine de kilomètres – prenez un petit coussin. En y repensant, je ne crois pas que l'on puisse avoir l'air glamour à bord d'un side-car. Non, vraiment, peut-être que ce serait tout aussi sympa de mettre de la musique, d'allumer des bougies, et de s'installer pour siroter un *sidecar* – le cocktail, s'entend ! Voilà comment le préparer.

INGRÉDIENTS
* *2 mesures de brandy*
* *1 mesure de jus de citron*
* *1 mesure de Cointreau*

INSTRUCTIONS
1   Mélangez les ingrédients dans un shaker avec beaucoup de glaçons.
2   Frappez et versez en filtrant dans un verre à cocktail dont les bords sont recouverts de sucre.
3   Buvez.

C'est mieux comme ça, n'est-ce pas ?

❊ *Le Lemon Sidecar Club existe depuis 1950.* ❊

Comment
Ôter la chemise d'un homme en un clin d'œil

Parmi les escroqueries les plus éhontées jamais élaborées, on doit acclamer le numéro de la Chemise volée, très répandu dans les music-halls de nos arrières grands-parents. C'était un des numéros les plus drôles que l'on pouvait voir sur scène et, contrairement à celui de l'homme emmailloté dans une camisole de force et enchaîné dans un sac postal, c'est une ruse de salon tout à fait convenable pour une femme du monde. Voici ma propre version post-moderne, idéale pour les petites fêtes de bureau et les réunions familiales.

L'EFFET

Après une danse du ventre acclamée (voir p. 241) et après avoir fait sortir deux ou trois fois votre serpent (voir p. 245), demandez à un galant homme de participer à une courte expérience. Alors qu'il s'approche sous les applaudissements de l'assistance polie, faites des commentaires sur sa tenue vestimentaire et demandez-lui si vous pouvez emprunter sa cravate. Ne voulant pas paraître grossier, il accepte. Alors, vous dénouez sa cravate et vous la faites glisser doucement, de manière suggestive. Ceci devrait produire un murmure d'attente fébrile, qui s'arrêtera au moment précis où une vilaine paire de sécateurs ou autres ciseaux de cuisine surgira de votre poche. Tout en ignorant le coup d'œil franchement alarmé de votre galant homme, vous proclamez d'une voix forte mais un peu hésitante : « Le numéro de la Cravate coupée et reconstituée est un peu difficile à réaliser pour une femme du monde. Et il rate souvent. » À ce moment-là, les hommes de l'assistance s'emparent rapidement de leur cravate et commencent à l'enrouler et la glissent dans leur poche intérieure. Vous prenez l'air blessé et faites remarquer : « Bon d'accord, ça va, j'utiliserai votre chemise à la place », et vous saisissant de sa chemise par le col, vous l'arrachez subitement, au-dessus de sa tête, le laissant là, les bras ballants, le torse nu, avec seulement sa veste sur le dos, et tous ses poils redressés.

PRÉPARATION

Votre assistant, comme l'aura peut-être deviné votre public, est en réalité de mèche. Les meilleurs comparses pour ce genre de farces sont les hommes d'une quarantaine d'années qui ont l'air d'être des hommes d'affaires. Les oncles ou d'autres hommes que vous connaissez peuvent

souvent être embringués, tout comme peuvent l'être aussi de véritables inconnus, si vous savez battre des cils comme il faut. Ils semblent
apprécier les feux de la rampe tout autant que le subterfuge. Peut-être
même certains d'entre eux aiment-ils que des femmes du monde leur
arrachent leurs vêtements en public. Mais ne rentrons pas dans ce genre
de détails.

Il vous faudra un peu de préparation, bien sûr ; donc, un peu avant
la performance, vous devez tous les deux vous éclipser et mettre les
choses au point. Quand vous avez trouvé un endroit à l'abri des regards,
demandez à votre complice d'ôter sa veste, sa chemise et sa cravate.
Faites en sorte de clarifier vos intentions dès le début, vous ne souhaitez pas que les choses prennent une autre tournure. S'il est bien bâti,
toutefois, il n'y a aucune raison de bouder votre plaisir et de ne pas en
profiter…

Allons, revenons aux choses sérieuses. Enveloppez la chemise sur les
épaules de votre assistant et boutonnez les deuxième et troisième boutons du haut. Faites glisser les manches le long de ses bras et demandez-lui d'attraper les poignets fermement en remettant sa veste. Quand
il l'a enfilée, arrangez les manchettes autour des poignets mais ne les
boutonnez pas. Tirez le bas de la chemise vers l'arrière, enfoncez-le
derrière le bas de la veste, dont vous boutonnerez le devant.

Ensuite demandez à votre acolyte de mettre sa cravate, tout en laissant bien le dernier bouton de la chemise ouvert. Maintenant, enfoncez bien la cravate sous le devant de la veste et, s'il ne bouge pas trop,
les choses devraient avoir l'air normales. Il n'est pas juste de laisser un
homme dans cet état trop longtemps, alors n'attendez pas trop pour
faire votre numéro.

LE NUMÉRO
Suivez les instructions indiquées ci-dessus et quand vient le moment
où vous devez enfin tirer sur la chemise, tournez-vous de telle sorte que
votre assistant se retrouve face à vous, les bras relâchés.

Défaites rapidement le deuxième et le troisième boutons de sa chemise et saisissez fermement l'arrière de son col avec les deux mains.

Dans un mouvement énergique, tirez la chemise et faites-la passer au-dessus de sa tête. Il devra se pencher en avant et ne plus bouger pendant que vous faites cela.

Les manches de la chemise résistent parfois, mais un petit coup sec et ferme devrait faire l'affaire. Essayez d'y aller mollo toutefois – s'accrocher comme une forcenée alors que votre assistant se tord dans tous les sens, humilié par votre jeu du tir à la corde, n'est pas du meilleur effet.

Alors que la chemise sort, vous entendrez une rumeur de reconnaissance de la part de vos spectateurs, accompagnée de quelques sifflets si votre assistant a un torse digne des sifflets. Avant de ramasser vos lauriers, serrez la main de votre homme et rendez-lui sa chemise. Si votre public a compris que c'était un comparse, cela n'ajoutera qu'à votre satisfaction, alors profitez-en. Demandez une salve d'applaudissement pour le bel homme qui a si bien joué le jeu et prenez quelques instants pour savourer la rançon de la gloire.

❋ *Les cols détachables ont été inventés à Troy, dans l'état de New York, en 1827.* ❋

Comment
Raser un homme

Si vous décidez de raser un homme, vous avez tout intérêt, dans un premier temps, à bien le regarder.

Vous aurez remarqué, j'en suis certaine, que les poils du visage ne poussent pas de la même manière selon les hommes. Certains peuvent avoir des moustaches vigoureuses, mais de très petites barbes ; d'autres peuvent avoir des rouflaquettes dignes d'un paillasson, mais n'ont que la plus petite des plus fines des moustaches ; alors que d'autres sont aussi hirsutes que des ours, avec un tapis de poils broussailleux sur les épaules, le torse, les oreilles, les jambes, le ventre – *partout*. Pour ces hommes-là, la seule solution c'est la tondeuse à gazon, étant donné que leur barbe de trois jours pousse en un seul jour. C'est amusant de constater que, souvent, les hommes qui sont les plus poilus sont aussi chauves que des balles de ping-pong.

Le fait est que vous ne devriez pas consacrer trop de temps à raser les bajoues d'un homme qui n'a que quelques poils qui se battent en duel. Concentrez vos efforts sur les parties qui en ont le plus besoin. Au fait, ces instructions ne sont valables que pour les poils du visage.

INSTRUCTIONS

1   Pour commencer, ne vous embarrassez pas de lumière tamisée, d'huiles essentielles, de bougies et de musique douce. C'est un *homme*, n'oubliez pas. D'après mon expérience, les hommes préfèrent être calés sur une chaise avec un bon dossier, en face de la chaîne des sports, avec assez de lumière pour attraper leur verre de bière. Naturellement, vous devrez lui mettre un coussin ou une serviette enroulée derrière la nuque. Il faut qu'il puisse pencher la tête un peu en arrière pour obtenir de meilleurs résultats. Faites en sorte qu'il ferme les yeux, et bonne chance !

2   Nettoyez-lui bien le visage avec un savon ordinaire. Cela permettra d'abord d'enlever la graisse de sa moto, et ensuite de ramollir le poil.

3   La préparation est la clé du succès. Il faut que la barbe soit la plus douce possible et pour ce faire, vous devrez utiliser la même technique que pour vos jambes (voir p. 134). La seule différence ici est que les poils sont plutôt costauds et que vous aurez besoin de plus de mousse à raser et de plus de temps.

4   Remplissez un bol d'eau chaude et faites-y tremper une petite serviette. Essorez-la et placez-la sur le menton et les autres parties poilues du visage de votre homme. Laissez-la au moins 30 secondes en appuyant fermement de temps en temps contre la peau. Vous pouvez réitérer cette étape si nécessaire.

5   Maintenant, place à la mousse à raser. Vous pouvez utiliser la méthode du blaireau, ou bien vous faciliter la vie en faisant sortir la mousse directement d'une bombe. Quant à moi, je vous recommande la bombe, car la technique du blaireau demande de la pratique. Déposez un peu de mousse dans la paume de votre main. Pas trop, vous pourrez toujours en rajouter, et étalez-la uniformément sur le visage de l'homme et sur les parties poilues de son cou avec

des mouvements circulaires. Vous pouvez prendre votre temps pour le faire. Il appréciera sûrement.

6   Utilisez un rasoir neuf, de bonne qualité. Choisissez une marque connue, pas ces petits rasoirs jetables en plastique, à 2 € le sachet de quinze. Rincez-le avant de l'utiliser et après chaque passage. Cela vous permettra de débarrasser les lames des poils qui pourraient s'y coincer et, du même coup, procurera à votre homme le rasage de près le meilleur possible. Ne le rasez pas non plus avec ces petits rasoirs roses pour femme – c'est trop humiliant pour un mec.

7   Vous pouvez entamer par différents côtés, mais le bon endroit pour commencer, c'est le « haut » de la barbe ; faites glisser la lame verticalement en traçant des bandes jusqu'au menton. Faites une série de passages délicats et droits, y compris au niveau des pattes. Légers, mais fermes. Généralement, raser dans le sens du poil est plus confortable, mais, si vous le faites à contresens, vous obtiendrez un résultat plus net. Cependant, cette technique peut provoquer des irritations de la peau (d'où l'expression « le feu du rasoir »), alors soyez douce.

8   Pour chaque petite coupure (personne n'est parfait), utilisez un stylo antiseptique, et pas un vieux morceau de journal.

9   Pour raser le cou et sous le menton, je vous suggère de partir de la base du cou et de remonter, dans le sens inverse du poil. Vous n'obtiendrez pas de bons résultats si vous rasez dans le sens du poil. Vous pouvez vous faciliter la vie en tirant un peu la peau à la base du cou vers le bas.

10 Pour raser la moustache, tirez la lèvre supérieure vers le bas, en la tenant sur les dents du haut de votre homme et rasez vers le bas.

11 Enfin, lavez le visage de votre compagnon avec de l'eau très chaude, puis rectifiez délicatement les parties que vous aurez négligées. Les endroits sous le nez et le menton sont souvent oubliés. Rasez-les et vérifiez avec votre cobaye d'autres détails auxquels vous devriez faire plus attention.

12 Quand vous avez fini de le raser, séchez son visage en le tapotant avec une serviette et appliquez une crème hydratante. Les hommes

préfèrent souvent la brûlure causée par un après-rasage à base d'alcool, mais ceux-là font rougir la peau.

13 Une serviette chaude appliquée sur le visage peut permettre d'apaiser les sensations de picotements.

Maintenant qu'il est tout beau, enfilez-lui sa plus belle veste afin qu'il vous invite à dîner.

❂ *Les bandes rouges et blanches sur les enseignes des barbiers représentaient le sang et les pansements.* ❂

Comment
Étrangler un homme avec ses cuisses

Combien de fois vous êtes-vous retrouvée étendue sur le dos, un homme au-dessus de vous qui vous réclamait des choses déraisonnables ? Presque toutes les nuits pour certaines d'entre nous.

Quand j'ai commencé à écrire le titre de ce passage, j'ai compris que j'avais vraiment écrit : « Comment étrangler un homme avec ses cuisses. » Je suppose que c'est possible, mais ce n'est pas exactement ce que je vais vous montrer. Ce que je *vais* vous montrer c'est comment utiliser contre lui-même le poids d'un homme afin de le soumettre, comme le font les serpents qui enserrent leurs victimes : je parle des cobras, pas des anacondas. Vous serez allongée sur le dos, les jambes pliées et les genoux en l'air, les pieds posés sur le sol. Votre adversaire sera debout au-dessus de vous. Les dessins devraient vous aider à comprendre les positions.

INSTRUCTIONS

1 *La résolution* : prenez une grande bouffée d'air.

2 *La prise* : avec votre main droite, attrapez sa chemise par le deuxième bouton en partant du haut, ou sa veste. S'il est torse nu et velu, saisissez une bonne poignée de poils ou bien encore sa peau. Avec votre main gauche, serrez la partie extérieure de son biceps.

Enfoncez vos doigts si nécessaire (Fig. A).

3 *La bascule vers l'avant* : Utilisez le haut de son centre de gravité pour le faire tomber subitement vers vous.

4 *La clé de la hanche* : enfoncez votre pied gauche dans le creux de sa hanche droite (Fig. B).

5 *Le coup de pied dans le buisson* : avec votre pied droit donnez-lui un bon coup de pied dans l'aine. Cela devrait mettre un frein à son enthousiasme. Il dira peut-être quelque chose du genre : « Oh ! nom de Dieu ! » ou « Maman ».

6 *Le positionnement de la tête* : après le coup de pied, étendez bien votre jambe droite au-dessus de son épaule gauche afin qu'elle soit coincée entre son oreille gauche d'un côté, et votre bras droit de l'autre.

7 *Le coup de pied qui fait basculer vers l'avant* : donnez un coup pour pousser sa hanche droite avec votre pied gauche, qui est déjà en place. En même temps, tirez-le davantage vers le bas afin que le côté gauche de son cou appuie contre l'intérieur de votre cuisse droite. Son épaule gauche est maintenant hors service puisqu'elle est maintenue par votre cuisse droite. Empêchez-le de s'étendre sur votre jambe gauche : vous en aurez besoin pour la prochaine prise.

8 *Le blocage de l'aisselle* : abaissez son épaule droite afin de bloquer son aisselle contre l'intérieur de votre cuisse gauche (Fig. C).

Fig. A   Fig. B

Fig. C   Fig. D

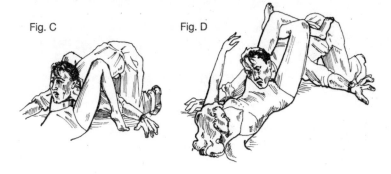

9   *La clé de jambe* : pliez votre genou droit en amenant votre mollet au-dessus de son épaule gauche, afin de le placer perpendiculairement à son cou. Soulevez votre jambe gauche et pliez le genou (qu'est-ce que vous pouvez plier d'autre, je vous le demande ?), mettez votre cheville gauche à l'intérieur de votre genou droit et entrelacez vos deux jambes fermement.

10 *Le maintien du bras droit* : pressez le haut de votre bras gauche contre son poignet gauche et son avant-bras en faisant en sorte que votre biceps gauche et votre aisselle le maintiennent immobile. Maintenant, il lui sera impossible de vous tirer les cheveux ou de vous crever les yeux (Fig. D).

11 *La compression* : resserrez vos hanches et vos cuisses en même temps (vous avez sûrement fait cela très souvent dans d'autres circonstances), afin d'empêcher tout passage d'oxygène vers son cerveau. Vérifiez s'il est inconscient, en lui donnant une petite pichenette sur le nez. S'il sursaute, c'est qu'il fait semblant. Une fois que vous êtes sûre qu'il est inconscient, levez-vous et partez, ou appelez la police. Ou les deux.

Toute cette suite de mouvements arrive en un instant, avant qu'il n'ait eu le temps de rassembler ses esprits. Mais, auparavant, vous devriez vous entraîner avec (sur) un ami.

❀ *La méralgie paresthésique est une douleur brûlante de la cuisse.* ❀

Comment
Siffler comme un loup
avec élégance

Une de mes maîtresses à l'école s'appelait Mlle Dauber. On l'avait tous surnommée Doberman, ce qui nous faisait tous mourir de rire. Ce qui n'était pas très juste et pas très vrai, car Mlle Dauber n'avait rien d'un chien, en fait elle ressemblait davantage à Julie Andrews dans *Mary Poppins* (1964). Le fait est qu'elle pouvait siffler comme un gars de la marine et que nous autres écolières, du fin fond de la cour de récré, ne pouvions rien faire d'autre que rappliquer.

Bien sûr, toutes les filles s'entraînaient comme des malades pour obtenir un bon coup de sifflet comme celui de Mlle Dauber, et il y avait deux écoles en matière de technique : celles qui sifflaient avec les doigts et celles qui sifflaient sans les doigts. J'appartenais au club des siffleuses avec doigts, mais je dois avouer qu'aucun des clubs n'était très doué, nous étions juste capables de produire un genre de baiser asthmatique, qui ressemblait au râle d'un dragon souffreteux.

Enfin, l'autre jour, ma belle-sœur d'Amérique, Marianne, déjeunait avec ma tante Béatrice et moi, et nous avons découvert qu'elle savait siffler comme la sirène des pompiers le premier mercredi du mois. Le pire, c'est qu'après quelques minutes, ma tante Béatrice a découvert qu'elle savait le faire aussi. En ce qui me concerne, après moult tentatives, j'ai échoué lamentablement. Néanmoins, si vous voulez tenter votre chance en un seul souffle, au nom de l'égalité des chances, voici les instructions décisives, avec des illustrations utiles, basées sur la technique de ma belle-sœur, pour qu'à votre prochain passage devant un groupe d'ouvriers du bâtiment, vous soyez la première à les siffler.

LA MÉCANIQUE

1   Placez vos doigts dans la position indiquée sur le dessin : le pouce et le quatrième doigt de chaque main sont posés sur les commissures de vos lèvres (figure ci-contre).

2   Ouvrez la bouche et touchez le bout de chaque doigt avec le bout de la langue.

3   Poussez votre langue vers l'intérieur de votre bouche comme un accordéon. Vous avez ainsi créé un canal étroit à l'intérieur de votre bouche ainsi qu'un petit trou pour laisser passer l'air. En soufflant franchement par ce passage – mais en fait pas aussi franchement que ce vous pensez devoir faire, vous devriez commencer à entendre quelques petits sifflements. N'en faites pas trop, vous risqueriez de vous étourdir.

4   L'entraînement est la clé du succès, donc ne renoncez pas au premier échec. Entraînez-vous dans votre bain, devant la télé, au lit et ainsi de suite. Après un certain temps, sans crier gare, vous y arriverez et vous sifflerez comme une pro. N'essayez pas d'apprendre à l'église, au fait, parce que le volume sonore – quand ça vient enfin – est absolument assourdissant et que vous verriez les paroissiens sauter sur leur prie-dieu.

5   Au fur et à mesure que vous améliorerez votre technique, vous vous rendrez compte que vous êtes capable de reproduire le bon vieux sifflet du loup en rut, tout à fait celui que Mlle Dauber utilisait pour nous faire mettre en rang pendant toutes ces années. Je me demande bien ce qu'elle est devenue.

Note : alors que je suivais ces instructions, je me suis rendu compte soudainement, à ma grande joie, que j'arrivais à le faire. C'est encore par intermittence, mais je *sais* siffler.

❀ *Le loup possède des liens ancestraux avec le chien.* ❀

Comment
Écrire une lettre commençant par « Mon cher Paul »

Oh mon Dieu ! Comment allez-vous réussir à rompre cette relation avec ménagement ? Parfois, une bonne vieille lettre de rupture suffit, surtout si l'homme habite loin. Alors asseyez-vous, prenez un stylo, du papier, une corbeille à papier et un verre d'eau (pas de vin) et commencez votre brouillon. Vous pouvez être sûre que vous allez en écrire plusieurs versions, croyez-moi. Voici quelques conseils pour éviter de commettre les principales erreurs de débutantes.

1   Ne la rédigez pas sur ordinateur. Une sortie à l'imprimante, c'est presque comme un e-mail ou un texto disant « Je te largue ». C'est totalement dénué de féminité. Alors, prenez un stylo et soyez gentille.

2   Ne commencez pas votre lettre par « Mon cher Paul… », à moins que vous ne le fassiez d'habitude. Commencez simplement par son prénom, « Paul… » et utilisez votre style habituel : ne soyez pas intime, juste aimable et sympathique.

3   Beaucoup d'hommes relisent sans cesse leur lettre de rupture. Cela les aide à en comprendre le sens, alors, par tous les dieux, faites attention quand vous écrivez votre missive.

4   Évitez les critiques acerbes au sujet de ses défauts. Des remarques telles que « Tes oreilles ont non seulement du poil à l'intérieur, mais en plus elles sont complètement désaxées et bien trop grandes » ou « Tu ressembles à un sac de patates au lit » sont peut-être exactes, mais elles ne sont pas nécessairement agréables à entendre. Le ressentiment est indigne ; la mansuétude devrait plutôt être de rigueur à cet instant. Et vous ne souhaitez pas que des remarques perfides, que vous ne pourriez pas retirer, vous hantent à jamais. De plus, ne faites surtout pas de comparaisons peu flatteuses du genre : « Aziz de la compta, lui, sait faire plaisir à une femme », ou « Tes jambes ont l'air riquiqui à côté de celles de mon voisin Marc ».

5   Vous ne devriez pas dire non plus des choses comme « Tu as arrêté de m'acheter des fleurs », ou « Tu étais si sportif avant », car il pourra croire que s'il changeait, il aurait une chance de vous reconquérir – ce qui est impossible, sinon vous ne seriez pas en train d'écrire une lettre de rupture.

6   Soyez claire et sans ambiguïté dans le contenu de votre lettre. Dites-lui simplement que vous mettez fin à votre histoire, et faites-le sans détour. Ne laissez pas traîner les choses, n'attendez pas un événement hasardeux, comme le jour où M. Duchemin s'est assis sur le chapeau de votre grand-mère.

7   Admettez que cette décision vous a été difficile à prendre (si c'est le cas) et que vous avez dû, en l'écrivant, trouver tout le courage et la résolution nécessaires.

8   Dites que votre relation n'allait pas depuis un certain temps et que, franchement, vous n'êtes pas faits l'un pour l'autre. Ce sont des clichés pratiques qui permettent de partager les torts, et surtout ils soulignent le caractère définitif de votre décision. Sans aucun doute, il reconnaîtra que ce que vous dites est vrai et comprendra que vous êtes sûre de vous.

9   Soyons honnêtes, vous n'êtes sûrement pas une sainte non plus, et cela peut l'aider si vous le reconnaissez. Mais surtout, quoi que vous fassiez, ne digressez pas sur vos infidélités chroniques, ne racontez pas les détails croustillants des splendides parties de jambes en l'air à trois, dans son appartement, avec le guitariste et le batteur des Sex Pests, alors que lui passait ses soirées aux Restos du Cœur. Cela le blesserait et ce n'est pas nécessaire.

10 Ne dites que des choses positives à son sujet. Souhaitez-lui bonne chance pour la suite. Cela lui fera comprendre que même si votre relation est terminée, vous ne l'avez pas complètement rayé du genre humain, et que vous continuerez à le respecter et à le considérer comme un homme. C'est le cas, n'est-ce pas ?

11 Il est préférable de ne pas lui demander de rester en bons termes ou « d'être juste bons amis ». Cela marche rarement et peut devenir une torture pour lui. Une bonne amputation se soigne plus rapidement.

12   Restez aimable quand vous signez votre lettre. Utilisez votre prénom. Inutile d'employer « cordialement », mais ne lui dites pas « je
t'embrasse » et ne dessinez pas de petits cœurs à la fin de la lettre.
Vous ruineriez tous vos efforts et il ne comprendrait plus rien.

13   Dès que vous avez terminé votre lettre, *laissez-la de côté pendant
quelques jours* pour que la chaleur corporelle s'en détache. Avant de
l'envoyer, relisez-la de façon objective. Vous vous assurerez que vous
avez bien écrit ce que vous pensiez. C'est une chose qui peut être
très difficile à faire.

Réponses

Et si vous recevez une réponse ? Eh bien, ça dépend de vous maintenant,
mais cela ne doit pas vous empêcher de vivre. Avec un peu de chance, il
aura compris et vous n'aurez pas à subir l'expérience désagréable qui est
survenue à une de mes amies. Elle avait envoyé une lettre de rupture à
son petit ami militaire et lui, en guise de réponse, avait renvoyé un colis
contenant une photo d'elle parmi un tas de photos d'autres femmes – les
sœurs, les petites amies ou les cousines d'autres soldats du régiment, avait
pensé ma copine. Il avait même renvoyé la lettre de rupture, au dos de
laquelle il avait ajouté : « Chère Marie, je ne me souviens plus très bien,
alors reprends juste ta photo et renvoie les autres. Bises. Jean. » En tous
cas, il avait de l'humour.

❀ *L'usage de la plume pour écrire remonte environ à l'an 700 de notre ère.* ❀

Comment
Faire un strip-tease

*L*es choses ont bien évolué depuis le temps où l'on pensait que le
strip-tease était une pratique dégradante des cabarets de Pigalle. En
décembre 2006, un tribunal norvégien a décrété qu'il s'agissait en fait
d'un art et que par conséquent il devait être exempté de TVA.

C'est d'ailleurs un art plutôt ancien : on trouve des tablettes sumé-
riennes dépeignant la descente d'Inanna aux Enfers, lors de laquelle

cette Inanna retire un vêtement devant chacune des sept portes, ce qui nous rappelle aussi la danse des sept voiles de Salomé dans le Nouveau Testament. Enfin, si vous voulez vous mettre à ce genre artistique voici quelques étapes à suivre.

INSTRUCTIONS

Vous n'avez pas besoin d'être un mannequin pour faire un strip-tease ; tout ce dont vous avez besoin, à part une tenue adéquate, c'est d'avoir confiance en vous. Les bas et les porte-jarretelles sont un *must*, surtout pas de grande culotte – mettez plutôt un string. Pendant le strip-tease, gardez les yeux rivés sur votre homme et utilisez un langage corporel suggestif : faites bouger vos cheveux, faites tourner vos hanches, gardez une jambe devant l'autre, les talons surélevés dès que c'est possible. Ce petit truc classique de danseuses peut vous aider à améliorer l'aspect un peu gauche de certaines postures, il donnera l'impression que vos jambes sont plus longues et plus fines.

1   Commencez par mettre de la musique. Choisissez un morceau adapté. *Déshabillez-moi* est tout à fait adéquat, *La Danse des canards*, pas du tout, et vous n'arriverez jamais à suivre la cadence du rythme endiablé d'un rock comme *Jail House Rock*. Vous devrez choisir une chanson sensuelle avec de fortes pulsations.

2   Ensuite, mettez-vous à vous trémousser, la tête haute et la poitrine en avant. Imaginez la forme d'un huit et suivez-la avec vos hanches. Quand vous bougez, mettez un pied devant l'autre, comme un funambule, pour être au maximum de votre féminité, cambrez les reins, rentrez le ventre et faites ressortir vos seins. La confiance en soi est primordiale : vous devez montrer à votre homme que vous contrôlez la situation.

3   Servez-vous d'une écharpe ou d'un boa en plumes pour jouer, ils peuvent représenter… bon, laissons tomber. Faites-le glisser de manière suggestive entre vos doigts et sur vos épaules, ou utilisez-le comme bandeau pour couvrir les yeux de votre chéri ou lui envelopper le cou et l'attirer vers vous. Au fait, en aucun cas *il n'a le droit de*

vous toucher.

4   Votre veste est le premier vêtement que vous enlèverez. Retirez-la lentement, en le regardant par-dessus votre épaule. Déboutonnez-la et faites-la glisser et tomber en un seul mouvement. Vous rouler par terre désespérément en essayant d'arracher les manches de votre veste n'est pas vraiment la chose à faire : vous êtes peut-être en train de vous déshabiller, mais vous ne titillez personne.

5   La jupe vient ensuite. Mettez-vous à nouveau de dos, regardez par-dessus votre épaule et faites glisser la fermeture de votre jupe. Faites-le lentement, pas comme un médecin légiste qui ouvrirait le troisième sac à viande de la journée. Faites ressortir vos fesses et cambrez-vous comme au début. Ôtez la jupe dans un mouvement rapide mais souple et laissez-la tomber à vos pieds. Quand elle est sur le sol, écartez-vous. N'allez pas la ramasser pour la plier et la ranger proprement ; il n'y a rien de moins séduisant que quelqu'un qui plie son pantalon ou accroche un vêtement sur un cintre. Lorsque vous ferez un pas de côté pour vous en éloigner, attention de ne pas vous prendre les pieds dedans. Trébucher, perdre l'équilibre à cause de ses chevilles emmaillotées et s'étaler sur le tapis manquerait de panache.

6   De la même manière, vous pouvez tout gâcher si vous devez vous arrêter pour défaire les lacets de vos chaussures. Si vous portez de jolis accessoires à lanières gardez-les au pied. Sinon mettez quelque

chose que vous pouvez facilement enlever. Soulevez simplement votre jambe vers l'arrière, baissez-vous et attrapez la chaussure de la manière la plus artistique possible. Je sais que les Doc Martens font encore un tabac dans les magazines mais, *s'il vous plaît, pas pendant un strip-tease.*

7   Maintenant passons aux bas. Tout en gardant les yeux rivés sur l'homme de votre vie, mettez votre pied sur une chaise. Vous devrez vous placer de profil par rapport au *spectateur*. Défaites les jarretelles, et avec grâce, faites rouler vos bas des deux mains, les fesses vers le haut. Dès que votre bas se trouve sur votre cheville, retirez-le en le prenant entre votre index et votre pouce. Réitérez le geste pour la deuxième jambe.

8   Franchement, les porte-jarretelles sans bas ont l'air un peu ridicule, alors dégrafez-les promptement et lancez-les lui avec malice. Faites en sorte qu'il ne vous quitte pas des yeux.

9   Ensuite vient le tour du soutien-gorge. Essayez de tirer parti de cet instant au maximum car c'est celui qu'il attend probablement avec le plus d'impatience. Mettez-vous devant lui et jouez avec les bretelles pour les faire tomber. Faites-le doucement, vous n'êtes pas une marchande de poisson. Tournez-vous et regardez-le par-dessus votre épaule. Ce truc de regarder par-dessus son épaule est un geste primitif dans l'art du langage corporel que tous les hommes savent reconnaître. Dégrafez votre soutien-gorge, mais maintenez-le en place sur vos seins en gardant un bras contre votre poitrine. Retournez-vous pour lui faire face, l'air aguicheur. Avec l'autre main, tirez délicatement sur votre soutien-gorge pour le faire glisser et le laisser tomber. Couvrez encore vos seins pendant quelques instants, et ensuite enlevez votre bras, tout en vous caressant la poitrine. Maintenant, faites de votre mieux en soulevant ces deux parties charnues devant vous, et passez un peu de temps à titiller vos tétons comme si vous cherchiez la bonne station de radio. Ça devrait l'intéresser un petit bout de temps.

10 Bon, maintenant, vous en êtes à la partie « string ». J'espère que c'est un string – ou un truc similaire – et pas une de ces grandes culottes

de maintien couleur chair. Vous devez le retirer comme une vraie star du porno, et pas comme une mamie qui enlèverait son une-pièce sur la plage. Pour ce faire ne gardez pas les jambes croisées quand vous enlevez votre petite culotte, ou on aura vraiment l'impression que vous avez tout faux. Au lieu de cela, reprenez votre position de départ et mettez une jambe devant l'autre en soulevant élégamment votre talon. Maintenant, pour ce qui est du final : offrez votre profil à votre homme, placez vos mains à l'intérieur du string, de chaque côté des élastiques, les paumes contre les cuisses, soulevez et dégagez l'élastique de votre corps. Ensuite, faites glisser vos mains contre vos jambes, en entraînant la culotte. Abaissez-vous avec grâce pendant que vous descendez vos mains au-delà de vos genoux et faites tomber le sous-vêtement par terre. C'est facile de terminer sur un petit coup de fesses, parce que se dégager artistiquement d'un string peut être périlleux. Vous pourrez constater qu'il s'enroule autour de votre cheville de manière assez disgracieuse. Désolée, vous serez seule, à ce moment-là : allez-y doucement.

11 Enfin, tournez autour de votre homme en vous caressant, jusqu'à ce qu'il soit submergé par l'émotion et que *quelque chose* explose.

❀ *Brigitte Bardot est l'héroïne de* Mademoiselle Striptease *de Marc Allegret (1956).* ❀

Comment
Éviter le rendez-vous suivant

*I*l existe plusieurs raisons pour lesquelles une relation peut se ternir et je ne vais pas toutes les énumérer. Le fait est que parfois un rendez-vous peut vous paraître tout à coup aussi attirant que d'admirer un cadavre à la morgue. Voici donc quelques idées qui devraient vous aider à vous en sortir la prochaine fois que vous voulez échapper à un éventuel prochain rendez-vous galant.

Souvent, la sensation désagréable que tout va mal vous saute aux yeux pendant un rendez-vous et ce peut être le bon moment pour mettre votre plan à exécution. Je présuppose ici que vous n'appréciez pas le jeune homme en question et que vous ne le reverrez jamais. Il n'y a donc pas de place pour les tergiversations et les excuses : vous devez être prête à l'achever. Prenez exemple sur le tueur à gages qui ne refuse jamais un contrat, et faites en sorte que ce soit lui qui vous laisse tomber. Pour arriver à vos fins, faites de vous-même la femme la plus insortable, en devenant totalement détestable et ignoble.

Instructions

* Si vous êtes déjà au restaurant, mouchez-vous dans la nappe.
* Buvez trop et commencez à crier.
* Pincez les fesses de tous les hommes à portée de main (les serveurs sont parfaits).
* Commandez le plat le plus cher de la carte avec du champagne et n'y touchez pas.
* Ayez un rire sardonique et un tic étrange.
* Faites des clins d'œil aux autres hommes et payez-leur à boire avec sa Carte Bleue.
* Exigez qu'il choisisse sur-le-champ entre sa mère et vous, ou bien encore entre le sport et vous.
* Portez une jupe qui vous arrive aux genoux avec des mi-bas.
* Arrêtez de vous épiler les jambes.
* Arrêtez de vous laver les cheveux.
* Étalez votre maquillage grossièrement.
* Ayez des opinions extrêmement tranchées.
* Mettez-vous à fumer des cigares cubains.
* Arrêtez de vous brosser les dents.
* Portez un survêtement en nylon avec une phrase tendancieuse.
* Arrêtez de vous changer.
* Commencez à roter bruyamment en public.
* Appelez ses amis pour les inviter à sortir avec vous.
* Surtout ne lui posez pas de lapin. Ce n'est pas très féminin.

❀ Rendez-vous avec la mort *est un roman d'Agatha Christie paru en 1937.* ❀

Comment
Cacher une lime
dans un gâteau de Savoie

Supposons que votre homme ait été dénoncé par un mouchard et que les roussins lui aient mis la main au collet, qu'ils lui ont fait cracher le morceau et lui ont dit qu'il chantait comme « un pinson tombé dans l'escalier ». Le juge l'a chargé avec un tas de circonstances aggravantes, c'est donc maintenant à vous de lui faire faire la belle. Est-ce que franchement vous voyez de quoi je parle ? Parce que moi, je n'en ai aucune idée. Voici ce que vous devez faire… Fondu enchaîné, plan large de la prison, extérieur nuit.

INGRÉDIENTS
* *225 g de sucre*
* *225 g de beurre mou*
* *225 g de farine*
* *4 œufs battus*
* *1 sachet de levure*
* *2 cuillerées à soupe de lait*

GARNITURE
* *Crème Chantilly*
* *Un pot de confiture de framboise*
* *Sucre glace (pour le glaçage)*
* *Une lime, petite mais solide*

INSTRUCTIONS
1   Préchauffez le four à 190 °C (thermostat 6-7).
2   Beurrez deux moules (d'au moins 20 cm de diamètre) et étalez une feuille de papier sulfurisé.
3   Battez tous les ingrédients ensemble (sauf ceux de la garniture) afin

d'obtenir une consistance crémeuse qui tombe de la cuillère.

4   Diluez avec un peu d'eau si c'est trop épais.

5   Divisez la préparation pour la répartir dans les deux moules et met-
    tez la lime dans l'un d'entre eux. Égalisez la surface et faites cuire
    pendant à peu près 20 minutes ou jusqu'à ce qu'ils soient dorés.
    Celui avec la lime risque de cuire plus rapidement car le métal accé-
    lère la cuisson. Quand ils sont prêts, les gâteaux devraient rebondir
    si vous appuyez sur la surface.

6   Démoulez et laissez refroidir les gâteaux sur une grille. Vous verrez
    clairement la marque de la lime, tombée au fond, sur la base d'un
    des gâteaux. Retournez ce gâteau-là.

7   Pour la garniture, étalez généreusement la confiture sur le bas du
    gâteau.

8   Étalez la crème sur l'autre gâteau (celui avec la lime) et position-
    nez-le délicatement par-dessus le premier. Saupoudrez d'un peu
    de sucre glace. La baronne de Rothschild utiliserait sûrement des
    petits pochoirs pour faire de jolis dessins.

Apportez le gâteau à la prison lors de votre prochaine visite conjugale
et croisez les doigts.

❀ *Le gâteau ou biscuit de Savoie a été inventé par Marguerite de Savoie*
en 1348 pour honorer le futur empereur Charles de Luxembourg. ❀

Comment
Séduire un homme

Ce que vous devez comprendre au sujet des hommes, c'est qu'ils
ne sont pas comme nous quand il s'agit de séduction. Pour une
femme, un homme doit réussir tout une batterie de tests implicites avant
qu'elle n'envisage ses compatibilités.

Les obstacles physiques à franchir sont notamment la taille (grand c'est
mieux), la masculinité (l'agressivité, une mâchoire carrée, un nez large, un
front robuste, des épaules larges, un index plus court qu'un majeur), le

pouvoir (un boulot rentable, des signes extérieurs de richesse – grosse voiture, maison, montre bling-bling et vêtements de marque).

Mais ces critères d'accouplement à la tarzanne se doivent d'être contrebalancés par des compétences paternelles. Donc vont aussi compter des qualités comme le sens de l'humour, la sensibilité, l'esprit d'à-propos, le sens du jeu, le charme et l'esprit.

Au contraire, les hommes ne souhaitent avoir à leur bras que la plus jolie fille qui se présentera. Parmi les trois qualités essentielles – intelligence, origines sociales et beauté – qu'une femme doit posséder pour être sur le marché, la beauté est en haut de la liste ; une jolie caissière sera plus attirante pour un homme qu'une princesse fade. Être intelligente et bien élevée importe aussi, bien sûr, autant que de savoir servir de bons petits plats, mais ces femmes, qui, pensant que, pour gagner le cœur d'un homme, il faut passer par son estomac, mettent la barre trop haut. Et ne croyez pas que les qualités physiques requises par les hommes n'ont à voir qu'avec la minceur.

La taille est importante, comme l'est la forme en poire, qui signifie : « je peux avoir des enfants et les nourrir », mais ce qui attire vraiment les hommes, au-delà de l'attirance néanderthalienne de la succion, c'est un tempérament positif. Les hommes préfèrent de beaucoup les femmes enthousiastes, gaies et aventureuses, même si elles ne ressemblent pas à Marilyn Monroe (d'ailleurs *qui lui ressemble* ?).

La confiance en soi est un véritable aphrodisiaque pour les hommes, donc si vous êtes passionnante et optimiste plutôt que négative, grincheuse, râleuse et lugubre, vous avez un sacré avantage en matière de séduction et une capacité innée pour débouter n'importe quelle blonde décolorée, dont les attraits se dissipent, pour beaucoup d'hommes, quand elles ouvrent la bouche.

LA SÉDUCTION : UNE LISTE

Voici quelques petites choses que vous pouvez faire pour remporter une partie qui n'est somme toute pas très difficile. Pensez à Mrs Robinson dans *Le Lauréat*.

* Portez des vêtements qui vous avantagent. Jambes, seins, cou, bras,

ventre. Si vous êtes assez chanceuse pour être bien faite de partout, dissimulez-en une partie.

* Rapprochez-vous de lui.

* Faites bien attention à lui. Écoutez-le attentivement et regardez-le dans les yeux. Si ses pupilles sont dilatées, vous saurez que vous lui faites de l'effet. Soit c'est ça, soit vous êtes dans le puits d'une mine.

* Regardez sa bouche quand il parle. Ne soyez pas bouche bée ; formez un triangle entre ses yeux et ses lèvres.

* Penchez-vous vers lui alors que vous vous mouillez les lèvres. Mais soyez subtile ; vous ne voulez pas avoir l'air de vous être empiffrée d'un gros gâteau.

* Jouez avec vos cheveux.

* Caressez vos cuisses.

* Susurrez une question à son oreille.

* Touchez-le. Attrapez sa montre pour vérifier l'heure ; poussez-le jovialement quand il dit quelque chose de drôle, cognez votre genou contre le sien de manière accidentelle ; penchez-vous vers lui, coincez une mèche rebelle derrière son oreille.

* Si vous êtes assise, croisez et décroisez les jambes (les hommes trouvent cela extrêmement séduisant, surtout si vos jambes sont longues et que votre jupe est courte.)

* Demandez-lui de souffler dans votre cou. N'importe quelle excuse fera l'affaire.

* Demandez-lui de vous aider à défaire le bouton du haut de votre chemisier ou d'attacher votre collier. Il commence à baver, non ?

* Dites-lui que vous avez froid et qu'il vous réchauffe les mains.

* Les hommes sont des créatures très visuelles. Dites-lui que vous pensez vous acheter un maillot de bain et demandez-lui lequel vous irait le mieux.

* Plongez vos doigts dans votre glace et invitez-le à goûter. Ses joues commencent-elles à rougir ? Si c'est le cas, vous vous en sortez bien.

* Attrapez son genou et remontez doucement le long de sa cuisse en serrant, mais arrêtez-vous avant d'arriver au point de non-retour.

* Parlez de choses vaguement – ou franchement – érotiques. Une de

mes amies mentionne toujours son épilation du maillot aux hommes qui l'intéressent. Ils en restent bouche bée.

* Asseyez-vous jovialement sur ses genoux : ça met les hommes dans tous leurs états. Surtout si vous vous tortillez dans tous les sens. Vous constaterez peut-être une réaction. Moi, ce que j'en dis…

* S'il vous invite chez lui, assurez-vous de ne pas vous retrouver dans la même situation qu'une de mes amies, quand son chevalier servant lui a dit « Attends-moi là, je vais me soulager ». Résultats peu concluants !

 ❀ *Dans* Le Lauréat, *Anne Brancroft n'avait
 que six ans de plus que Dustin Hoffman.* ❀

Comment
Repérer un coureur de jupons

L es femmes, c'est bien connu, utilisent le sexe pour obtenir ce qu'elle veulent, alors que les hommes, eux, ne peuvent pas puisque ce qu'ils veulent *c'est* le sexe. C'est le genre d'observations, comme « l'aspirine effervescente, ça fond » et « les boîtes aux lettres sont jaunes » qui tombent sous le sens.

Le problème survient quand votre homme est incapable de se restreindre et de respecter ses engagements, et commence à s'éparpiller en dérogeant au 11ᵉ commandement, « Tu ne tromperas point ta gonzesse ». C'est un peu comme celui qui parle de ne pas convoiter la femme de son voisin ? Si vous commencez à suspecter fortement votre homme de batifoler dans les draps d'autres femmes, il est grand temps d'évaluer les chances de survie de votre relation.

Certains sont plus enclins à tromper leur femme que d'autres, et le profil psychologique et les attitudes d'un homme peuvent révéler sa propension à vous faire des crasses. Essayez de répondre au questionnaire ci-dessous et voyez comment vous vous en sortez.

LE PROFIL DU COUREUR DE JUPONS QUI VA VOUS TROMPER

* Est-ce que votre homme aime l'action et les sensations fortes ? Le parachute ascensionnel et les voitures de course ? Les hommes cherchent des sensations n'importe où. Soyez prévenue, ces sports dangereux peuvent vouloir dire jouer avec le feu et attiser la flamme.

* Est-il entreprenant, fort, charismatique et ambitieux (le syndrome de JFK) ? Ce dynamisme charismatique ne s'arrêtera pas au seuil de votre chambre à coucher.

* Est-ce que son père était un coureur de jupons ? Les pères enseignent à leurs garçons comment traiter les femmes.

* Est-ce que ses copains trompent leurs petites amies ? Qui se ressemble s'assemble. Et c'est souvent le cas avec ce genre d'oiseaux.

* A-t-il un passé sexuel actif ? Ne vous attendez pas à ce qu'il retienne toute cette vigueur parce qu'il vous a rencontrée. C'est aussi simple que ça.

* Connaît-il beaucoup de femmes ? Les contacts avec les personnes du sexe opposé peuvent vite faire tourner la mayonnaise si vous n'y prenez garde. Plus il sera sympathique avec la gent féminine, plus il y aura des risques.

* Est-il à l'aise avec cette question de l'infidélité et a-t-il déjà trompé ses petites amies précédentes ? Eh bien alors, pourquoi devrait-il se refréner maintenant ? Qui a trompé, trompera : et un coureur de jupons ne se dédit jamais. S'il répond oui à cette question, méfiez-vous !

* Rentre-t-il souvent à la maison couvert de cheveux blonds et de marques de rouge à lèvre, des petites culottes dans ses poches ? Si oui, vous pouvez commencer à nourrir un doute raisonnable.

Plus vous aurez obtenu de « oui », plus vous êtes sûre d'avoir déniché un sacré coureur de jupons. Maintenant, faites ce que vous voulez, c'est votre problème.

❀ *Dans* L'Histoire de ma vie, *Casanova dit qu'il aurait eu des relations sexuelles avec 122 femmes.* ❀

Comment
Refuser une demande
en mariage à la noix

Un des principaux problèmes d'une jeune femme, c'est de savoir gérer les garçons. C'est quelque chose, je crois, que l'on apprend sur le tas – si vous me pardonnez l'expression. C'est comme le choix des coussins, le rejet incombe généralement aux femmes, et cela peut prendre un certain temps pour le faire avec grâce et élégance.

Supposons qu'un homme que vous appréciez, mais sans plus, vous offre soudainement une bague de fiançailles au cours d'un dîner, en se mettant à genoux. Que faites-vous ? Tout d'abord, ne dites *jamais* « oui » si vous ne le pensez pas vraiment, ou vous finirez comme Nancy Astor, qui disait : « Je me suis mariée en-dessous ma condition, c'est toujours ainsi pour les femmes. »

Voici comment il faut s'y prendre pour refuser correctement une demande en mariage à la noix. Je suppose que vous êtes une femme bien, et pas une vulgaire racaille édentée pour qui un simple « Nannnnn ! » entre deux bouffées de fumée est suffisant. Et, à moins qu'il ne s'agisse d'un traqueur qui vous donne la chair de poule, les textos et les e-mails ne sont absolument pas convenables dans ce genre de situation.

INSTRUCTIONS

1   Soyez honnête, mais gentille. N'allez pas dire : « Marc, tu es sympa, mais tu ne me plais pas, et *jamais* je ne t'épouserai, à cause de ton attitude efféminée, passive, et à cause de tes petites pattes de coq, et à cause de ton boulot minable chez Airplouc, et à cause de ton manque d'humour, et à cause de ton horrible mère, et à cause de ton odeur corporelle, etc. » Au lieu de cela, faites-lui comprendre très clairement mais poliment que, bien que vous l'appréciiez, *jamais vous ne voudrez l'épouser.*

2   Ne vous excusez pas.

3   S'il insiste en affirmant que vous êtes faits l'un pour l'autre, utilisez

la technique du disque rayé : répétez que, bien que vous l'appréciiez, vous ne voulez vraiment pas l'épouser. Si le message ne passe
pas après quelques répétitions, c'est que vous avez affaire à une tête
de mule. Passez aux conseils suivants.

4   Si vous trouvez une bague de fiançailles dans votre gâteau,
    avalez-la.

5   Expliquez-lui que pour vous, avec qui que ce soit, le mariage ce n'est
    pas votre truc en ce moment. Remarquez bien la place des mots !

6   Demandez à votre père de lui refuser votre main (et le reste de
    votre corps).

7   Prétendez être lesbienne.

8   Pour un homme qui n'aurait pas encore compris, louez un empla-
    cement publicitaire sur sa ligne de bus, avec ce message : « Ici la
    Terre, à Marc Duchemin, résidant au 32, rue Seguin. Fais rentrer
    ça dans ta sale caboche : Juliette Rosier ne veut pas et ne *voudra
    jamais* t'épouser. »

❀ *Zsa Zsa Gábor s'est mariée neuf fois.* ❀

Comment
Chevaucher un ballon sauteur
en minijupe

*P*our ceux qui les ont vécues, les années 1970 avaient l'air d'appartenir à une ère digne des limbes ; mais aujourd'hui, nous contem-
plons cette époque à travers nos lunettes rondes en métal doré vintage
non remboursées par la Sécu et nous déclarons combien il était mer-
veilleux, ce temps passé à nous faire suer sur un banc avec nos pantalons
patte d'éph violets – le seul vêtement que les friperies refusaient parce
qu'elles le trouvaient de mauvais goût. Tout compte fait, estimez-vous
heureuse si vous n'avez pas connu cette époque.

Parmi les choses les plus stupides que l'on pouvait trouver, il y a le
fameux mange-disque orange de chez Lansay qui avalait mon 45 tours.

On pouvait le trimbaler partout avec sa poignée intégrée.
Ensuite, il y a le célèbre balai mécanique à réservoir,
qui vous permettait, cela va sans dire, de ramasser
et d'emprisonner toute la poussière dans sa cassette.
Tous les garçons avaient ces vélos de course avec leur
dangereuse barre transversale qui allait du siège au
guidon, et toutes les filles, elles, rebondissaient sur
des ballons sauteurs, ces gros ballons orange affublés
d'un sourire stupide.

C'était sympa les ballons sauteurs, même si ce
n'était pas très féminin. On en avait même à l'école.
D'ailleurs Mlle Robin nous incitait à les utiliser
pendant l'échauffement au début des cours de
gym. Mlle Robin était une prof de gym qui
avait des tendances saphiques si évidentes
que nous pensions que son but inavoué était d'apercevoir nos petites
culottes. Je me souviens qu'elle portait des chaussures de foot d'homme,
qu'elle arborait la même coupe de cheveux que Dominique Rocheteau,
qu'elle fumait la pipe et que, bien que son nom fût Monique, elle insistait pour qu'on l'appelât Bernard. *Je n'invente rien.* Des ballons sauteurs,
on en trouve encore ici et là, voici donc comment en chevaucher un en
minijupe, selon la technique de Mlle Robin.

LA MÉTHODE ROBIN

1   *Choisissez la bonne petite culotte.* Pensez à allier confort et élégance
    (on ne sait jamais).

2   Enfourchez votre ballon en gardant les pieds bien au sol, afin de
    rester stable, et en tenant les deux poignées coincées entre vos jam-
    bes. Les poignées sont de deux sortes (A) deux petites cornes et (B)
    en formes de pelles. Ces dernières permettront de mieux dissimu-
    ler votre culotte.

3   Sautillez deux ou trois fois, pour voir comment votre ballon
    rebondit.

4   Faites des bonds en l'air en gardant le ballon sauteur entre vos jambes,

mais au lieu d'atterrir sur vos pieds, soulevez-les en pliant vos genoux, atterrissez alors sur les grosses fesses dodues du ballon

5   Remettez vos pieds sur le sol quelques instants après avoir atterri et enfoncez-vous pour préparer votre prochain rebond.

6   Changez de direction en poussant plus fort avec votre pied droit (pour tourner à gauche) ou avec votre pied gauche (pour tourner à droite).

7   *Rebondissez toujours avec le vent dans le dos.* J'ai déjà vu des jupes de jeunes filles imprudentes se soulever complètement.

❀   *La première minijupe est apparue à Londres en 1962.*   ❀

Comment
Glisser le long du mât d'une caserne de pompiers

*L*es fameux chansonniers du Music-hall ont produit des blagues intemporelles – pas toujours très bonnes, mais qui durent. J'étais chez Michou la semaine dernière et j'ai entendu celle-ci : « Alors y a que'qu'chose sous vot' kilt ? Ben sûrement, tout fonctionne ! ». J'avoue, elle doit être vieille d'au moins 100 ans.

C'est vrai ce qu'on dit sur les hommes en kilt ? Quand je vois passer une fanfare, cela me donne des frissons partout : toutes ces boucles de ceinturon, ces couteaux et ces *pipes*, et toutes ces couleurs clinquantes et ces gros chapeaux tout poilus. Il y a quelque chose dans les uniformes, n'est-ce pas, qui accentue avec provocation les caractéristiques masculines des hommes qui les portent, et qui les rend d'autant plus attirants. Et vous avez l'embarras du choix, entre les soldats et les marins, les pilotes et les policiers, les facteurs et les ouvriers de la DDE. Bon d'accord, peut-être pas les ouvriers de la DDE. Mais je peux, sans me tromper, mettre en haut de la liste le pompier en uniforme.

Je me suis donc posé la question : serait-il envisageable de demander à un pompier de me laisser glisser le long de son mât ? J'avais déjà lu que les premiers mâts de pompiers avaient été installés à l'époque des voitures de pompiers tirées par des chevaux, quand les pompiers vivaient au-dessus des écuries. J'avais aussi noté qu'un mât pouvait atteindre une hauteur de 12 m. Ben mon Dieu, c'est un sacré morceau !

Le problème, avec les mâts de pompiers, c'est que les services sanitaires commencent à s'y intéresser de près et on craint qu'on ne les retire des casernes, car les pompiers risquent de souffrir d'un « échauffement des cuisses ». Je voudrais que soit inscrit dans toutes les tablettes que je suis prête à me porter volontaire pour masser avec des crèmes apaisantes les cuisses de tout pompier souffrant d'échauffement. Vous n'avez qu'à contacter mon éditeur. Finalement, j'ai réussi à parler à un pompier gradé et je souhaiterais remercier le chef de la caserne de Pontault-Combault pour son aide précieuse. Je *voudrais* le remercier, même s'il ne m'a dit qu'une chose : vous entourez vos jambes autour du mât au niveau des chevilles et c'est vraiment tout, en somme. Vous utilisez seulement vos mains pour rester en équilibre, mais vous n'y êtes pas obligée. La vitesse de la descente est contrôlée par le jeu de jambes, et en fait ça ne devrait pas vous inquiéter, car les mâts ne sont pas assez longs – vous n'avez qu'à enlacer le mât et vous laisser glisser.

Au vu de la richesse de ces informations et sachant que les simples civils n'ont pas le droit de glisser le long des mâts des casernes de pompiers, je retire mes remerciements. Si vous êtes plus chanceuse que moi et que vous avez l'occasion de descendre un mât, je serais ravie d'écouter le récit de votre anecdote.

❀ *Une flamme est une réaction chimique autosuffisante oxydante qui produit de l'énergie.* ❀

Comment
Se balancer à l'envers sur un trapèze

Quand j'étais petite, j'avais un livre illustré qui s'appelait *Le cirque arrive en ville*. Les images étaient si réalistes que, lorsque le cirque est vraiment arrivé dans ma ville, j'ai supplié mes parents de m'y emmener. Le grand chapiteau, M. Loyal si impertinent, les clowns hilares, les lions, les tigres et les éléphants impressionnants, la sciure et les cris de la foule – vous savez bien, toute cette ambiance surexcitée ! Bon, nous avons terminé sur un parking à Saint-Hilaire-de-Riez – dans un hangar nauséabond où un faux clown donnait son dernier spectacle. Il n'y avait ni lion, ni sciure, ni chapiteau. Cependant, je me souviens bien d'une troupe de trapézistes avec des costumes clinquants, mais peut-être ai-je fait dans ma mémoire un amalgame avec la page correspondante de mon livre *Le cirque arrive en ville*.

De toute façon, si en fin de compte vous décidez de ne pas aller travailler au centre d'appels téléphoniques, mais de devenir une beauté volante sur un trapèze, voici les bases. Je vous *prie* d'utiliser un filet.

SE SUSPENDRE PAR LES PIEDS

1   Attrapez la barre des deux mains et commencez à vous balancer jusqu'à ce que vous obteniez un balancement conséquent.

2   Quand vous êtes prête, pliez vos genoux et rapprochez-les de votre poitrine et de la barre. Faites glisser vos pieds par-dessus la barre

afin que celle-ci se retrouve derrière vos genoux pliés. Rapprochez vos talons de vos cuisses. Continuez à vous balancer, dans la mesure du possible.

3 Gardez vos genoux pliés bien serrés, lâchez les mains et déployez votre corps avec autant de grâce que possible, laissez partir vos bras vers le sol.

4 Continuez à vous balancer en alternant les lâchers de dos et les jets de bras.

ÊTRE RATTRAPÉE PAR UN HOMME

1 Face à face, vous devez alors vous balancer l'un vers l'autre en faisant très attention. La synchronisation est essentielle : vous devez vous rencontrer au point culminant de vos balancements. N'allez pas trop vite, sinon vous vous exploserez le crâne.

2 Comme vous êtes celle qui doit être rattrapée, c'est à vous d'aider votre partenaire. Cambrez le dos en rejetant votre tête vers l'arrière et les bras au-dessus de vous dans une posture rigide, comme celle de Superwoman.

3 Avec votre tête rejetée en arrière, vous verrez tout à l'envers. Juste au moment où vous vous habituerez à ce point de vue inhabituel, vous verrez un homme en justaucorps (c'est votre partenaire) fonçant sur vous sans pouvoir s'arrêter, comme un de ces boulets de démolition au bout d'une chaîne. Dès que vous sentirez qu'il se saisit de vos poignets, relâchez les genoux afin de libérer le trapèze, en vous balançant dans le vide. Vous serez alors suspendue dans l'air, vous balançant de manière spectaculaire, tenue à bout de bras par votre partenaire, au-dessus de la foule en délire.

4 Si votre partenaire vous rate ou vous lâche, essayez d'atterrir dans le filet de sécurité plutôt que sur le sol en ciment, ce qui peut se révéler fatal.

❀ *L'acrobate français Jules Léotard a inventé le justaucorps,*
également appelé Léotard. ❀

Index